COMUNIDADES TRANS, CUIR Y NO BINARIA: PRESENCIA Y RESISTENCIA

Miguel Vázquez Rivera, Psy.D.
Sheilla Rodríguez Madera, Ph.D.
Alíxida Ramos Pibernus, Ph.D.
David Emanuel Rivas, M.S.

ISBN: 978-1-950792-52-8

Primera edición: 2023

©Editorial EDP University, 2023

Diseño de portada: Adaris García

Diagramación: Linnette Cubano García

Un porciento de las ganancias de este libro van para True Self Foundation.

EDP University of Puerto Rico, Inc.
Ave. Ponce de León 560
Hato Rey, P.R.
PO Box 192303
San Juan, P.R. 00919-2303

www.edpuniversity.edu

 Editorial EDP

Contenido

Agradecimientos

Este libro es pandémico y tomó más de 3 años para desarrollarse. Fue un ejercicio de dedicación, colaboración y compromiso. En esta gesta monumental, muchas personas y organizaciones nos apoyaron.

Por esto queremos agradecer a:

- Asociación de Psicología de Puerto Rico
- Ponce Health Sciences University
- Universidad Carlos Albizu

por el auspicio y el apoyo de las tres instituciones a la producción literaria puertorriqueña.

De igual manera, aprovechamos el momento para agradecer a:

- Junta de Directores de True Self Foundation
- Adaris García por la portada
- Dra. Noelia Ysern Solá por el editaje del estilo APA

En fin, a todes les autores de los capítulos y a las personas que colaboraron con el proyecto de una forma u otra, les agradecemos inmensamente por sumar a estos esfuerzos, esperamos que les haya sido tan gratificante como para nosotres ha sido.

Equipo Editorial

A toda la comunidad trans, cuir y no binarie, en especial a las nuevas generaciones, porque encuentren la esperanza y la convicción para ser quienes son y la resistencia y la fuerza para luchar por ello.

Capítulo 1
Introducción

Miguel Vázquez Rivera, Psy.D.
Editor Principal

Este libro es para nosotres un sueño y un logro. Sabemos que no es fácil pertenecer a las comunidades trans, cuir y no binaria. Desde las instancias de discrimen, la negación del acceso a lo más básico, la violencia estructural de las agencias, les profesionales y el gobierno, hasta la invisibilidad, han hecho que este libro sea posible en el 2023 y no antes. Aún en esta época entendemos que es revolucionario y más que pertinente, vital. Las comunidades trans, cuir y no binaria se encuentran en constante lucha por la inclusión y la validación de sus derechos. Sus cuerpes son frentes de batalla que con su mera existencia y presentación al mundo evidencian cómo gestan su militancia y activismo. Entendemos que el arma más poderosa en esta guerra para lograr la inclusión y la adquisición de derechos es la educación.

Con este libro pretendemos educar a cuidadores, padres, madres, hermanes y demás familiares, allegades, vecines, aliades, personas gays, lesbianas y bisexuales, profesionales, estudiantes, comunidad en general, y hasta la misma comunidad trans, cuir y no binaria. La diversidad no tiene límites y la educación tampoco. Este escrito pretende ser una herramienta para unir, incluir y aportar. Entendemos que es un junte para la historia, porque la lucha por la aceptación e inclusión de la diversidad de género y sexo es una de las luchas por los derechos civiles más importante de la actualidad. Queremos demostrar que las colaboraciones dan fruto y traen fuerza a las luchas y aquí estamos; un junte poderoso de aliades y miembros de la comunidad. Además, pretendemos contribuir al activismo y al reclamo de un espacio para las voces diversas en la literatura latinoamericana.

Este libro se publica luego de una ola de masacres hacia la comunidad trans en Puerto Rico. Nos enfrentamos a tiempos de confusión, negación, coraje, y profunda tristeza al darnos cuenta de que la sociedad en la que vivimos es intolerante y llena de odio. Especialmente, el caso de Alexa[1] nos dejó sin aire y sin energía ante el miedo que sentimos. Aunque esto no es nada nuevo para las comunidades aludidas, dado que en el 2010 ocurrió lo mismo, sí es un recordatorio de que el sistema y nuestra sociedad están profundamente errados y prejuiciados. Por ello, reclamamos un cambio urgente. No pretendemos con un libro lograr hacer ese cambio de raíz, pero esperamos brindar una herramienta que contribuya a esa transformación social. Necesitamos más visibilización y educación, pero, sobre todo, precisamos cambios en política pública que contribuyan a desmitificar, desestigmatizar y asegurar el bienestar social, emocional y psicológico de las comunidades trans, cuir y no binaria. Sabemos que aun dándose todo esto, pasarán años en lo que el trauma histórico sana. No obstante, estamos listes para esto y esperanzades en el efecto sanador que tendrá.

Les editores y autores de este libro somos estudioses, servidores, aliades y miembros de estas comunidades. A través de la experiencia y los estudios procuramos construir una herramienta de educación para el beneficio de una sociedad poco educada en estos temas y que pretende, en muchas ocasiones, construir su conocimiento desde las creencias, valores y actitudes, y no desde la ciencia y el reconocimiento de la diversidad. Este libro no se escribió desde el "a mí me parece" o el "yo creo", sino desde la

---

[1] El 23 de febrero de 2020 Alexa Neulisa Luciano Ruiz fue brutalmente asesinada en Puerto Rico. Esta noticia conmocionó a la Isla y consternó a la comunidad internacional (Kaur & Rivera, 2020; Lima, 2020).

investigación consciente y participativa de las comunidades. De hecho, el mismo es un ejercicio de acción participativa donde la misma comunidad, no solo es el objeto de estudio y discusión, sino que es quien sujeta el lápiz y le da forma también. La mirada de este libro es única. Es una simbiosis entre profesionales (tanto aliados como personas trans, cuir y no binarias) con miembros de las comunidades que viven en carne propia la experiencia de una identidad de género diversa en una sociedad desinformada y altamente sesgada. Entendemos que los cambios contundentes realmente comienzan en la cercanía del aliade y la persona trans, cuir y no binaria, para subsanar la brecha entre la desinformación y el conocimiento, y el prejuicio y la empatía. Apostamos a que este libro será un punto de encuentro de todes para crecer, abrazar la diversidad y aprender de nuestres hermanes de las comunidades trans, cuir y no binaria.

En la creación de este libro, les cuatro editores nos reunimos en un café de San Juan a determinar cómo sería el índice de este y a cuáles autores invitaríamos a participar. Allí, decidimos que esta vez tendría que ser diferente. Tuvimos claro que no queríamos un libro tradicional porque necesitábamos traer una nueva propuesta. En ese momento supimos y discutimos que tendríamos que nadar en contra de la desesperanza aprendida, la desvalorización de la educación y la mala reputación que tiene el gremio de profesionales de la salud en la comunidad. Sin embargo, como aliades entendemos que esas resistencias son solo resultados de las experiencias vividas, que en ocasiones las compartimos, y que tenemos la disposición de luchar contra ellas. Por eso, y por muchas razones más, queremos aprovechar y agradecer a cada une de les autores, editores y colaboradores de este libro.

Nosotres, a través de los años, hemos crecido y entendido que tenemos el deber y el compromiso de facilitar que las propias comunidades se adueñen de los espacios. Sí, las investigaciones son necesarias y sí, les alia-des pueden trabajar con las comunidades -siempre y cuando la intención sea servir genuinamente y devolverle a la comunidad (Ej. haciendo accesi-ble los datos de sus estudios), claro está. Pero, también es cierto que la voz y el espacio protagónico debe ser de las comunidades. No hay forma de contar una experiencia si no es directamente desde las voces de las personas que la han vivido. Entonces, decidimos que íbamos a crear puentes para lograr lo mejor de los dos mundos. Íbamos a mezclar el conocimiento cien-tífico con la experiencia individual. Por lo tanto, la mayoría de los capítulos del libro tienen más de une autore e incluyen, une que pertenezca, viva y experimente a diario ser una persona trans, cuir o no binaria.

Otro asunto que decidimos en la mencionada reunión fue el objetivo del libro, la longitud y qué íbamos a hacer con las ganancias del mismo. Hablando sobre nuestras previas publicaciones y comentamos sobre las experiencias en cada una de ellas. El libro LGBT 101: Una mirada intro-ductoria al colectivo (Vázquez-Rivera et al., 2016) surgió en el diálogo. De esta experiencia aprendimos que fue una buena idea desarrollar un libro de texto. Entendimos que a la gente le atrajo el poder contar con una referencia donde estuviese todo lo básico, pero comprensivo, para entender un tema. Sin embargo, concluimos que fue una publicación demasiado extensa, y por ende, costosa para el público. En este caso, queremos que este libro sea considerado un libro de texto y que se utilice en clases universitarias de bachillerato y estudios posgraduados de múltiples disciplinas. Quere-mos también que sea un libro que une familiar o allegade pueda comprar para entender mejor la situación que se encuentra atravesando esa persona trans, cuir o no binaria que conoce. No obstante, quisimos reducir la can-tidad de capítulos para retener lo esencial y así reducir el costo del libro y que el mismo fuera más asequible al público. Por último, decidimos que las ganancias del libro fueran destinadas a las mismas comunidades a través de *True Self Foundation, Inc.*

True Self Foundation, Inc. es una organización fundada por la Lcda. Omayra Toledo de la Cruz y este servidor que se dedica a impulsar la movilidad social de las comunidades LGBT+. Específicamente, recauda fondos para programas que logren empoderar a las comunidades trans, cuir y no binaria, y derrumbar las barreras de acceso al bienestar social, físico y psicológico de éstas en el contexto de Puerto Rico. Los programas de la Fundación comprenden: cambios de nombre gratuitos, grupos de apoyo, becas para estudios universitarios y proyectos de impacto a la comunidad, alivios económicos luego de desastres naturales, provisión de alimentos en tiempos de pandemia, campamentos para jóvenes, becas para cirugías de afirmación de género, proyectos de investigación y programas de emprendimiento. Desde el periodo de su incorporación hasta el 2022, la fundación ha invertido sobre $350,000 en las comunidades LGBT+, específicamente en aquellas personas diversas en expresión e identidad de género. Todo esto se logra a través de la guía de la Dirección Ejecutiva, la Junta de Directores que se compone de aliades de las comunidades, y el Comité Asesor Comunitario integrado por miembros de la comunidad LGBT+. Ambos cuerpos aportan sus conexiones, sabiduría, experiencias de vida e ideas para el desarrollo de la Fundación y sus proyectos. Nos encontramos contentes de poder contribuir con la Fundación y las comunidades.

¿Qué esperar del libro? Este libro tiene diez capítulos sobre la comunidad trans, cuir y no binaria. Estos capítulos se centran en los estudios disponibles en las temáticas propuestas y en las experiencias de les autores en estos temas. Nos juntamos cuatro colegas de la psicología que nos dedicamos a trabajar con la comunidad LGBT+, ya sea en espacios de investigación, salud o intercambio comunitario. Lo que nos une es el interés de ayudar a que las comunidades continúen progresando y erradicando el estigma.

La secuencia del libro va desde lo más general a lo más específico. La idea es presentar los conceptos básicos para luego profundizar en las necesidades y aterrizar en las soluciones. Este libro tiene un final feliz, porque lo vemos y porque realmente lucharemos junto a las comunidades para lograrlo. Es importante también aclarar que las personas invitadas fueron escogidas principalmente por la cercanía y las experiencias de colaboración que tenían con les autores del capítulo. Sabemos y conocemos de miles de otros talentos de las comunidades a quienes agradecemos y admiramos. Esperamos colaborar con ustedes en futuros proyectos.

Los capítulos se desarrollaron en un orden lógico, basado en el modelo de la andragogía. Comenzamos el libro ofreciendo una conceptualización sobre los asuntos del género y el ser humano para así seguir a describir las comunidades que servimos en este libro. Luego, el tema cambia a los procesos internos y externos de salir del armario ante una sociedad que asume que las personas sean cisgénero, y el desarrollo de la adolescencia. Los próximos tres capítulos los dedicamos a tres categorías sombrillas y sus contextos psicosociales (las identidades transmasculinas, transfemeninas y no binarias). De esto, pasamos a un tema muy importante que son los vínculos afectivos y los retos y aciertos en ellos. Finalmente, exploramos dos vías importantes para las comunidades trans, cuir y no binaria: los servicios clínicos afirmativos, que pueden implicar el acompañamiento en la transición y aspectos legales que impactan a las comunidades.

El libro está escrito en lenguaje inclusivo, en sus diversas formas. El lenguaje inclusivo se refiere a la manera de expresarse (en este caso por escrito) sin discriminar a un sexo, género o identidad de género en particular. En el Capítulo 2 y el Capítulo 7 de este libro se elabora sobre este tema.

Como equipo editorial nos parece un paso importante dar la batalla en este frente también. Por otro lado, se encontrarán temas importantes sobre el contexto psicosocial de las comunidades de mujeres trans, hombres trans y personas no binarias, relaciones sexo afectivas, entre otros temas importantes. Lo que no se encontrará es un tema sobre la interrogante consistente: ¿se nace o se hace? Este cuestionamiento es irrelevante e inconsecuente para las comunidades y las personas que le apoyamos. Las personas trans, cuir y no binarias existen, y nosotres vivimos bajo la impresión de que cada ser humano debe buscar su felicidad, vivir plenamente y caminar siempre en ruta segura para lograr la mejor versión de sí misma. Entonces, más allá de insistir en una explicación sobre la identidad de género trans, cuir o no binaria, hacemos una invitación a que se vean los procesos de autodescubrimiento y transición como parte de la búsqueda de experimentar plenitud.

Es por estas razones y muchas más que les invitamos a leer nuestro libro. Apostamos a que la educación es la única manera de cambiar nuestro mundo. Sentimos mucho orgullo del producto desarrollado y tenemos la confianza de que será una herramienta para el crecimiento de nuestras comunidades en la dirección de la inclusión y la aceptación.

Referencias

Kaur, H. & Rivera, R. (2020, marzo 2). El brutal asesinato de una mujer transgénero conmociona a Puerto Rico y renueva una conversación sobre la transfobia. *CNN Latinoamérica*. https://cnnespanol.cnn.com/2020/03/02/el-brutal-asesinato-de-una-mujer-transgenero-conmociona-a-puerto-rico-y-renueva-una-conversacion-sobre-la-transfobia/.

Lima, L. (2020, febrero 28). Asesinato de Alexa en Puerto Rico: La conmoción en la isla por la muerte de la mujer transgénero sin hogar fue baleada en un "crimen de odio." *BBC News Mundo*. https://www.bbc.com/mundo/noticias-america-latina-51651893

Capítulo 2

Disidencia de Género y el Uso del Lenguaje: Una resistencia Decolonial en lo Cotidiano

Sheilla L. Rodríguez Madera, Ph.D.

Joshua Rivera Custodio, B.A.

"Como ríos, siempre estamos en movimiento."[2]

Mucho se ha adelantado en la discusión sobre la disidencia de género. Refiérase ésta a las diversas identificaciones[3] que tienen las personas para dinamitar los entendidos tradicionales implicados en el binario de género (Ej. trans, cuir, género no binario, género fluido, bigénero). Sin embargo, continúa siendo un desafío el educar a las personas sobre formas de experimentar el género que no estén ancladas en el *absoluto* del binario hombre/mujer. Es decir, la familia, la escuela y los medios de comunicación, solo por mencionar algunas instancias de socialización, proveen directa o tácitamente los lineamientos sobre cómo encarnar de manera "exitosa" el binario de género. Sin embargo, pronto nos damos cuenta de que se trata de una camisa de fuerza que restringe nuestra experiencia humana. Y es que el

---

[2] Del artículo *El género y la sexualidad como herramientas coloniales: Lo que significa ser epupillan (dos–espíritu) en contextos mapuche* (Knowlton–Latkin, 2018).

[3] Una de las críticas hechas al concepto identidad es que el mismo presupone la sedimentación de las características y rasgos de la persona en lugar de asumirlas como un proceso. Usamos el concepto de identificación en su lugar para enfatizar en que lo que caracteriza a una persona está totalmente influenciado por sus circunstancias históricas y contextuales y, por ende, está en movimiento.

binario de género es una estructura extremadamente opresiva (Butler,1990; Medina Martín, 2015) que históricamente ha tenido consecuencias sociales y personales muy negativas, especialmente, para las mujeres cisgénero y las personas disidentes de género. Más allá, el binario de género es un imaginario de lo *imposible*, en tanto nadie puede encarnar pura feminidad o masculinidad (Reilly-Cooper, 2016).

Reconocemos que existe una creciente literatura, en y fuera de Puerto Rico, en torno a aspectos teóricos, conceptuales, nominales y metodológicos sobre las disidencias de género (Edelman, 2016; Padilla & Rodríguez–Madera, 2021; Quinan & Thiele, 2020; Monterrubio et al., 2020; Ribeiro et al., 2019; Rodríguez Madera, 2020; Scharrón–del Río & Aja, 2020). Igualmente, cada vez hay más estudios que evidencian las consecuencias que acarrea encarnar esta disidencia en el ámbito del derecho y la salud (de Souza et al., 2015; Ramos Pibernus et al., 2020; Reisner et al., 2016; Ribeiro et al., 2019; Rodríguez–Madera et al., 2019; Rucovsky, 2015; Welsh, 2014). Sin embargo, por el contexto histórico y político de Puerto Rico, entendemos meritorio una reflexión sobre aspectos fundacionales del binario de género y las formas en que se manifiesta la resistencia en nuestro momento de época a través de los registros identificatorios implicados en tales disidencias. Por lo anterior, el objetivo de este capítulo es elaborar sobre: (a) el binario de género como mecanismo de la colonialidad, (b) la disidencia de género como resistencia cotidiana, y (c) el uso del lenguaje como dispositivo simbólico decolonial.

El binario de género como mecanismo de la colonialidad

Es la cultura la que instaura el registro simbólico que sirve para clasificar y jerarquizar a las personas en tanto hombres y mujeres (*sine qua non* de lo masculino y femenino respectivamente) tomando como base su sexo biológico. Nótese que aludimos a la cultura en lugar de la sociedad como una forma de acentuar que la misma es la que provee el marco histórico, las creencias y las tradiciones que constituyen el referente para la vida en sociedad (que transcurre desde la familia hasta las leyes). Uno de los desafíos que encontramos para el cambio social, en materia de género especialmente, es que se tiende a percibir la cultura como algo estable, permanente y fijo. Sin embargo, la misma es un sedimento histórico de carácter cumulativo y continuo que se concretiza a través de usos, costumbres y creencias. Es decir, la cultura no es otra cosa que historia en proceso (Segato, 2010).

Hay hitos en la historia que tienen mayores repercusiones que otros, y ciertamente, la organización basada en el género ha sido una instancia de gran peso para el devenir social. No obstante, en la mayoría de los casos, el análisis que se hace al género como artificio cultural se realiza a partir del marco que provee la modernidad (Baños, 2016; Flamarique, 2016). Es decir, la colonización (la ocupación militar y política) del mundo occidental iniciada en el siglo XV propició que la producción de conocimiento posterior a la intrusión se configurara a partir de la lógica y cosmovisión europea (en nuestro caso española) que poco tenía que ver con las dinámicas de nuestros pueblos originarios. Esto explica por qué numerosas publicaciones sobre el género en el mundo occidental han tomado como punto de partida el binario de género (incluso aquellas que lo abordan desde la construcción social de la realidad) sin necesariamente examinar cómo su uso está directamente relacionado a nuestra historia colonial (de Oto, 2012; Molina Rodríguez et al., 2015; Ribeiro et al., 2019; Rucovsky, 2015; Welsh, 2014).

Aníbal Quijano (2014) acuñó el concepto de colonialidad para describir el sistema de poder y opresión propio de la modernidad que se dispersó luego de la colonización implicando la eliminación de los conocimientos y las prácticas de las personas que habitaban las colonias, y la imposición de nuevas normas sociales para regular sus vidas y prácticas. Entendemos que existen dos puntos de inflexión en cómo nos aproximamos al género y la colonialidad: uno que plantea que el binario de género es producto del proceso colonial y, por ende, es un sistema propio de la modernidad (Lugones, 2008; Medina Martín, 2015), y otro que postula que en el contexto occidental ya existía un ordenamiento jerárquico en torno al género (Segato, 2010). Resaltamos dentro de la primera vertiente el trabajo de la socióloga María Lugones (2008) quien identifica que el género era inexistente antes del proceso colonial, por ello, debe ser visto como una categoría colonial que nos fue impuesta. Lugones comparte en su trabajo varios ejemplos de los cuales destacamos: (a) el caso de la sociedad yoruba, donde la colonialidad implantó un sistema de género opresivo que transformó la organización de la reproducción y provocó la subordinación de las hembras en todos los aspectos de la vida y (b) las comunidades tribales nativas americanas que eran matriarcales y reconocían positivamente a la homosexualidad y al *tercer* género, además de entender al género en términos igualitarios (Lugones, 2008).

Por su parte, la antropóloga Rita Laura Segato (2010) plantea una visión alterna: la existencia de una lógica de género en el orden *preintrusión*[4] que era jerárquica y se fue transformando, durante el proceso decolonial, en un orden súper-jerárquico. Esa lógica de género, que puede ser considerada como un patriarcado de baja intensidad, fue transmutando la jerarquía que ya existía en formas más perversas y autoritarias (Segato, 2010). Los trabajos de Segato nos presentan varios puntos que son cruciales para el entendimiento del género como estructura moderna: (a) existe evidencia

---

[4] Hacemos uso del concepto de preintrusión en lugar de premoderno, según propone Segato (2010), por no implicar que es un mundo que se encuentra en un estadio anterior a la modernidad y marcha inevitablemente hacia ella.

histórica, documental y etnográfica del mundo tribal que muestra que el género sí ha existido, pero de forma diferente que en la modernidad, (b) las normas que regulan el género plantean una dualidad[5] jerárquica centrada en la complementariedad (vínculos orientados a la reciprocidad y la colaboración solidaria tanto en las faenas productivas como reproductivas), y (c) la colonialidad modifica peligrosamente la estructura de género existente imponiendo normas de ser y relacionarse distintas basadas en el *ideal* del hombre blanco europeo. Añadimos que la sexualidad (por su vínculo con el cuerpo-género) queda transformada en un terreno pantanoso cuyos bordes limitan claramente lo permitido/prohibido y lo bueno/malo. Sobre este punto, los trabajos de Aníbal Quijano (1992) y Walter Mignolo (2000) detallan el carácter pornográfico inherente a la mirada colonizadora.

Así las cosas, la colonialidad se ha dado a la tarea de reproducir la ilusión de que solo hay dos cajas: la rosa y la azul (Reilly-Cooper, 2016), y que una vez entras en una de ellas, no hay salida. Esta noción de encuadre e inmutabilidad adscrita al género se escudó detrás de la *costumbre* y la *tradición* como una estrategia de perpetuar los roles que los hombres y las mujeres debían asumir para el mantenimiento del orden social y económico. Un ejemplo de cómo esto ocurre lo vemos a nivel discursivo en los generolectos. Estos son las caracterizaciones culturales o estereotipos en torno a qué tipo de expresiones y actitudes se consideran femeninas o masculinas en un contexto sociocultural específico, y por lo tanto, qué tipo de conducta se espera de hombres o mujeres (Castellanos, 2016). Como el mandato de género exige que haya congruencia con el sexo al nacer, los generolectos se utilizan para vigilar, controlar y sancionar los cuerpos y las conductas de las personas que no exhiben dicha coherencia. La colonialidad-modernidad se valió de este tipo de estrategia cultural para acuartelar a las mujeres y

---

[5] La autora distingue entre dualidad y binarismo en tanto el último excluye intercambios de complementariedad y solidaridad.

lo femenino en el espacio doméstico, el que a su vez fue devaluado y despolitizado. Se ha utilizado también para dejar en un limbo a individuos cuyos órganos sexuales externos y/o internos no podían encuadrarse en el conformismo binario; e igualmente, ha creado los lineamientos para acompañar (y en ocasiones forzar) a personas transexuales a que transiten de un polo del binario a otro (Lugones, 2008; Medina Martín, 2015).

A través del lenguaje, incluyendo los generolectos, y la colonialidad del saber (proceso mediante el cual se construyó y consolidó una forma de pensamiento hegemónico que se universalizó en las sociedades coloniales [Quijano, 2014]) se ha logrado borrar aquella parte de la historia de los pueblos colonizados que no encajaban con el marco de referencia impuesto (Ej., binomio de género, heterosexualidad compulsoria). Existe evidencia de que en el mundo preintrusión se han utilizado conceptos específicos para nombrar a las personas que desde el marco occidental serían identificadas como trans (i.e., dos-espíritus),[6] las uniones entre personas que son del mismo sexo, y otras transitividades de género bloqueadas por el sistema de género absolutamente enyesado de la colonialidad-modernidad (Segato, 2010). Sin embargo, este tipo de información no forma parte del registro de conocimiento popular.

El trabajo de Sophia Knowlton-Latkin (2018) sobre la experiencia de ser *epupillan* en el contexto Mapuche de Chile es un excelente ejemplo de cómo el binarismo de género se queda corto para explicarla y categorizarla. Aunque epupillan se ha traducido como dos-espíritus, su manifestación en las personas es un fenómeno complejo precisamente porque no se puede ubicar la *energía* en categorías separadas o cerradas. Después de todo, ¿Qué es realmente la energía masculina? ¿Qué es una energía femenina? La energía se manifiesta en todo, en los humanos y la naturaleza, no es binaria,

---

[6] Por ejemplo, a los dos-espíritus se les nombra *epupillan* en pueblos Mapuche, *Nádleehí* en Navajo, *Winkté'* en Lakota, *Niizh Manidoowagen* en Ojibwe.

no es blanca o negra, sino un continuo. Por lo tanto, hay cosas que tienen más energías masculinas o femeninas, y otras cosas que son más ambiguas (Knowlton-Latkin, 2018). Esta manera de entender la energía, como si fueran entidades de género, es extremadamente limitada y limitante. Por lo tanto, ser epupillan es encarnar una multiplicidad de energías que les permiten diversas posibilidades de, pero no se reducen a, vida, deseo, placer y sexualidad.

Lo antes compartido es solo una muestra de cómo las nociones europeas sobre el género sirvieron para clasificar y restringir las formas de entender el mundo de los pueblos indígenas, así como sus cuerpos y prácticas. Tomar en cuenta los efectos que la colonialidad-modernidad tuvo en el pasado nos permite examinar desde una perspectiva histórica las consecuencias que continúa teniendo en el presente, paso que es imprescindible para la búsqueda de alternativas de transformación social.

Las últimas décadas nos reflejan que estamos en medio de un proceso de decolonialidad de la existencia (Quijano, 2007), que implica también una rearticulación de la manera en que el género ha sido experienciado a partir de la intrusión. Por ello, es importante reflexionar sobre las formas de resistencia que se presentan desde las disidencias de género.

La disidencia de género como resistencia cotidiana

La disidencia de género típicamente se aborda a partir de las maneras en que los cuerpos y las identificaciones de las personas transgreden la normativa del género. Como hemos mencionado anteriormente, algunos ejemplos de tal disidencia son aquellas identificaciones trans, cuir, género no binario, género fluido, bigénero, entre otras, que rebasan las normas culturalmente establecidas sobre dicho artificio. Para efectos de este escrito no nos interesa entrar en las particularidades que caracterizan dichas etiquetas, sino en cómo las mismas parecen evidenciar estrategias pluriformes de resistencia al orden de género instaurado desde el proceso de la colonialidad-modernidad, y que ha sido opresivo y violento desde sus raíces fundacionales (i.e., eliminando un orden relacional entre los géneros que le preexistía; devaluando a la mujer y lo femenino, y restringiendo su papel social y político; colocando en un *no lugar* a personas que no pueden ser encuadrados dentro de los límites del binario [Ej. intersexuales]).

Si algo tenemos claro es que identificarse como disidente de género en el contexto de América Latina, incluyendo a Puerto Rico, tiene consecuencias muy serias para la vida de las personas debido a que su mera existencia activa los mecanismos de defensa del sistema opresivo. Se ha generado una amplia literatura sobre cómo las sociedades tienden a reaccionar negativamente en contra de las encarnaciones que consideran desviadas del *ideal* moderno (Ej. personas indígenas, mujeres, personas negras) (Butler & Athanasiu, 2013; Montenegro, Pujol, & Posocco, 2017). De hecho, el filósofo coreano Byung-Chul Han (2015) ha utilizado la metáfora *inmunológica* para describir cómo los sistemas (i.e., sociedades, grupos) ante la presencia de cuerpos *no deseados* se mueven a eliminarlos, como si se tratara de bacterias y virus. Sin embargo, sabemos que la activación del mecanismo de eliminación del sujeto *desviado* (que en este caso puede incluso implicar dar muerte a disidentes de género) ocurre cuando ha fallado una estrategia previa que intenta disciplinar y normalizar. Palpablemente, las personas disidentes de género han estado históricamente sujetas a múltiples estrategias de acomodación y modificación (Ej. generolectos, patologización/medicación, terapias reparativas, violaciones correctivas) para forzarles a ser parte de un cuerpo *homogéneo* integrado por personas cisgénero y heterosexuales (Castellanos, 2016; Molina Rodríguez et al., 2015; Rodríguez–Madera, 2009; Welsh, 2014).

La literatura científica generada en la región latinoamericana muestra cómo las disidencias de género, en especial las personas trans, experimentan un panorama escabroso plasmado de numerosas formas de opresión (configuradas a partir de la intersección de sus identificaciones de género con otros ejes de desigualdad, como por ejemplo, la clase, la raza y la etnia), la violencia extrema (Ej. lapidaciones, decapitaciones, quemaduras, mutilación genital) y las microagresiones[7] (Barrientos, 2016; Chang & Chung, 2015; Padilla et al., 2016). De hecho, la región está considerada como una de las más peligrosas y letales para las poblaciones trans y otras disidencias de género (Transgender Europe [TGEU], 2019). Reconociendo que la literatura se centra en la documentación y la descripción de las diversas situaciones negativas y las condiciones sociales que las disidencias de género sufren, es importante resaltar las formas de resistencia que emanan. Indudablemente, la resistencia es un ejercicio liberador para las personas que han sido oprimidas y colonizadas (Hooks, 1990) por tratarse de actos que dan un mensaje contundente: existo.

Con frecuencia la resistencia se piensa como actos magnánimos (Ej. disturbios de la magnitud de Stone Wall, marchas concurridas, protestas masivas) que forman parte de un movimiento de cambio social. Por su naturaleza tienden a percibirse como gestas configuradas desde el colectivo con la finalidad de lograr visibilidad y cambiar las estructuras de opresión. Otros ejemplos se evidencian en las numerosas páginas de Internet y en los medios sociales dirigidos a visibilizar, educar y crear conciencia sobre la disidencia de género; en los programas universitarios cuyos currículos incluyen temas afines; y las organizaciones de base comunitaria que llenan las necesidades de personas disidentes de género ante el abandono del Estado, entre tantas otras (Rodríguez Madera, 2020). Este libro también puede ser

---

[7] Formas de discriminación directa o no intencional que incluyen expresiones de sesgo heteronormativo y *misgenderism*.

visto como una muestra de este tipo de resistencia en tanto es una herramienta educativa sobre formas de apoyar a las comunidades trans, cuir y no binaria en el manejo de algunos desafíos que resultan de la opresión por razón de género.

No obstante, la mayor parte de la resistencia ocurre en el anonimato y en actos que no son de carácter extraordinario. Al contrario, son acciones simples, pero de gran valor, que subvierten el orden. Estos actos no constituyen meras estrategias de autopreservación, sino ejercicios importantes de contingencias de libertad, incluso mientras se vive en condiciones opresivas y complicadas (Butler & Athanasiu, 2013). Este acercamiento nos permite desarrollar una sensibilidad particular al aproximarnos a la resistencia de la cotidianidad (Skorzak, 2019). Es decir, poder identificar actos de resistencia que forman parte del diario vivir y que pudieran pasar desapercibidos ante la mirada del privilegio cisgénero (Rodríguez Madera, 2020). Por ejemplo, atestiguamos resistencia en la persona disidente de género que sale a la calle con la indumentaria que desea aún sabiendo las reacciones que despertará; en los cuerpos híbridos que se dejan ver sin importar los riesgos para su seguridad; en la persona trans que usa el baño más apropiado a su identificación de género, aún sabiendo las consecuencias de este acto; y en las muestras de afecto en espacios públicos entre personas que encarnan la disidencia. La lista puede ser interminable porque la resistencia está instaurada en la vida misma. Quijano (2007) sugiere que en contextos de colonialidad-modernidad la resistencia asume múltiples formas que tienen como objetivo: (a) desvincularse de la subjetividad Eurocentrista (imaginario social, memoria histórica y conocimiento), (b) redescubrir la sabiduría de nuestros pueblos originarios, y (c) actuar desde nuestras propias formas de existencia social marcadas por una ética distinta que propenda a la solidaridad en lugar de la exclusión y el discrimen.

Resistir el orden jerárquico que impone el binario de género, y a la vez los límites al territorio simbólico que deben ocupar los cuerpos sexuados, no es otra cosa que remediar los males que la colonialidad-modernidad introdujo. Una de las formas en que esos males se han propagado es mediante la producción y el uso del lenguaje. Por un lado, el lenguaje, a través de los generolectos, por ejemplo, juega un papel importante en el control social que busca mantener la hegemonía del binario de género como imperativo. Por el otro, contribuye a la subordinación sociocultural de las mujeres y lo femenino, y al destierro simbólico de las disidencias de género. El reconocimiento de que el lenguaje es el hilo que nos hilvana a la cultura (Rodríguez Sala-Gómezgil, 1983) nos permite entender que el mismo es a su vez un instrumento plausible para la resistencia decolonial y la transformación social.

El uso del lenguaje como dispositivo simbólico decolonial

En términos globales, los distintos lenguajes (sistemas de comunicación estructurados) que existen se dividen en tres categorías con respecto al género: (a) los que tienen género como el español, el francés, el hindi y el árabe (donde los sustantivos y pronombres incorporan en sí al género), (b) los que no tienen género como el mandarín, el japonés, el coreano, y el turco (donde los sustantivos y pronombres no incorporan un género marcado), y (c) los que son naturales al género como el inglés (donde los pronombres tienen género, pero no así los sustantivos a menos que se refiera al sexo biológico como ocurre en *boy*, *woman*, *missis*, etc.) (Dutta, 2020). Bajo esta lógica, se torna evidente que la primera categoría incluye los lenguajes más susceptibles a reflejar un sesgo de género que no solo se encuadra en el binario, sino que favorece una visión de mundo dominada por lo masculino. Prewitt-Freilino et al. (2012) realizaron un estudio en el que compararon el uso del lenguaje (bajo las tres categorías antes mencionadas) y la equidad de género en 111 países. Los hallazgos del estudio aludido reflejan que aquellos países con lenguajes que tienen género presentan mayor disparidad relacionada al género que otros contextos con géneros naturales o sin género. Es decir, los resultados hacen eco de propuestas lingüísticas pre-existentes que nos informan que el lenguaje influencia la forma en que se construye la sociedad y, por ende, marca un precedente para la (in)equidad de género en nuestros sistemas sociales (Dutta, 2020).

No hay duda de que el lenguaje es una manera de construir y apropiarnos de nuestras identificaciones (Carreño, 2020). Esto suele ocurrir desde lo cotidiano en esa gesta del día a día a través de la que nos (re)configuramos como sujetos y que ha sido responsable del surgimiento de varias propuestas para reformar el español. De hecho, en la pasada década hemos visto que de manera paralela a la visibilidad que han adquirido las disidencias de género en numerosos países de habla hispana, ha habido también intentos de hacer que el lenguaje sea más inclusivo (Dutta, 2020).

El lenguaje inclusivo es una práctica lingüística cuyo propósito es problematizar la limitación del uso masculino (o genérico) en el discurso público y visibilizar las identificaciones que residen fuera del imaginario del binario de género (Kalinowski, 2020; Mentes Puertorriqueñas en Acción, 2021). Es decir, mediante su uso se intenta: (a) deconstruir las reglas de un género gramatical tradicional, (b) afirmar la existencia de identificaciones afuera del mundo (cis)heteronormativo, y (c) descentralizar el poder falogocentrista del lenguaje (Gasparri, 2020).

Las propuestas gramaticales emergentes fungen como dispositivos simbólicos decoloniales por ambicionar, por un lado, dislocar las reglas de binario y, por el otro, resaltar la naturaleza sexista de este que emana del proceso colonial en la región latinoamericana. En primer lugar, se ha propuesto la inclusión del uso de los géneros masculino y femenino de manera simultánea (Ej. Todos y todas). Una fortaleza de esta propuesta es que visibiliza las identidades femeninas. Sin embargo, esta proposición insiste en el mantenimiento de que solo se puede pertenecer a unas de las dos cajas (Reilly-Cooper, 2016) e invisibiliza las identificaciones que surgen afuera - o entre- el registro de "todos y todas". Igualmente, se ha sugerido el uso de la arroba (Ej. tod@s) como alternativa no sexista, pero el mismo presenta problemas similares al uso de "todos y todas". Aunque ambas propuestas son alternativas para procurar que el lenguaje sea más equitativo y representativo, se continúan usando las categorías de género propias del legado colonial, en tanto se remiten a lo masculino y lo femenino.

Más recientemente, se ha popularizado en espacios primordialmente cuir y feministas el uso de la 'x' y la 'e' como ofertas alternativas e inclusivas del lenguaje (Ej. Todxs, todes). El uso de estas terminaciones se ha utilizado para visibilizar las identificaciones de las personas trans, cuir y no binarias. La 'x' y la 'e' han sido recibidas con controversia y resistencia de parte de las instituciones imperialistas de control colonial, tales como la Real Academia de la Lengua Española (RAE) y quienes le siguen (Shelby, 2021). Sin embargo, se ha utilizado en grupos *latinxs* para solidarizarse con las causas de identificaciones interseccionales en la comunidad (Sharron-del Rio & Aja, 2020). Algunos ejemplos de grupos que frecuentan el uso del lenguaje inclusivo en Puerto Rico son la Sombrilla Cuir, Colectiva Feminista en Construcción, Impacto Juventud y Ciencia pa' Todes. Igualmente, algunas instituciones en Puerto Rico han desarrollado manuales y materiales informativos para educar a las personas en el uso del lenguaje inclusivo (Coordinadora Paz Para la Mujer, 2021; Mentes Puertorriqueñas en Acción, 2021). Más importante aún, el uso cotidiano de estas propuestas (aunque de manera no uniforme como veremos más adelante) se está popularizando en diversos sectores que incluyen la calle, las organizaciones comunitarias, la familia y las amistades. En otras palabras, a pesar de los actos de salvaguardar la *pureza* del lenguaje español por parte de la RAE y quienes le siguen, la transformación del lenguaje no se impone ni se obliga, sino que resulta del uso social cotidiano durante el tiempo (Gasparri, 2020). Aunque el lenguaje se trata de un proceso en constante evolución, uno de los mayores retos para una transformación radical es que no todas las personas o instituciones se ponen de acuerdo con lo que ese lenguaje debería ser.

Lo anterior lo vemos a nivel local en organizaciones feministas, políticas, profesionales e instituciones académicas, por mencionar algunos ejemplos. En la Tabla 1 presentamos cómo algunas organizaciones/instituciones en Puerto Rico utilizan el lenguaje en los medios sociales (i.e., Facebook)[8]. Una mirada a esta tabla refleja lo siguiente: (a) hay un uso inconsistente de la estrategia lingüística a través de las distintas organizaciones/instituciones, (b) las organizaciones de comunidad tienden a ser más proactivas en el uso de lenguaje inclusivo en este medio social que aquellas relacionadas a la academia y los partidos políticos tradicionales, (c) todas las instituciones académicas utilizan el lenguaje masculino; (d) las organizaciones profesionales asociadas a las ciencias sociales y la justicia social (Ej. leyes) utilizan alguna forma del lenguaje inclusivo a diferencia de aquellas relacionadas al campo de la medicina que optan por el masculino, (e) los partidos políticos tradicionales en Puerto Rico (i.e., PNP, PPD y PIP) se inclinan por el uso del lenguaje masculino como norma; y (f) solo dos organizaciones (ambas feministas) incluyen el uso del lenguaje femenino como opción primaria.

---

[8] Para este ejemplo buscamos las páginas de Facebook de una muestra diversa de organizaciones e instituciones que tienen presencia pública, y miramos la descripción que ofrecen de su organización y las 20 publicaciones (*posts)* más recientes.

Tabla 1

Organizaciones/Instituciones y su Uso del Lenguaje

Organización/ Institución	Tipo	Uso de lenguaje
Colectiva feminista en construcción:	Organización no gubernamental (ONG) feminista	Combinación: femenino 'x'
Taller salud	ONG feminista	Combinación: femenino 'e'
Casa Protegida Julia de Burgos	Organización sin fines de lucro que alberga víctimas de violencia doméstica	'x'
DiversxsPR	ONG pro–derechos de comunidades LGBTTQIA+	'x'
Movimiento Socialista de Trabajadoras y Trabajadores	Organización independentista y socialista	Combinación: masculino/femenino ('os/as') 'x'
La nueva escuela	Organización política a favor de independencia	Masculino
Proyecto Matria	Organización comunitaria feminista	Masculino/femenino ('os/as')
Colegio de Profesionales en Consejería	Organización profesional de consejería	Combinación: masculino masculino/femenino ('os/as')

continúa

Tabla 1 (cont.)

Organización/ Institución	Tipo	Uso de lenguaje
Colegio de Abogados y Abogadas de Puerto Rico	Organización legal–profesional	Combinación: masculino masculino/femenino ('os/as')
Colegio de Cirujanos Dentistas de Puerto Rico	Organización profesional de medicina	Masculino
El Centro Comunitario LGBTT de Puerto Rico	Centro de servicios psicosociales para la comunidad LGBT+	Combinación: masculino masculino/femenino ('os/as')
True Self Foundation	ONG que trabaja con las necesidades de salud de la comunidad LGBT+	'x'
Trans–itando	Grupo de apoyo trans y LGBT+	'e'
LGBT Puerto Rico	Grupo que fomenta el orgullo de ser LGBT	'x'
Comité Amplio para la Búsqueda de Equidad (CABE)	Grupo de organizaciones comunitarias, organizaciones LGBT+ y profesionales de la salud	Neutral
Laborivogue	Grupo que usa el *vogue* como herramienta de justicia social	'e'
Universidad Albizu	Escuela graduada, Institución universitaria privada	Masculino
Ponce Health Sciences University	Escuela de Medicina, Institución universitaria privada	Masculino
Escuela de Medicina San Juan Bautista	Escuela de Medicina, Institución universitaria privada	Masculino

continúa

Tabla 1 (cont.)

Organización/Institución	Tipo	Uso de lenguaje
Recinto de Ciencias Médicas (RCM)	Escuela de Medicina, Institución universitaria pública	Masculino
Universidad de Puerto Rico–Rio Piedras (UPR–RP)	Institución universitaria pública	Masculino
Universidad de Puerto Rico–Mayagüez (UPR–M)	Institución universitaria pública	Masculino
Universidad Interamericana, Recinto de San Germán	Institución universitaria privada	Masculino
Universidad Sagrado Corazón	Institución universitaria privada	Masculino
Victoria Ciudadana	Partido Político	Combinación: masculino/ femenino ('os/as') 'e'
Partido Independentista Puertorriqueño (PIP)	Partido Político	Masculino
Partido Nuevo Progresista (PNP)	Partido Político	Masculino
Partido Popular Democrático (PPD)	Partido Político	Masculino
Proyecto Dignidad	Partido Político	Masculino

Si bien nuestro análisis se centra en el contenido de páginas mediáticas, el mismo provee una mirada inicial a un fenómeno de carácter complejo. No es casualidad que en el contexto colonial de Puerto Rico la mayoría de los partidos políticos (especialmente los de mayor antigüedad) estén subsumidos en el entrampamiento de la relación político-colonial entre Puerto Rico y los Estados Unidos, por lo que no pueden identificar y actuar sobre otras formas de colonialidad que nos afectan negativamente. Tampoco es casualidad que la Universidad, como institución principal del proceso educativo a nivel superior, insista en el uso del lenguaje masculino. Aunque a dicha institución se le ha atribuido históricamente características emancipadoras, esta ha sido cómplice en la construcción y promoción de conocimiento impregnado por saberes arraigados en nociones, valores y prácticas cónsonas con la imposición colonial europea (Restrepo, 2018). Ha asumido también un papel protagónico en el desarrollo y mantenimiento del proyecto moderno, ahora enfocado en las prácticas neoliberales. No debe sorprender que, por el contrario, sean las organizaciones de comunidad las que evidencien movimiento. Ya se ha establecido que la resistencia surge de las comunidades que son oprimidas. Esa resistencia de la vida diaria que intenta constantemente que las cosas cambien (Rozas Ossandón, 2018). Por otra parte, existe una extensa literatura sobre el papel de la profesión médica en el proyecto de la colonialidad-modernidad que incluye aspectos vinculados a la experimentación médica con habitantes de las colonias (Tilley, 2016); la eliminación y deslegitimación de los sistemas de sanación propios del mundo preintrusión (McCleery, 2015); la creación de discursos científicos plasmados de sesgo por razón de género que proponían la superioridad de los hombres sobre las mujeres (Risberg et al., 2009); la patologización de la diversidad sexual y de género (López & Serrato Guzmán, 2018); y la invisibilización de las mujeres en las prácticas de sanación y sanidad pública (Jiménez Lucena, 2008), entre otros. Así las cosas, el hecho de que el Colegio de Médicos Cirujanos de Puerto Rico continúe utilizando el lenguaje masculino es totalmente congruente con la trayectoria y el posicionamiento de la medicina como profesión en la empresa colonial. Lo antes expuesto, ciertamente, plantea desafíos importantes para la adopción de formas alternas en el uso del lenguaje y la eventual configuración de una agenda decolonial enfocada en el desmantelamiento del sistema de género, entre tantas otras manifestaciones.

Con este panorama en mente, habría que preguntarnos qué medidas concretas hay que poner en marcha para un verdadero proceso de transformación social dentro del marco decolonial, recordando que el motor de tales organizaciones e instituciones se constituye a partir de las personas y sus acciones en espacios cotidianos. Se dice que "el cambio estructural es el camino, la política el instrumento y la igualdad el objetivo de fondo" (Naciones Unidas, 2012), por lo que es meritorio analizar los mecanismos mediante los cuales quienes integran ciertas instancias sociales continúan perpetuando el sistema de género y, por ende, la opresión y la violencia hacia quienes encarnan lo femenino y la disidencia de género. Esto es un paso urgente a fines de desarrollar estrategias que estén dirigidas a lograr una transformación en las prácticas y las políticas internas sobre el uso del lenguaje en instancias de gran legitimidad social (algunas con roles protagónicos en los procesos de socialización del país como es el caso de las universidades). De igual forma, se amerita una mirada crítica al terreno conflictivo que parecen ocupar los que están *adentro o afuera* de la propuesta lingüística del momento que incluya el reconocimiento de la complejidad que le subyace al por qué diferentes personas valoran ciertos términos sobre otros para dar cuenta de sus identificaciones (Dutta, 2020).

Apuntes finales

El uso del lenguaje inclusivo debe ser visto como un paso con potencial emancipador en el proceso de reconocer y desideologizar las dinámicas de privilegio que se esconden en la comunicación oral y escrita (Scharron-del Río & Aja, 2020). Siguiendo el precedente del cimarronaje

(Maldonado-Torres, 2020), el lenguaje inclusivo puede ser reconocido como una praxis decolonial, cuya actitud es potencialmente liberadora. Es decir, cuya propuesta (a) huye de las violencias coloniales y patriarcales para crear espacios gramaticales y micropolíticas afuera de los poderes falogocentristas del lenguaje, y (b) pondera en la desarticulación de la retórica del poder de la colonialidad-modernidad a través de la afirmación de las identificaciones que existen fuera del binario. Sin embargo, y con toda la intención de problematizar el asunto aún más, nos parece apremiante señalar que al uso del lenguaje inclusivo le subyace un desafío ético muy serio que resuena con el espíritu del adagio popular "El camino al infierno está pavimentado con buenas intenciones". Y es que la lucha por el uso del lenguaje inclusivo en nuestro contexto (aunque también aplica a otros) se está enfocando principalmente en proveer las opciones lingüísticas para ampliar el binario cuando deberían estar dirigidas a desbancar el género como sistema opresivo. Sobre este punto Reilly-Cooper (2020) elocuentemente anuncia la peligrosidad de la identificación por oposición como un ejercicio de reforzar el sistema de género. Es decir, si entendemos el género como una jerarquía con dos posiciones que opera para naturalizar y perpetuar la subordinación de lo femenino a lo masculino limitando el desarrollo de las personas y sus cuerpos sexuados, utilizar el lenguaje inclusivo de género para enfatizar en que se existe fuera del binario mientras se etiqueta a otras personas (o se exige que estas se nombren a si mismas) como cisgénero es "insistir en que la vasta mayoría de los humanos permanezcan en sus cajas". Para atender esta controversia ética Reilly-Cooper (2020) propone:

> The solution is not to reify gender by insisting on ever more gender categories that define the complexity of human personality in rigid and essentialist ways. The solution is to abolish gender altogether. We do not need gender. We would be better off without it. Gender as a hierarchy with two positions operates to naturalise and perpe-

tuate the subordination of female people to male people, and constrains the development of individuals of both sexes. Reconceiving of gender as an identity spectrum represents no improvement. [...] The solution to an oppressive system that puts people into pink and blue boxes is not to create more and more boxes that are any colour but blue or pink. The solution is to tear down the boxes altogether. (para. 35 - 36)

La solución no es cosificar el género insistiendo cada vez más en categorías de género que definen la complejidad de la personalidad humana de manera rígida y esencialista. La solución es abolir el género por completo. No necesitamos el género. Estaríamos mejor sin él. El género como una jerarquía con dos posiciones opera para naturalizar y perpetuar la subordinación de las mujeres a los hombres, y restringe el desarrollo de los individuos de ambos sexos. Reconocer el género como un espectro de identidad no representa ninguna mejora. [...] La solución a un sistema opresivo que pone a las personas en cajas rosas y azules no es crear más y más cajas que sean de cualquier color que no sea azul o rosa. La solución es derribar las cajas juntas. (traducción nuestra)

Resaltamos lo mencionado anteriormente, el lenguaje inclusivo es un gran paso, pero no debe ser la finalidad. La creación de una opción lingüística que trascienda la limitación de asumir que el género es un espectro, realmente sería el tránsito de corte ético más plausible. Sería propiamente una fuga del mundo donde impera la colonialidad-modernidad para crear un mundo Otro (Lebrón-Torres, 2020). Un mundo donde podamos tener una experiencia corpórea e identificatoria fuera de los confines opresivos del género.

Referencias

Acosta Espinosa, N. (1999). Dispositivos simbólicos e identidades políticas en Venezuela. *Espacio Abierto, 8*(1), 7–22. https://www.redalyc.org/articulo.oa?id=12280102

Baños, L. (2016). Estereotipos de género, entre la modernidad y la arcaicidad. En Sociedad Latina de Comunicación Social (Eds.), *La pantalla insomne* (pp. 1112–1129). Universidad de la Laguna. http://www.cuadernosartesanos.org/#103

Barrientos, J. (2016). Situación social y legal de gays, lesbianas y personas transgénero y la discriminación contra estas poblaciones en América Latina. *Sexualidad, Salud y Sociedad* (22), 331–354. https://doi.org/10.1590/1984–6487.sess.2016.22.15.a

Butler, J. (1990). *Gender trouble: Feminism and the subversion of Identity*. Routled.

Butler, J., & Athanasiu, A. (2013). *Dispossession: The performative in the political*. Polity Press.

Carreño, S. (2021). ¿Por qué utilizar lenguaje inclusivo? Una perspectiva fenomenológica. *Nomadías,* (29), 237–255. doi:10.5354/0719–0905.2021.61063.

Castellanos, G. (2016). Los estilos de género y la tiranía del binarismo. *La Aljaba, 20,* 69–88. http://www.scielo.org.ar/pdf/aljaba/v20/v20a06.pdf

Chang, T. K., & Chung, Y. B. (2015). Transgender microaggressions: Complexity of the heterogeneity of transgender identities. *Journal of LGBT Issues in Counseling, 9*(3), 217–234. https://doi.org/10.1080/15538605.2015.1068146

Coordinadora Paz Para la Mujer. (2021, octubre 6). *Lenguaje inclusivo.* https://pazparalamujer.org/download/lenguaje-inclusivo/.

de Oto, A. (2012). Siempre se trató de la modernidad y del colonialismo. Una lectura entre teorías coloniales desde una perspectiva fanoniana. *Cuadernos Del CILHA, 13*(2), 193–214. http://www.redalyc.org/articulo.oa?id=181725277012

de Souza, M., Malvasi, P., Signorelli, M., & Gomes, P. (2015). Violência e sofrimento social no itinerário de travestis de Santa Maria, Rio Grande do Sul, Brasil. *Cadernos de Saúde Pública, Rio de Janeiro, 31*(4), 767–776. https://doi.org/10.1590/0102–311X00077514

Dutta, N. (2020). The subtle ways language shapes us. *BBC Culture.* https://www.bbc.com/culture/article/20201006–are–some–languages–more–sexist–than–others

Edelman, E. A. (2016). Why we forget the pulse nightclub murders: Bodies that (never) matter and a call for coalitional models of queer and trans social justice. *Journal of Lesbian and Gay Studies, 24*(1), 32–36. https://doi.org/10.1215/10642684-4254432

Flamarique, L. (2016). Modernidad y cambio social: Una perspectiva integradora, o el más acá de los estudios de género. *Arbor, 192*(778), a301. https://doi.org/http://dx.doi.org/10.3989/arbor.2016.778n2004

Gasparri, J. (2020). Acerca del lenguaje inclusivo: Cuestiones teóricas, razones políticas. En S. Kalinowski, J. Gasparri, S. I. Pérez, & F. Moragas (Eds.), *Apuntes sobre lenguaje no sexista e inclusivo* (pp. 31–68). UNR Editora. https://rb.gy/jt7o

Han, B.-C. (2015). *The burnout society.* Standford University Press.

Hooks, B. (1990). Yearning: Race, gender, and cultural politics, Between the Lines. Cambridge, MA: Souht End Press.

Jiménez Lucena, I. (2008). Gender and coloniality: The 'Moroccan woman' and the 'Spanish woman' in Spain's sanitary policies in Morocco. *On the De-Colonial (II): Gender and Decoloniality, 2*(2), 1–22. https://rb.gy/12wu

Kalinowski, S. (2020). Lenguaje inclusivo: Configuración discursiva de varias luchas. En S. Kalinowski, J. Gasparri, S. I. Pérez, & F. Moragas (Eds.), *Apuntes sobre lenguaje no sexista e inclusivo* (pp. 17–30). UNR Editora. https://rb.gy/tmo3

Knowlton-Latkin, S. (2018). El género y la sexualidad como herramientas coloniales: Lo que significa ser epupillan (dos- espíritu) en contextos mapuche. Independent Study Project (ISP) Collection, 2894. https://digitalcollections.sit.edu/isp_collection/2894

Lebrón-Ortiz, P. (2020). *Filosofía del cimarronaje.* Editora Educación Emergente.

López, E. & Serrato Guzmán, A. (2018). Entre la patologización y el ejercicio de la ciudadanía plena: La experiencia de las personas LGBTTTI. *Culturales, 6,* e330. https://doi.org/10.22234/recu.20180601.e330

Lugones, M. (2008). Colonialidad del género. *Tabula Rasa,* (9), 73–101. https://revistas.unicolmayor.edu.co/index.php/tabularasa/article/view/1501

Maldonado-Torres, N. (2020). El cimarronaje como filosofía combativa. En P. Lebrón-Ortiz (Ed.), *Filosofía del cimarronaje* (pp. 192–196). Editorial Educación Emergente.

McCleery I. (2015). What is "colonial" about medieval colonial medicine? Iberian health in global context. *Journal of Medieval Iberian Studies, 7*(2), 151–175. https://doi.org/10.1080/17546559.2015.1077390

Medina Martín, R. (2015). Mujeres Saharauis, colonialidad del género y nacionalismos: Un acercamiento a partir de los feminismos decoloniales. *Relaciones Internacionales,* (27), 13–35. http://hdl.handle.net/10486/677218

Mentes Puertorriqueñas en Acción. (2021). *Guía de lenguaje inclusivo y antirracista.* https://rb.gy/3xld

Mignolo, W. (2000). *Histórias locais/Projetos globais.* Belo Horizonte: UFMG.

Molina Rodríguez, N. E., Guzmán Cervantes, O. O., & Martínez–Guzmán, A. (2015). Transgender identities and transphobia in the Mexican context: A narrative approach. *Quaderns de Psicologia, 17*(3), 71. https://doi.org/10.5565/rev/qpsicologia.1279

Montenegro, M., Pujol, J., & Posocco, S. (2017). Bordering, exclusions and necropolitics. *Qualitative Research Journal, 17*(3), 142–154. https://doi.org/10.1108/QRJ-08-2017-089

Monterrubio, C., Rodríguez–Madera, S., Pérez, J. (2020). Trans women in tourism: Motivations, constraints and experiences. *Journal of Hospitality and Tourism Management, 43,* 169–178. https://lacc.fiu.edu/publications/reach/3-trans-women.pdf

Naciones Unidas. (2012). Comunicado de prensa. *Comisión Económica Para América Latina y el Caribe.* https://www.cepal.org/es/comunicados/cambio-estructural-es-camino-la-politica-instrumento-la-igualdad-objetivo-fondo

Padilla, M. & Rodríguez–Madera, S. (2021). Embodiment, violence, and necropolitics among transwomen in Puerto Rico. *Current Anthropology, 62*(23), s26–s37. doi: 10.1086/711621

Padilla, M., Rodríguez–Madera, S., Varas Díaz, N., & Ramos–Pibernus, A. (2016). Transmigrations: Border–crossing and the politics of body modification among Puerto Rican transgender women. *International Journal of Sexual Health, 28,* 261–277. Doi: 10.1080/19317611.2016.1223256

Prewitt–Freilino, J. L., Caswell, T.A. & Laakso, E. K. (2012). The gendering of language: Comparison of gender equality in countries with gendered, natural gender, and genderless languages. *Sex Roles, 66,* 268–281. ttps://doi.org/10.1007/s11199-011-0083-5

Quijano, A. (1992). La americanidad como concepto, o América en el moderno sistema mundial. *Revista Internacional de Ciencias Sociales, 134*(4), 549–557. https://unesdoc.unesco.org/ark:/48223/pf0000092840_spa

Quijano, A. (2007). De la resistencia a la alternativa. *América Latina en Movimiento.* https://www.alainet.org/es/active/20421

Quijano, A. (2014). Colonialidad del poder, eurocentrismo y América Latina. En A. Quijano (Ed.), *Cuestiones y horizontes: De la dependencia histórico–estructural a la colonialidad/descolonialidad del poder* (pp. 777–832). CLACSO.

Quinan, C., & Thiele, K. (2020). Biopolitics, necropolitics, cosmopolitics–feminist and queer interventions: An introduction. *Journal of Gender Studies, 29*(1), 1–8. https://doi.org/10.1080/09589236.2020.1693173

Ramos Pibernus, A., Rivera–Segarra, E., Rodríguez Madera, S., Varas Díaz, N., Padilla, M, & Mendoza, S. (2020). Stigmatizing experiences of trans men and buchas in Puerto Rico: Implications for health. *Journal of Transgender Health, 5*(4), 234–240. doi: 10.1089/trgh.2020.0021

Reilly–Cooper, R. (2016). Gender is not a spectrum. *Aeon.* https://aeon.co/essays/the-idea-that-gender-is-a-spectrum-is-a-new-gender-prison

Reisner, S., Radix, A., & Deutsch, M. (2016). Integrated and gender–affirming transgender clinical care and research. *Journal of Acquired Immune Deficiency Syndromes, 72*(3), S235–S242. doi: 10.1097/QAI.0000000000001088

Restrepo, E. (2018). Decolonizar la universidad. En J. L. Barbosa & L. Pereira, *Investigación cualitativa emergente: Reflexiones y casos* (11–25). Sincelejo, Cecar.

Ribeiro, L. P., Neves Riani, S. R., & Antunes–Rocha, M. I. (2019). Representaciones sociales de personas transgénero travestis y transexuales sobre la violencia. *Revista de Psicología, 37*(2), 496–527. https://doi.org/10.18800/psico.201902.006

Risberg, G., Johansson, E. E., & Hamberg, K. (2009). A theoretical model for analysing gender bias in medicine. *International Journal for Equity in Health, 8*(28), 1–8. https://doi.org/10.1186/1475-9276-8-28

Rodríguez Sala–Gómezgil, M. L. (1983). *El lenguaje como elemento cultural de identidad social en la zona fronteriza del norte de México.* Estudios Fronterizos. https://doi.org/10.21670/ref.1983.02.a06

Rodríguez–Madera, S. (2009). *Género trans: Transitando por las zonas grises.* Terranova.

Rodríguez–Madera, S. (2020). From necropraxis to necroresistance: Transgender experiences in Latin America. *Journal of Interpersonal Violence, 37,* 11–12. doi: 10.1177/0886260520980393

Rodríguez–Madera, S., Varas–Díaz, N., Padilla, M., Ramos–Pibernus, A., Neilands, T., Rivera–Segarra, E., Pérez Velázquez, C. M., & Bockting, W. (2019). "Just like any other patient": Transgender stigma among physicians in Puerto Rico. *Journal of Health Care for the Poor and Underserved, 30*(4), 1518–1542. doi: 10.1353/hpu.2019.0089

Rozas Ossandrón, G. (2018). *Decolonialidad, desde la psicología social comunitaria* [Disertación doctoral]. Universidad Austral del Chile.

Rucovsky, M. A. (2015). Trans* necropolitics. Gender identity law in Argentina. *Sexualidad, Salud y Sociedad.* https://rb.gy/pntf

Scharrón–del Río, M. R., & Aja, A. A. (2020). Latinx: Inclusive language as liberation praxis. *Journal of Latinx Psychology, 8*(1), 7–20. https://doi.org/10.1037/lat0000140

Segato, R. L. (2010). Género y colonialidad. En A. Quijano & J. Mejía (Eds.), *La Cuestión Decolonial.* Universidad Ricardo Palma.

Shelby, C. (2021). El lenguaje inclusive: Buscando algo más que el binario. https://rb.gy/6y3u

Skorzak Jonas. (2019). Resisting necropolitics: Reconceptualizing agency in Mbembé and Agamben. *E–International Relations.* https://rb.gy/4rfo

Tilley, H. (2016). Medicine, empires, and ethics in colonial Africa. *AMA Journal of Ethics, 18*(7), 743–753. doi: 10.1001/journalofethics.2016.18.7.mhst1–1607

Trans America. (2016). How does your state rank on "The civil rights issue of our time"? http://www.refinery29.com/2015/03/83531/transgender–rights–by–state

Transgender Europe. (2019). TTM Update Trans Day of Remembrance 2019. *Transrespect versus Transphobia Worldwide.* https://transrespect.org/en/tmm–update–tdor–2019/

Welsh, P. (2014). Homophobia and patriarchy in Nicaragua: A few ideas to start a debate. *IDS Bulletin, 45*(1), 39–45. https://doi.org/10.1111/1759–5436.12066

Capítulo 3

Desafíos en el Proceso de Divulgación y la Visibilización

David E. Rivas, M.S.
Raymond L. Rohena Pérez, B.A.

"¿Escuchaste que Fulanita salió del clóset?
¡Yo me lo sospechaba por los manierismos!
Dice que ahora es mujer.
Lo que yo no entiendo es cómo también le gustan las mujeres,
para eso que se quedara hombre."
–Vecine de Fulanita

Coloquialmente conocido como "salir del clóset," divulgar la identidad de género o la orientación sexual típicamente se refiere a cuando se comparte con otra persona, cuál es el género con el que te identificas o cuál es tu orientación sexual. Para facilitar la explicación utilizaremos como ejemplo la cita que aparece antes de este párrafo. Cuando Fulanita le dijo a su vecine que su identidad de género era mujer, le había divulgado su identidad de género. Ahora bien, cuando su vecine decidió, con o sin consentimiento, divulgar la información de Fulanita a otra persona, cometió el error de equiparar la identidad de género con la orientación sexual. La identidad de género es "el profundo sentido que tiene una persona de sí misme con relación al género" y "no siempre corresponde al sexo [asignado al nacer]" (traducido del PFLAG National Glossary of Terms, enero 2023). O sea, Fulanita fue asignada hombre al nacer y se identifica como mujer; por tanto, su identidad de género es mujer. Por otro lado, la orientación sexual es "la atracción emocional, romántica o sexual hacia otras personas o ninguna persona…" (traducido del PFLAG National Glossary of Terms, enero 2023). En otras palabras, una cosa es quién soy (i.e., "me identifico como mujer"), y otra cosa es quién me atrae y cómo lo defino (i.e. "me catalogo como lesbiana porque me atraen personas que se identifican como mujer"). O sea, el que a Fulanita le atraigan las mujeres, no tiene que ver con su identidad de género.

Así como la identidad de género de Fulanita no le ofreció pistas a su vecine sobre su orientación sexual ni viceversa, esto es igual para las demás personas, y por eso no debemos asumir. Las personas género diversas también pueden tener una orientación sexual no heteronormativa. Es decir, una persona trans bien puede ser heterosexual[9], pero habrá otras que se identifiquen como lesbianas, bi+[10], pansexual, asexual o tener cualquier otra orientación sexual. A continuación un caso que ilustra la experiencia de un hombre trans quién intentaba encontrar las mejores palabras para divulgar su identidad de género y su orientación sexual.

Felipe es un hombre trans. Creciendo había escuchado que cuando a una mujer únicamente le atraían otras mujeres esto significaba que era lesbiana. Felipe sabía lo que era la orientación sexual, pero no sabía lo que era la identidad de género. No tenía un nombre que explicara que se identificaba como hombre, aunque le asignaron mujer al nacer. Por esto, Felipe primero divulgó que era lesbiana y, con el pasar del tiempo y mayor educación, divulgó que era un hombre trans heterosexual. Esto es, una persona cuyo sexo asignado al nacer

---

[9] Atraíde por personas de un sexo o género distinto (traducido del PFLAG National Glossary of Terms, enero 2023). Por ejemplo, mujeres que únicamente le atraen hombres.

[10] El término bi+ es utilizado como una sombrilla que incluye atracción a dos o más géneros (Bisexual Recource Center, enero 2023; Hoelscher, n.d.; The Trevor Project, enero 2023).

fue mujer, que se identifica como hombre y que le atraen las mujeres. (Anónime, comunicación personal, 2023)

Por su parte, distinto a la identidad de género, la expresión de género es "la manera en la que una persona comunica a les demás aspectos de su género a través de medios externos como la ropa, la apariencia o manerismos" (traducido del PFLAG National Glossary of Terms, enero 2023). En otras palabras, una cosa es quién soy (i.e. "me identifico como hombre"), y otra cosa es cómo comunico aspectos de mi género (i.e. "soy un hombre afeminado"). En el caso de Fulanita, su vecine describe que ella tenía "manerismos," pero esto por sí mismo no era definitorio para saber su identidad de género ni orientación sexual. Recuerda: ¡No asumimos, pregunta!

En el ejemplo anterior aprendimos que Felipe es un hombre trans heterosexual. A continuación, aprenderemos sobre la expresión de género de Felipe. Algunas personas que han asumido la orientación sexual de Felipe, han pensado que pueden descifrarlo solo por observar su expresión de género. Sin embargo, con frecuencia, no aciertan en su intento.

Felipe utiliza ropa tradicionalmente asociada con lo masculino y, en ocasiones, le gusta incorporar accesorios tradicionalmente asociados con lo femenino. Algunas personas le han dicho que es amanerado. Incluso, han asumido que su orientación sexual es gay (Anónime, comunicación personal, 2023).

¡Las personas somos diversas, nuestros procesos de vida son complejos y nuestros contextos aún más!

Antes de continuar, les invitamos a leer sección de Vocabulario Relacionado al final de este capítulo para accesar definiciones que facilitarán la lectura o expandir conceptos.

¿Quiénes divulgan qué?

Regresemos al inicio. Habíamos dicho que divulgar la identidad de género o la orientación sexual típicamente se refiere a cuando se comparte con otra persona cuál es el género con el que te identificas o cuál es tu orientación sexual. ¡Problematicemos esa definición! ¿Las personas heterosexuales "salen del clóset"? ¿Las personas cisgénero[11] "salen del clóset"? ¿Ellas tienen o sienten la necesidad de divulgar su identidad de género o su orientación sexual? ¡Necesitamos contextualizar esto de "la divulgación"!

Vivimos en una sociedad cisheteropatriarcal (Hernández–del–Valle et al., 2022; Rodríguez–Madera et al., 2015). Esto significa que usualmente la gente asume como norma social que lo correcto es ser heterosexual (hetero) y cisgénero (cis), aún cuando existen otras orientaciones sexuales y otras identidades de género también (Butler, 2006; Harris, 2011). Por ello, se coloca el peso de la responsabilidad de divulgar su identidad de género u oritentación sexual a las personas que no se indifican como hetero, como cis, o por lo menos que no son percibidas dentro de ese molde social. Este último refiriéndose, por ejemplo, a hombres cis heterosexuales afeminados o mujeres cis heterosexuales masculinas. Casi idéntico a nuestro sistema judicial, eres hétero hasta que se te pruebe lo contrario (Guitar, 2014). Peor aún, luego de que las persona deciden divulgar o son coaccionadas a hacerlo, se les criminaliza y señala cuando lo hacen. En un mundo ideal no se asumiría la identidad de género ni la orientación sexual de las personas o, por el contrario, todes tuviéramos que "salir del clóset."

---

[11] Cuando la identidad de género se alínea con el sexo asignado al nacer (traducido del PFLAG National Glossary of Terms, enero 2023). Por ejemplo, cuando Antonio nació los médicos le dijeron a sus padres que era hombre y durante su vida Antonio se continuó identificando con ser hombre.

¿Dónde se Divulga Qué?

Hasta el momento, no existe consenso sobre una única definición respecto a la "salida del clóset" (Guitar, 2014). Los procesos de divulgación incluyen desde una complejidad interior de autodeterminación hasta factores externos muchas veces fuera de nuestro control e incalculables (Guittar, 2014). Cuando Brumbaugh-Johnson & Hull (2019) examinaron la narrativa de personas trans en referencia a sus experiencias de divulgación; lo definieron como, y traducimos, "una destreza, continua y enraizada socialmente, para manejar la identidad de género propia" (p. 1148). Concluyeron que las personas de su muestra no divulgaban su identidad de género y ya, sino que tomaban decisiones estratégicas respecto a ello basado en contextos sociales (i.e., expectativas de género de otras personas, reacciones de otras personas, amenaza de violencia). Esto quiere decir que muchas veces el contexto social influye en qué se divulga, cómo se divulga, a quiénes, en dónde y cómo se recibe.

La Construcción del Género: ¿la Casa o el Estado?

Hagamos un ejercicio sencillo representativo de algo que ocurre a nivel micro en Puerto Rico. Piensa en un *baby shower*: en los colores, los juegos comunmente segregados por género, en los chistes de la familia, en las expectativas de si el feto tiene o no un pene, en quién quiere que sea qué y por qué, y la gran revelación del sexo.

-Dame un listón rosa, que yo soy ¡*Team* Nena!

-Ay, no. A mi dame el sellito de carro, que soy ¡*Team* Nene!

-¿Pero tú no te imaginas una muñequita para vestir con trajecitos? Y si sale *pará* como su tía, ¡prepárate a esconder tu maquillaje y tacones!

-Luego de tanta *chancleta*, esta familia necesita un varoncito. A ese me lo llevaré para la cancha, aquí todos los primos tenemos el gen del deporte.

-Hasta que te de candela rompiendo corazones, llegando tarde y tomando calle.

-En estos días las nenas son peor y después hay que velarlas… no se vayan a preñar y entonces sí…

Aun estando en el vientre de la persona gestante, es común que la gente curiosee sobre el sexo del feto y que con ello creen expectativas sobre lo que significará eso en términos de ropa, deportes, actividades, romances y demás. De hecho, antes de que una persona divulgue su género, algunas familias lo harán por elles por medio de estos rituales extraños en donde se celebra o lamenta en masa la identidad de género del feto. Esto, antes de que la criatura pueda tener un decir sobre si desea asumir o no las expectativas cisheteronormativas de sus progenitores. Entonces, podemos decir que el proceso de divulgación de la identidad de género existe y se maneja dentro de un discurso dominante cisexista, machista y transfóbico que influye el mismo proceso de divulgación, así como influye en otros procesos de vida de las personas trans (Padilla & Rodríguez-Madera, 2021). En otras palabras, lo que ocurre a nivel macro, impacta lo micro y lo individual, y viceversa.

¿Por qué vivimos en este tipo de sociedad? Existen instituciones sociales (por ej. la familia, la escuela, la iglesia, la justicia, etc.) y mecanismos (por ej. la transfobia, la pobreza, etc.) que mantienen el andamiaje cisheteropatriarcal y que continúan oprimiendo a "la otredad" para que no gocen de los mismos beneficios que recibe el colectivo en poder (Guittar, 2014; Padilla & Rodríguez-Madera, 2021). Sin hablar del peso que distintas fuerzas opresivas le añaden al proceso de divulgación de las personas por asuntos de interseccionalidad (Chrenshaw, 2016). En este sentido, ¿cómo creo comunidad o cómo me encuentro en el otre, cuando mi comunidad es invisibilizada y oprimida?

Hagamos el mismo ejercicio, pero está vez en un nivel macro. En Puerto Rico, al ser una colonia estadounidense, su contexto es inseparable sociopolíticamente y culturalmente de lo que ocurre en Estados Unidos. Esto incluye el lente por el que se estudian, apalabran y señalan a las personas trans y no binaries. Según la American Civil Liberties Union o "ACLU", desde el 2018 hasta el 2022 se han presentado 390 proyectos de ley transfóbicos a nivel de los Estados Unidos, donde sólo 39 de estos han sido aprobados. Estas medidas draconianas perpetúan el discrimen hacia personas trans y no-binaries prohibiéndoles su participación en deportes, criminalizando el acceso a cuidado médico transafirmativo, imposibilitando el acceso a baños seguros, habilitando el discrimen basado en las libertades religiosas y dificultando cada vez más los trámites para adquirir documentos de identificación que honren el nombre escogido y género actualizados de personas trans y género diverses. Pensando en el estudio de Brumbaugh-Johnson & Hull (2019), ¿qué decisiones estratégicas estarías tomando tú según este contexto social?

De igual forma, no podemos hablar de la divulgación separada de la interseccionalidad. Kimberlé Crenshaw (2016) es quien propone la interseccionalidad como lente analítico. Ella ofreció una analogía para explicar el caso de Ema DeGraffenreid, una mujer negra que perdió un caso de doble discriminación laboral al no ser reclutada por una compañía que empleaba hombres negros y mujeres blancas. Crenshaw (2016) explicaba

[…] así que, si pensamos en esta intersección, las carreteras de la intersección serían la forma en que la fuerza de trabajo se estructuró por etnia y género. Y el tráfico en esas carreteras serían las políticas de contratación y las otras prácticas que sucedían en esas carreteras. Debido a que Emma era a la vez negra y mujer estaba precisamente en el cruce donde se intersectan las carreteras experimentando el impacto simultáneo de tráfico de género y etnia de la compañía. La ley es como la que se muestra en la ambulancia preparada para tratar a Emma solo si puede demostrar que se accidentó en la carretera de la etnia o en la del género, pero no en el cruce de ambas. Entonces, ¿cómo llamaríamos que te atropellaran fuerzas múltiples y luego te abandonen a tu suerte? La interseccionalidad es lo que para mí aplicaba. (9:25)

Esto continúa aplicando si añadimos otros datos como la orientación sexual, la nacionalidad, la condición socioeconómica, la diversidad funcional, el acceso a la educación, la religión, la edad, etcétera. De esta misma manera, los retos personales y sociales de divulgar la identidad de género se continuarán complejizando según el grado y las formas en que las fuerzas opresoras ejercen su poder, impactando une misme cuerpe. Este poder puede ser definido como la habilidad de hacer que una perspectiva en particular parezca ser una verdad universal (Vaid-Menon, 2020). El control describe cómo el poder se sostiene y cualquier persona que exprese otra perspectiva sería castigada; por tanto argumentos en contra de personas de género no-conforme[12] buscan mantener el poder y control sobre nuestres cuerpes (Vaid-Menon, 2020). Por ejemplo, desde un sistema cisheteropatriarcal personas cuyas identidades y expresión de género son masculinas gozan de ciertos privilegios a diferencia de personas cuya expresión no es congruente al imaginario social binario transmedicalista[13], o quienes vivan

---

[12] Ver sección de Vocabulario relacionado.

[13] Idea que sostiene que para ser legítimamente trans tienes que tener disforia de género y el deseo de transicionar médicamente (PFLAG National Glossary of Terms, enero 2023).

una experiencia femenina/*femme* en el espectro de género. A continuación, el caso de Felipe y Dani ilustra las diferencias en cuanto a sus experiencias de vida por asuntos de interseccionalidad.

> Cuando Felipe se hizo amigo de Dani, elle le explicó cómo casi siempre, sin importar lo que hiciera, tenía que constantemente corregir a la gente sus pronombres. Dani sentía que no encajaba en un mundo pensado para el género binario. A veces, Dani no decía nada y llegaba drenade a su hogar para prepararse para el mismo escenario al próximo día. A Dani tampoco le alcanzaba para comprar camisas compresoras que dieran la impresión de un pecho plano y tenía que recurrir a prácticas menos saludables como el vendaje y cinta adhesiva. Las realidades de Felipe y Dani eran tan distintas… (Anónime, comunicación personal, 2023)

Retos al divulgar

Muchas veces no tan solo se trata de que la gente asume, que de por sí es prejuiciado, sino que continúan perpetuando esas ideas prejuiciadas e incluso fomentan actos de discrimen y violencia. Fiscalizar cuerpes, expresiones de género, identidades y maneras de relacionarnos son formas de oprimir a personas de género no-conforme. Aunque divulgar la identidad de género es una decisión personal, algunas personas deciden no divulgarlo por miedo, o se "quedan en el clóset" más tiempo por lo mismo (Guittar, 2014). No obstante, hay otras personas que se sienten apresuradas para divulgar su identidad de género debido a señalamientos sobre cómo se ven o cómo actúan, o simplemente desean confirmar o descartarlo porque se les asume con cierta orientación o identidad de género fuera de la cisheteronormativa (Guittar, 2014). De momento, el decidir o no divulgar esta información se vuelve resultado de un proceso coercitivo. Cabe destacar que la comunidad LGBTQIA+ no es la única que recibe el impacto de estas formas de opresión; dado a que, si eres percibide distinte a lo esperado socialmente en cuanto a género, aunque seas una persona cis y heterosexual, podrías estar expueste a discriminación y otras formas de violencia. A continuación, se ilustra el caso de Sol y sus expectativas de rechazo por asuntos de divulgación.

> Sol es una persona transfemenina no-binaria. A sus 18 años escribió una carta para divulgar su orientación sexual a su madre y la envió por texto diciendo que era gay y se tiró al suelo a llorar pensando que la había decepcionado. Al finalizar de leer la carta su madre la abrazó y le dijo que no le dijera a su padre porque no podría manejar la noticia. (Anónime, comunicación personal, 2023)

Como hemos mencionado, vivimos en una sociedad cisheteropatriarcal, por lo tanto, la diversidad de género se vuelve incompatible con el discurso binario (macho-hembra/masculino-femenino), machista y cisexista que nos enseñan sobre lo que debería ser el género y cómo debería expresarse en la sociedad puertorriqueña. Desde la cisheteronorma les cuerpes trans están programades para desaparecer (Stone, 1992). Se espera que las personas trans se difuminen lo antes posible entre la población cisgénero, en un proceso en donde se pierde su habilidad de representar las complejas ambigüedades de la experiencia vivida, y su potencial transformativo continuo que es remplazado por nociones anticuadas de una narrativa muy costosa que les desempodera (Stone, 1992). "Comparando lo que otres ven con quien une es en realidad se aprende que la parte más letal de la cuerpa humana son los ojos, no los puños; donde lo que otres ven y cómo lo ven es un asunto de control" (Vaid-Menon, 2020, p. 10). A continuación, se ilustra el contexto puertorriqueño en el que se maneja Felipe.

Felipe creció en un municipio rural y conservador. Allí no se hablaba sobre las personas trans y cuando se hacía era en tono de mofa y sin respetar pronombres. Aunque Felipe había identificado desde temprana edad que su identidad de género era distinta al sexo que le asignaron al nacer, no tenía un vocabulario que le permitiera expresarlo ni conocía a personas en su entorno que fueran como él. Esto provocó que divulgara su identidad de género siendo un joven adulto cuando tuvo acceso a la información que le faltaba para poderlo comunicar. No fue hasta más de un año después que logró conocer a la primera persona trans en su vida. A Felipe le costó expresar su género de la forma en la que lo hace porque reconocía que se esperaba que encajara en una masculinidad tradicional. (Anónime, comunicación personal, 2023)

La divulgación también significa enfrentar los retos que surgen al desafiar el discurso predominante. Aunque no es necesaria la validez exterior para que exista nuestra realidad y nuestras identidades, como personas trans nuestra calidad de vida se ve afectada por la forma en que colectivamente se apalabra y se reacciona a las identidades de género diversas. Hemos escuchado a gente decir: ¿Pero van a seguir *añadiendo letras y etiquetas a esto?* Acto seguido, se romantizan mundos sin etiquetas sin problematizar por qué algunas comunidades se nombran e, incluso, se señala sin ánimos de atender con urgencia las implicaciones de su invisibilización. Mientras tanto, vivimos en una sociedad organizada y regida por el lenguaje (e.g., la constitución, las leyes, la ciencia). De la forma en que en este momento opera la sociedad puertorriqueña, no se legisla sobre lo que no está apalabrado, no se cuenta lo que no se nombra. Tampoco se estudia lo que no se nombra. Incluso la gestión comunitaria muchas veces se logra en la medida en que las personas tienen la capacidad de identificarse/identificar. De momento, es entonces hasta un acto político cuando las comunidades se nombran, deciden sobre su lenguaje y practican otros ejercicios de construcción colectiva; sin olvidar, claro, que este nombramiento (o la divulgación) no se hace para la comodidad o aceptación de les cuerpes dominantes, sino por la comodidad propia. En lo que llegan propuestas alternas, creemos conciencia de cómo recibimos estas etiquetas, por qué sentimos resistencia, si alguna, y si estamos o no siendo partícipes de la exclusión y marginalización estructurada de comunidades género-diversas. A continuación, se ilustra el caso de Lani y el reto de sus experiencias de vida colocadas en contrapropuesta a entendidos cisheteropatriarcales.

> Lani es una persona de género no-conforme. En la actualidad no importa cuántas veces Lani divulgue su identidad de género no se le reconoce como tal debido a que no representa los imaginarios sociales de una persona no-binaria ante el lente cisheteropatriarcal, y por ende, reconoce su privilegio de masculinidad, o de ser percibide como una persona masculina en sociedad. Comprendiendo las limitaciones de la sociedad heteronormativa a la que pertenece, Lani hace su mayor esfuerzo para educar a otras personas, pero a veces ni se molesta en realizar la labor emocional de compartir su identidad de género fuera de los espacios en donde su familia escogida le valida para evitar el tener que divulgar constantemente su identidad. A Lani le resulta más viable divulgar su experiencia como persona pansexual, a esperar que personas cisheteronormativas deconstruyan sus nociones binarias de sexos y géneros. (Anónime, comunicación personal, 2023)

Estos discursos predominantes también se infiltran en el día a día generando preguntas como: ¿Corregiré a la persona del banco si asume mi género erróneamente cuando me llame para pasar a la ventanilla? ¿Preferiré no levantar mi mano cuando pasen lista en clase porque aún no me he cambiado el nombre legalmente y mi profesore no respeta el nombre con el que me identifico? ¿Examinaré las puertas de baños binarios segregados por género tratando de decidir en cuál podría sentirme más físicamente segure? A continuación, el caso de Felipe ilustra cómo muchas veces el mismo sistema social obliga a que divulgues una y otra vez tu identidad de género hasta el cansancio.

> Felipe había movido su cama de posición para no mirarse al espejo. Utilizaba una camisa compresora para tapar su pecho y pensaba detenidamente otras formas en las que expresaría su género tratando de disminuir las veces que le harían *misgendering*[14]. No levantaba su mano cuando pasaban lista en clase y se la pasaba halando su camisa cuando la disforia[15] se disparaba. Aguantaba las ganas de ir al baño evitando confrontaciones, total le miraban raro sin importar cuál baño utilizara. (Anónime, comunicación personal, 2023)

¿Es recomendable divulgar mi Identidad de Género?

No hay una sola respuesta a esta pregunta ya que siempre habrá potenciales riesgos y beneficios con la divulgación. Por tanto, recomendamos abordar este concepto como un proceso y desde su complejidad personal y social (Bariola et. al., 2015; Klein et al., 2015; Meyer, 2015; Rodríguez-Madera et al., 2016; Russel & Toomey, 2014). No podemos pensar que el acto de divulgar la identidad de género es algo que ocurre en un vacío y que siempre es igual; se debe considerar, como ya dijimos, la interseccionalidad, el contexto en donde ocurre y la respuesta a ello. Tomando en consideración lo antes planteado, el acto de divulgación debe ser individual y voluntario

---

[14] Cuando se utilizan los pronombres equivocados para referirse a una persona.

[15] Sensación de malestar relacionada a que el sexo asignado al nacer y la identidad de género no es la misma. En este caso la persona sentía disforia en el área del pecho.

independientemente de la edad de la persona (Vazquez-Rivera, 2019). Le toca a la misma persona hacerlo y escoger la forma en la que lo hará; si es que quisiera divulgarlo, dado a que no es una meta para todo el mundo (Garvey et al., 2019; Wong, 2015). Aunque, la persona que desea divulgar su orientación sexual o identidad de género podría pedir ayuda, esto no debe ser coercitivo o por la fuerza. De igual forma, el que alguien te haya compartido esta información de sí misme, no te da el derecho de continuar diciéndolo sin el consentimiento de la persona. A continuación, ilustramos tres distintas experiencias con sus complejidades.

> Sol recibió una crianza bajo la ideología cristiana de amenazas con el infierno y el castigo eterno de Dios. Se aceptó a los 17 años de edad, luego de batallar con conflictos internos de no quererse debido a la homofobia internalizada que cargaba y el miedo a las repercusiones de salir del clóset. (Anónime, comunicación personal, 2023)

*****

> Lani creció con un padre ausente con uso problemático de alcohol, quien le insultaba por no cumplir con sus expectativas de masculinidad tóxica. Lani y su madre sufrieron violencia doméstica intrafamiliar hasta que elle cumplió los 14 años de edad. Elle se reconoció de forma secreta como bisexual, pero lo calló por muchos años hasta que compartió una relación con una chica donde ambes confesaron ser bisexuales, lo cual brindó mucho apoyo y validación para ambes desde la empatía. (Anónime, comunicación personal, 2023)

*****

Felipe decidió compartir su orientación sexual con su familia mientras era adolescente. Fue llevado a recibir tratamiento psiquiátrico y, dentro de la oficina, el profesional de salud mental lo ungió con aceite y le oró. Posteriormente, cuando divulgó su identidad de género, la familia de Felipe fue educada por otros profesionales de la salud mental desde un enfoque afirmativo. Desde entonces, su familia le acompaña desde la educación y la sensibilidad que amerita. (Anónime, comunicación personal, 2023)

Por su parte, Meyers (2015) argumenta que el sentido de identidad y la resiliencia están relacionados. Propone que la resiliencia comunitaria y el apoyo social dependerá de que las personas se identifiquen con su identidad minoritaria o con su grupo minoritario. Ofrece de ejemplo una paradoja; por un lado, tener una fuerte identidad minoritaria podría vulnerabilizar a la persona en un área en donde ocurra un evento estresante resultante de prejuicio en contra de su grupo y, por otro lado, esa misma identificación podría ser la fortaleza que utilice para afrontar eventos como éste en esa área. Consideramos que esto no significa que el peso de la responsabilidad debe caer en la persona y su decisión de divulgar o no la información; sino que acentúa la relevancia de promover y crear espacios para la organización comunitaria y cambios de política pública de manera tal que posibilite el acceso a este tipo de recursos. A continuación dos casos ilustran cómo el acceso a recursos impactaban la vida de dos personas distintas.

Lani sintió la distancia y libertad necesaria para explorar su sexualidad cuando comenzó sus estudios universitarios. Esto duró hasta que su madre le sacó del clóset, rechazándole inicialmente tras ver fotos con su primer novio y terminó hospedándose en la universidad tras el rechazo de su familia y muchas de sus amistades. Desde ese entonces fue forjando su familia escogida y aprendiendo muchas lecciones mientras servía de apoyo para otras personas con el fin de que no replicaran las dificultades que elle tuvo que enfrentar por sí misme. (Anónime, comunicación personal, 2023)

*****

Felipe sentía que la mayor parte de las personas trans vivían en el área metropolitana de la isla. Muchas veces él era la primera persona trans con la que la gente en su entorno interactuaba. Tener acceso a un grupo de personas trans puertorriqueñas por redes sociales hizo que se sintiera acompañado en su proceso. (Anónime, comunicación personal, 2023)

Entre los riesgos de salir del clóset se encuentra el rechazo (Ej. familiares, amistades, colegas, comunidades de fé), el discrimen (Ej. escuela, universidad, empleo, salud, agencias de gobierno), la violencia, la ruptura de relaciones interpersonales, y la edad, ya que personas jóvenes podrían ser expulsadas del hogar o perder ayuda económica de tutores (Jai et al., n.d.; Lesbian Gay Bisexual Transgender Center, n.d.). Entre los beneficios se encuentra vivir de acuerdo a la identidad de género con la que se identifica la persona, poder ser abiertamente, poder conectar con otras personas de la misma comunidad, poder acceder recursos inobtenibles sin que la persona se identifique con una identidad de género diversa, aliviar estresores asociados con esconder quienes realmente son, y algunas personas se benefician de relaciones de modelaje entre pares (Jai et al., n.d.; Lesbian Gay Bisexual Transgender Center, n.d.).

¿Cómo Debo Divulgar mi Identidad de Género?

No existe una sola forma para divulgar la identidad de género, al igual que no hay una sola forma para abordar el concepto. Reconocemos que vivimos en un mundo que constantemente otorga responsabilidades que no les tocan a las personas que marginan. Por tanto, nadie debería ser obligade a divulgar su identidad de género ni se debe juzgar la forma en que personas deciden hacerlo. Dicho esto, para quienes desean divulgarlo, resumimos algunas recomendaciones.

Por mucho tiempo los asuntos de divulgación, mayormente concentrados en poblaciones gays, lesbianas y bisexuales, habían sido estudiados desde acercamientos psicológicos (Brumbaugh-Johnson & Hull, 2019). Por ejemplo, las etapas de desarrollo de la identidad trans propuestas por Lev (2004) incluyen una de divulgación. La misma está acompañada de miedos relacionados a asuntos de seguridad, estabilidad y relaciones interpersonales una vez divulguen su identidad de género. Lev (2006) también propone etapas que enfrenta el sistema familiar mientras une miembre integra su identidad de género diversa. En la fase de descubrimiento y divulgación, familiares podrían reaccionar con asombro y confusión, sentirse engañades o sentir culpa.

Vázquez-Rivera (2019) invita a considerar si la persona se siente cómoda con ello, si se ha educado en el tema, si tiene los recursos emocionales para manejarlo, si estará segura una vez ocurra y si esta decisión es libre y voluntaria. Así mismo, se puede practicar para el momento. Podría ser con une misme, con personas de confianza que creamos que puedan tener una reacción saludable o con algune profesional de la salud mental. El momento perfecto no existe, pero podemos considerar el día, la hora, el ambiente y así por el estilo. Por ejemplo, no es lo mismo comunicarlo un día de descanso que justo luego de que alguien culmine una jornada laboral estresante. Así mismo, se recomienda que en procesos terapéuticos se trabaje con la educación y aclaración de dudas de todas las personas involucradas (Lev, 2004; Rodríguez-Madera et al., 2016).

Sin restarle importancia a las aportaciones y avances logrados hasta el momento, es imprescindible reconocer que un único tipo de acercamiento, así como estilos lineales en los modelos, pueden sobre simplificar la variedad misma que existe entre las personas con identidades de género diversas. Esto podría dar una falsa impresión de que las personas transitan una serie de etapas fijas en orden o una sola vez en sus procesos de divulgación (Rodríguez-Madera et al., 2016). Así lo vimos en el caso de Felipe, que primero se identificó como una mujer lesbiana y luego como un hombre trans heterosexual. Los procesos deben tomarse caso a caso.

Por otro lado, hay personas trans que no desean divulgar que son trans. Ya sea porque viven siendo percibides como un género con el que no se identifican o porque son percibides con un género que sí se identifican y se asume que son cis. En nuestro contexto el *passing* o "pasar" ocurre cuando una persona trans es percibida según la identidad de género con la que se identifica. En la mayoría de estos casos, las demás personas asumen que la persona trans es cis. Otra forma de llamarle a este fenómeno es *cis assumed* o "cis asumide" debido a que la persona trans no está intentando disfrazarse o "pasar" como otro género, sino que simplemente es el género con el que se identifica. Algunas personas deciden vivir *stealth* que es cuando son percibidas según su identidad de género y no divulgan que son trans. Si es una persona cis quien me lee, ¿cuántas veces has hecho la aclaración de que eres un hombre **cis** o una mujer **cis**? Si lo has hecho, ¿ha sido en todo espacio? Algunas personas trans deciden divulgar su identidad de género sólo en algunos espacios. Podría darse el caso de que una persona decida divulgar su identidad de género a su familia y que decida no hacerlo en su trabajo. Quizás lo divulgue a sus parejas sexuales y a su médico, pero no en espacios públicos de encuentro. Al final del día, las personas deciden cómo, cuándo, dónde y por qué deciden divulgar, si es que deciden hacerlo.

Finalmente, hay personas con el privilegio de que se asuma correctamente su identidad de género y hay otras personas que se ven obligadas a constantemente divulgar su identidad de género para que se les trate como tal. No se debe responsabilizar a la persona que está siendo tratada de forma discordante a su identidad de género. No todas las personas tienen el mismo acceso a servicios, las mismas metas de transición, se encuentran dentro del binario tradicional del género o encajan en los moldes cisheteropatriarcales con los que enjuiciamos les cuerpes (Butler, 2006; Rodríguez–Madera et al., 2016; Vázquez–Rivera, 2019). Por el contrario, debemos problematizar la normativa social que posibilita su invisibilización y sostiene su invalidación.

Apoyo social al divulgar la Identidad de Género

Mucha gente cree que las personas género diversas están "trastornadas" o tienen una condición de salud mental por tener una identidad de género diversa (TransHub, n.d.). Esto es incorrecto. Lamentablemente, la falta de educación en el tema lleva a que se continúe perpetuando este tipo de estigma. En el pasado se patologizó a las identidades trans; sin embargo, la revisión de literatura más actualizada indica lo contrario (TransHub, n.d.; Turban, 2022; American Psychiatric Association, 2022). La edición más actualizada del Manual Diagnóstico y Estadístico de los Trastornos Mentales (DSM-5-TR) es muy específico en que ser una persona con una identidad de género diversa no es un trastorno mental y que, lo que se atiende como diagnóstico, es el malestar subyacente a la experiencia de tener una identidad de género distinta al sexo asignado al nacer. Existen debates en cuanto a mantener este diagnóstico en el manual dado a que, por un lado, es necesario para que las personas reciban tratamientos hormonales y quirúrgicos que afirmen su identidad de género, y por el otro, dado a que se encuentra en este tipo de manual y por los criterios que lo sostienen podría perpetuar la estigmatización (Mas Grau, 2017). Lo importante aquí es entender que ser trans, cuir o no binarie es parte de la diversidad humana y no es un trastorno mental.

Las personas no desarrollan condiciones mentales a raíz de tener una identidad de género diversa. Muchos estudios sí acentúan las discrepancias de salud entre personas cis y personas género diversas (James et al., 2016; Pinna et al., 2022). El Modelo de Estrés Minoritario (Meyer, 1995; Meyer, 2003; Meyer, 2014; Meyer, 2015) aterriza estas diferencias en cuanto a salud y ofrece una explicación para ello. Argumenta que las personas minorizadas enfrentan, con frecuencia, múltiples estresores que las personas que no pertenecen a grupos minorizados no experimentan. Estos podrían ser ideas prejuiciadas internalizadas o, a nivel social, expectativas de rechazo, experiencias de discrimen o violencia, entre otros. Cualquier persona que fuese expuesta a este tipo de estresores está en mayor riesgo de presentar malestar emocional o físico. Por ello, la discrepancia en salud no es producto de la identidad minorizada, sino que está relacionada a los estresores producidos por la marginación social (Meyer, 2014). Quizás sea la primera vez que escuches que existe una relación entre elementos sociales y la salud, pero son muchos los estudios sobre determinantes sociales de la salud que afectan a las personas LGBTQIA+ (Centers for Disease Control Prevention, 2020).

De igual forma, el apoyo social parece ser un factor protector para personas género diversas. La Encuesta Estadounidense Trans del 2015, que incluyó participantes de Puerto Rico en su muestra de 27,715 personas, encontró que aquellas personas trans que fueron apoyadas por sus familiares tenían menor probabilidad de quedarse sin hogar, intentar suicidarse o experimentar serio malestar psicológico (Herman et al., 2016). La Encuesta Nacional sobre el Clima Escolar 2019 incluyó participantes de Puerto Rico en su muestra de 16,713 estudiantes LGBTQ+. La encuesta encontró que en aquellas escuelas que había Alianzas entre Heterosexuales y Gays o Alianzas de Género y Sexualidad (GSAs, por sus siglas en inglés) les estudiantes LGBTQ+ "fueron menos propensos a escuchar comentarios negativos de las personas transgénero" y "experimentaron niveles más bajos de acoso relacionado con su orientación sexual y expresión de género" (Kosciw et al., 2020, según traducido en el Resumen Ejecutivo, p.2).

Comentarios finales

En resumen, la divulgación de la identidad de género es tanto una decisión personal como un proceso para manejar la identidad de género socialmente. No existe una sola forma de hacerlo ni podemos controlar las respuestas de todas las personas, pero existen consideraciones que podemos tomar cuando planificamos hacerlo. Existen riesgos y beneficios de divulgar la identidad de género. Es importante que seamos sensibles al contexto de la persona y que respetemos sus decisiones. Por su parte, asuntos de interseccionalidad podrían afectar dicho proceso. A continuación, mencionamos recomendaciones y compartimos vocabulario que puede ser de utilidad al navegar asuntos de divulgación con poblaciones trans y no binarie.

Recomendaciones para Personas Aliadas:

- No asumas la identidad de género de la persona: Si tienes duda, pregunta. Habitúa presentarte con tu nombre y pronombre, y preguntar a otras personas por su nombre y pronombre. También podrías escuchar atentamente a cómo las personas se refieren a sí mismas para que puedas referirte a ellas correctamente.

- La divulgación de la identidad de género es algo personal. Nadie tiene el derecho de compartir esta información sin el consentimiento de la persona dueña de esta información. Las personas deben tener el derecho de poder decidir cómo, cuándo, dónde y por qué deciden divulgar.

- Apoya, promueve y/o crea espacios para facilitar procesos de divulgación de la identidad de género.

- Cuando "no es suficientemente trans"; No existe "La" persona trans. Las personas trans, cuir y no binaries son diversas. Es decir, varían sus metas de transición, sus cuerpes, sus formas de afirmar y expresar su identidad de género y lo que les agrada o incomoda. No es su deber decirles cómo vivir su identidad de género ni cómo pueden ser más masculines, femenines o andrógines. De igual forma, el que conozcas a una persona género diversa o lo seas, no significa que tu experiencia es generalizable a todas las experiencias de personas género diversas. Todas las formas de ser trans son válidas.

- A familiares/seres querides: Usted también está pasando por un proceso de asimilación cuando su ser querido le compartió esta información y eso es importante reconocerlo. Esto no quita que es importante comprender que el apoyo social es un factor de protección para su familiar. Es importante que atienda sus emociones sin perder de perspectiva que se deben enfocar en aceptar y apoyar al familiar trans. Por tanto, recomendamos que adquieran en conjunto las herramientas necesarias para manejar la situación con apertura, empatía y validación. Una forma de lograr esto es buscando apoyo psicológico con profesionales LGBTQIA+ afirmatives.

Recomendaciones Para Profesionales:

- Academia: Incluir la diversidad de género en las secuencias curriculares de programas universitarios (e.g., educación, trabajo social, psicología, leyes, medicina, administración, etc.). Promover alianzas y organizaciones estudiantiles LGBTQIA+ + afirmativas. Crear y/o aplicar políticas intolerantes al discrimen por identidad de género, expresión de género y orientación sexual.

- Investigación: Incluir la identidad de género en los formularios sociodemográficos de los estudios. Promover la representación de personas con identidades de género diversas al estudiar sus comunidades y promover el liderazgo comunitario en la investigación. Traducir la información recolectada en herramientas prácticas que mejoren la calidad de vida de las personas con identidades de género diversas.

- Para las instituciones: Crear y/o aplicar políticas intolerantes al discrimen por sexo, identidad de género, expresión de género y orientación sexual. Recuerda que no es solo el servicio que brindes, sino el espacio en donde ocurre, las personas empleadas en ese espacio, los formularios que utilices y demás. Por ejemplo, brinda acceso a baños seguros y género afirmativos, ofrece talleres educativos sobre la diversidad génerosexual a todo tu personal, incluye espacios en tu formulario que pregunten identidad de género, nombre que utiliza y pronombres, etcétera. Ofrece licencias para procesos de transición y solicita a los planes de salud que cubran procesos hormonales. Adiestra al personal general y ten profesionales de Recursos Humanos con el adiestramiento necesario para que puedan asistir a personas que salgan del closet en cualquier momento. Crea y aplica políticas de reclutamiento que puedan alcanzar a nuestras comunidades. Crea *Employee Resource Groups* de la Comunidad.

- A profesionales de la salud: Sigue los estándares éticos de su profesión. Atiende a las personas géneroseuxales diversas desde un enfoque LGBTQIA+ + Afirmativo. Visita las normas de atención para la salud de personas trans y con variabilidad de género (World Professional Association for Transgender Health, 2022).

Tabla 1

Vocabulario Relacionado a Identidad

Identidades Más Comunes	Definición
Cisgénero	Se refiere a personas cuya identidad de género corresponde al género asignado al nacer.
Transgénero/Trans	Términos sombrilla que se utilizan para describir las experiencias de personas cuyas identidades o expresiones de género no se identifican con el género que les fue asignado al nacer.
Mujer Trans Mujer Transgénero Mujer de Experiencia Trans Transfemenina	Son personas que se identifican con el género femenino y cuya identidad de género no responde al género que les fue asignado al nacer. Personas que comparten estas experiencias también pueden identificarse con géneros fuera del binario de género simultáneamente (por ej., mujer trans de género no-conforme, persona transfemenina no–binarie)

continúa

Tabla 1 (cont.)

Identidades Más Comunes	Definición
No-Binarie	Término sombrilla que describe las experiencias de personas cuyas identidades de género no responden a las nociones binarias y cisexistas del género (mujer/hombre; femenino/masculino).
Ejemplos:	
Género No-Conforme	Las personas no binaries también pueden identificarse con varias identidades simultáneamente u optar por no utilizar ningún género en específico sino referirse exclusivamente por medio de sus pronombres y nombres escogidos.
Bigénero	
Género Fluído	
Género Cuir/Queer	
Género Diverses	
Agénero	Los prejuicios de personas cisexistas codifican de forma binaria a las personas basados en imaginarios sociales, apariencia física y características sexuales que asumen de forma naturalizada. La experiencia no binaria nos invita a expandir el concepto de género como un espectro gradual en donde existen infinitas posibilidades de vivir y expresar nuestra identidad.
Intersexo	Se refiere a personas cuyo sexo al nacer y características reproductivas o sexuales no representan las nociones binarias de ser mujer u hombre.

Géneros de Origen Indígena	Las identidades diversas de género de origen indígena ponen en evidencia histórica, experiencias fuera de constructos binarios del género y su naturalización hegemónica. Estos ejemplos provienen de contextos socioculturales específicos en donde comunidades preservan en actualidad las tradiciones y costumbres de sus pueblos originarios ancestrales.
Ejemplos: "Two Spirit" Dos Espíritus – Norteamérica, Muxes – México, Hijra "Tercer Género" – India, Etc.	

Tabla 2

Vocabulario Relacionado a Divulgación

Vocabulario Relacionado a Divulgación	Definición
Transición	Es un término que se utiliza para describir el proceso de adecuación de une individue con su identidad de género. Las metas en cuanto a transición pueden ser sociales (por ej., pronombres, expresión de género), legales (por ej., cambio de nombre) o médicos (i.e. hormonal, quirúrgico). Las metas de cada persona pueden verse distintas.
Detransición	Es un término que aveces se utiliza para describir el proceso de retornar a la identidad de género asignada al nacer de une individue que haya transicionado previamente (social, legal o médicamente). Hasta el momento no es común y tienede a ocurrir por asuntos multifactoriales. Desde personas que desean preservar su seguridad por discrimen, como porque lo han identificado como la mejor decisión para elles mismes y su identidad.

Pasar	Ocurre cuando una persona trans es percibida segun la identidad de género con el que se identifica sin tener que divulgarlo. En la mayoría de los casos las demás personas asumen que la persona de experiencia trans es cisgénero. Otra forma de decirlo es "cis asumir."
"Stealth"	Este anglicismo describe el proceso ser percibide como persona cisgénero en un mundo cisheteronormativo siendo una persona de experiencia trans. Esto pudiera representar mayor sentido de seguridad para la persona.
"Clock"	Este anglicismo describe cuando una persona asume que otra persona es trans.
Transfobia	Se refiere a actitudes, creencias, y acciones negativas, dirigidas hacia personas trans y género diversas en sus colectivos. La transfobia puede presentarse por medio de leyes discriminatorias, en prácticas a nivel estructural, y de manera muy personal. La transfobia puede ser internalizada cuando personas trans y género diversas aceptan y replican el prejuicio sobre si mismes y hacia sus pares. Las personas cisgénero pueden experimentar situaciones transfóbicas de parte de personas cisheteronormativas cuyas nociones de género e identidad esten arraigadas profundamente a falsas expectativas del género, basadas en estereotipos y características fisicas que no asocian tradicionalmente a lo femenino y masculino
Afirmación de Género	Se refiere al acto de ser reconocide o la validaciòn de la identidad de género de una persona. El término también puede ser utilizado en escenarios donde se provean servicios transafirmativos y en mejores prácticas que establezcan protocolos en las políticas internas de organizaciones con el fin de crear espacios seguros que se acomoden a las necesidades de personas trans y no–binaries.
Misgender/ Misgendering	Se refiere al acto de invalidar o asumir erróneamente la identidad de género de una persona, ya sea por ignorancia o de manera intencional.

Deadnaming/ Usar nombre muerto	Se fiere a utilizar el nombre asignado al nacer de una persona, cuando este no es el que la persona utiliza para referirse a sí misma. Esto es distinto a pseudónimos.

Referencias

American Civil Liberties Union. (n.d.). *Legislation affecting lgbtq rights across the country*. https://www.aclu.org/legislation-affecting-lgbtq-rights-across-country

American Psychiatric Association. (2022). Gender Dysphoria. In *Diagnostic and statistical manual of mental disorders* (5ta ed., text rev.). https://doi.org/10.1176/appi.books.9780890425787.x14_Gender_Dysophoria

Bariola, E., Lyons, A., Leonard, W., Pitts, M., Badcock, P., & Couch, M. (2015). Demographic and psychosocial factors associated with psychological distress and resilience among transgender individuals. *American Journal of Public Health, 105*(10), 2108–2116. doi: 10.2105/AJPH.2015.302763

Bisexual Resource Center. (2023). *Bi+ info: What it means to be a B(ee)*. https://biresource.org/bi-info/

Branigin, A., & Kirkpatrick, N. (2022). Anti-trans laws are on the rise. Here's a look at where — and what kind. *The Washington Post*. https://www.washingtonpost.com/lifestyle/2022/10/14/anti-trans-bills/

Brumbaugh-Johnson, S. M., & Hull, K. E. (2019) Coming out as transgender: Navigating the social implications of a transgender identity. *Journal of Homosexuality, 66*(8), 1148–1177. https://doi.org/10.1080/00918369.2018.1493253

Butler, J. (2006). *Gender trouble*. Routledge.

Centers for Disease Control and Prevention. (2020). *Social determinants of health at CDC*. https://rb.gy/ykaec

Crenshaw, K. (2016, octubre). *The urgency of intersectionality [Video]*. Ted Conferences. https://www.ted.com/talks/kimberle_crenshaw_the_urgency_of_intersectionality

Garvey, J. C., Mobley, S. D., Summerville, K. S., & Moore, G. T. (2019). Queer and trans* students of color: Navigating identity disclosure and college contexts. *Journal of Higher Education, 90*(1), 150–178. https://doi.org/10.1080/00221546.2018.1449081

Guittar, N. A. (2014). *Coming out: The new dynamics*. FirstForumPress, Inc.

Harris, A. (2011). Heteropatriarchy kills: Challenging gender violence in a prison nation. *Washington University Journal of Law and Policy, 37*, 13–66. https://openscholarship.wustl.edu/law_journal_law_policy/vol37/iss1/3

Hernández–del–Valle, S. M., Alicea–Cruz, A. J., Rodríguez–Gómez, J. R., & Pérez–Pedrogo, C. (2022). Examinando las propiedades psicométricas del Cuestionario de Identidad Transgénero en residentes de Puerto Rico: Un análisis preliminar. *Ciencias de la Conducta, 37*(1), 79–97.

Hoelscher, C. (n.d.). *Bisexual defined bi+ community, for community*. Gay, Lesbian and Straight Education Network. https://shop.glsen.org/blogs/glsen–blogs/bisexual–defined–bi–community–for–community

Jai, L., Strachan, S., Griffin, S., & Easton, A. (n. d.). *Coming out: A coming out guide for trans young people*. https://www.lgbtyouth.org.uk/media/1054/coming–out–guide–for–t–people.pdf

James, S. E., Herman, J. L., Rankin, S., Keisling, M., Mottet, L., & Anaf, M. (2016). *The Report of the 2015 U.S. Transgender Survey*. Washington, DC: National Center for Transgender Equality.

Klein, K., Holtby, A., Cook, K., & Travers, R. (2015). Complicating the coming out narrative: Becoming oneself in a heterosexist and cissexist world. *Journal of Homosexuality, 62*(3), 297–326. https://doi.org/10.1080/00918369.2014.970829

Kosciw, J. G., Clark, C. M., Truong, N. L., & Zongrone, A. D. (2020). *The 2019 National School Climate Survey: The experiences of lesbian, gay, bisexual, transgender, and queer youth in our nation's schools*. Gay, Lesbian and Straight Education Network.

Lesbian Gay Bisexual Transgender Center. (n.d.). *Coming out*. https://case.edu/lgbt/workshops–and–training/safe–zone/coming–out

Lev, A. I. (2004). *Transgender emergence: A developmental process* [PowerPoint slides]. https://bhdp.sccgov.org/sites/g/files/exjcpb716/files/levtransgenderemergence.pdf

Lev, A. I. (2006). Chapter 12: Transgender emergence within families. In D. F. Morrow & L. Messinger (Eds.), *Sexual orientation & gender expression in social work practice* (pp. 263–283). Columbia University Press.

Mas Grau, J. (2017). Del transexualismo a la disforia de género en el DSM. Cambios terminológicos, misma esencia patologizante. *Revista Internacional de Sociología, 75*(2). http://doi.org/10.3989/ris.2017.75.2.15.63

Meyer, I. H. (1995). Minority stress and mental health in gay men. *Journal of Health and Social Behavior, 36*(1), 38–56. http://doi.org/10.2307/2137286

Meyer, I. H. (2003). Prejudice, social stress, and mental health in lesbian, gay, and bisexual populations: Conceptual issues and research evidence. *Psychological Bulletin, 129*(5), 674–697. http://doi.org/10.1037/0033–2909.129.5.674

Meyer, I. H. (2014). Minority stress and positive psychology: Convergences and divergences to understanding LGBT health. *Psychology of Sexual Orientation and Gender Diversity, 1*(4), 348–349. http://doi.org/10.1037/sgd0000070

Meyer, I. H. (2015). Resilience in the study of minority stress and health of sexual and genderminorities. *Psychology of Sexual Orientation and Gender Diversity, 2*(3), 209–213. http://doi.org/10.1037/sgd0000132

PFLAG. (2023). *PFLAG National Glossary of Terms.* https://pflag.org/glossary

Pinna, F., Paribello, P., Somaini, G., Corona, A., Ventriglio, A., Corrias, C., Frau, I., Murgia, R., El Kacemi, S., Galeazzi, G. M., Mirandola, M., Amaddeo, F., Crapanzano, A., Converti, M., Piras, P., Suprani, F., Manchia, M., Fiorillo, A., Carpiniello, B., & Italian Working Group on LGBTQI Mental Health (2022). Mental health in transgender individuals: A systematic review. *International review of psychiatry (Abingdon, England), 34*(3–4), 292–359. https://doi.org/10.1080/09540261.2022.2093629

Rodríguez–Madera, S. L., Ramos–Pibernus, A., Padilla, M., & Vara–Díaz, N. (2016). Radiografía de las comunidades trans en Puerto Rico: visibilizando femineidades y masculinidades alternas. En M. Vázquez–Rivera, A. Martínez–Taboas, M. Francia–Martínez, & J. Toro–Alfonso (Eds.), *LGBT 101: Una mirada al colectivo* (pp. 315–342). Publicaciones Puertorriqueñas.

Russell, S. T., Toomey, R. B., Ryan, C., & Diaz, R. M. (2014). Being out at school: The implications for school victimization and young adult adjustment. *American Journal of Orthopsychiatry, 84*(6), 635–643. https://doi.org/10.1037/ort0000037

Stone, S. (1992). The empire strikes back: A posttranssexual manifesto. *Camera Obscura, 10*(2), 150–176. https://doi.org/10.1215/02705346-10-2_29-150

The Trevor Project. (2021). *Understanding bisexuality.* The Trevor Project. https://www.thetrevorproject.org/resources/article/understanding-bisexuality/

TransHub. (n.d.). *Is being trans a mental illness?* https://www.transhub.org.au/101/mental-illness

Turban, J. (2022). *What is gender dysphoria?* American Psychiatric Association. https://www.psychiatry.org/patients-families/gender-dysphoria/what-is-gender-dysphoria

Vaid-Menon, A. (2020). *Beyond the gender binary.* Penguin Workshop.

Vázquez-Rivera, M. (2019). *Salud LGBT+: Un manual terapéutico para el trabajo con las comunidades.* Editorial EDP University.

Wong, F. Y. (2015). In search for the many faces of community resilience among LGBT individuals. *American Journal of Community Psychology, 55*, 239–241. http://doi.org/10.1007/s10464-015-9703-5

World Professional Association for Transgender Health. (2012). *Standards of care for the health of transsexual, transgender, and gender-conforming people* (7th ed.). https://www.wpath.org/publications/soc

World Professional Association for Transgender Health. (2022). *Standards of care for the health of transgender and gender diverse people* (8th ed.). https://doi.org/10.1080/26895269.2022.2100644

Capítulo 4

Adolescencia Trans, Cuir y No Binaria: Asuntos del Desarrollo

Gisela Jiménez–Colón, PhD
Yovanska Duarte–Vélez, PhD

En los últimos años ha habido más visibilidad en la literatura para entender y proveer información sobre cómo servir mejor a la comunidad transgénero en diferentes entornos como son la familia, la escuela, la comunidad, los servicios médicos y de salud mental, entre otros. En este capítulo estaremos utilizando el término transgénero o juventud trans para referirnos a todo el espectro de identidad de género (Ej. mujeres trans, hombres trans, género no conforme, género fluido o género no binario). Además, estaremos presentando particularidades de la juventud hispana y latina (de aquí en adelante usaremos la palabra "latina" para también referirnos a la hispana) transgénero en diferentes entornos como familia, escuela y comunidad. Mencionaremos algunas de las realidades que enfrenta la juventud trans y sugerencias para continuar manteniendo espacios seguros para protegerles. Estaremos también reseñando estrategias para trabajar en terapia con la juventud trans y sus cuidadores. Incluiremos dos ejemplos de casos trabajados desde la Terapia Socio-Cognitivo Conductual para el Comportamiento Suicida, la cual integra un enfoque afirmativo (Duarte-Velez et al., 2022).

El acercamiento teórico que estamos utilizando para abordar el tema de la juventud trans latina es el de múltiple estrés minoritario e interseccionalidades (Hatchel et al., 2019). La teoría de múltiple estrés minoritario postula que hay grupos caracterizados por su identidad que tienen menos privilegios sociales que otros (Golden & Oransky, 2019; Hatchel et al., 2019). Esto se debe a las normas y valores sociales que favorecen a las personas que pertenecen a los grupos sociales privilegiados. Estas diferencias producen un estrés relacionado al saberse y sentirse parte de una minoría que es objeto en muchas ocasiones de discriminación, agresión, y microagresiones, a nivel individual, comunitario e institucional. Cuando las personas pertenecen a más de un grupo minorizado se entiende que el estrés aumenta. Por su parte, el marco teórico de las interseccionalidades postula que hay que considerar la interconexión entre las diversas identidades minorizadas y cómo esto tiene un efecto en el bienestar de una persona (Golden & Oransky, 2019).

Etapas de desarrollo: exploración de la identidad y expresión de género

La adolescencia es una etapa donde ocurren muchos cambios físicos, emocionales y sociales. La juventud comienza a preguntarse ¿Quién soy? y hay un proceso de autodescubrimiento en múltiples áreas de la identidad como la personalidad, sexualidad, orientación sexual, género, etnicidad, espiritualidad, raza, entre otras. También es una etapa donde las relaciones sociales toman un rol muy importante; éstas incluyen relaciones familiares, románticas y de pares. Por lo tanto, no podemos perder de perspectiva que la juventud trans tiene otras identidades sociales que se están integrando con su identidad de género, y que pueden ser tan importantes como ésta, que toman un rol en su desarrollo y experiencias de vida (Golden & Oransky, 2019).

El proceso de desarrollo de la identidad de género es un proceso natural que todas las personas enfrentan. En la juventud cisgénero es una reafirmación basada en los roles y expectativas sociales que van de acuerdo con el género asignado al nacer. La juventud cisgénero, usualmente sin cuestionarse o alejarse de su género asignado, durante la adolescencia puede retar estas expectativas y roles sociales y determinar su propia manera de vivir y manifestar el ser hombre o mujer. Sin embargo, en las personas de género diverso este proceso es diferente porque comienza a haber una disonancia entre cómo se perciben a sí mismas (su identidad emergente) y cómo las perciben las demás. La percepción de las personas está basada en las expectativas sociales y culturales de acuerdo al sexo asignado al nacer (Lev, 2004).

Lev (2004) nos habla de la emergencia transgénero y expone seis etapas para explicar su emergencia destacando que estas no son necesariamente lineales y que no todas las personas trans tienen que pasar por cada una de ellas. A continuación, una breve descripción de cada una:

1) **concienciación**, se comienzan a dar cuenta de la disonancia entre cómo otras personas le ven y cómo se ven a sí mismas, por lo cual puede surgir la disforia de género. Como resultado de esta disonancia social, se pueden experimentar sentimientos negativos, tales como confusión, tristeza, miedo, vergüenza, y soledad. Lev explica que también pudiera ocurrir que la persona sienta alegría al darse cuenta de lo que ha estado pasando y salir del closet consigo misma.

2) **búsqueda de información**, aumenta el interés en obtener información sobre la comunidad trans y transgenerismo, participar en grupos de apoyo y/o identificar proveedores médicos con un enfoque afirmativo.

3) **revelación de identidad de género**, se busca la aceptación social. Se comienza a revelar la identidad de género a personas significativas que pueden incluir amistades, familiares, y parejas románticas. Pudiera aumentar el temor a la pérdida de seguridad personal y empleo, y a recibir rechazo ante la revelación.

4) **exploración de identidad**, se explora la identidad de género y otras identidades buscando comodidad personal y articulando quienes son, lo cual pudiera incluir diferentes manifestaciones en la expresión del género.

5) **exploración de transición o posibles modificaciones**, se exploran opciones en términos de transición ya sea a nivel corporal, o expresión de género (Ej. vestimenta, cortes de pelo), a nivel social (Ej. nombre en licencia de conducir) y en cuanto a su identidad en general.

6) **integración y orgullo**, incluye aceptación e integración de la identidad en interacción con el entorno social y el establecimiento de nuevas metas.

Realidades de la adolescencia trans

La salud mental de la juventud trans se ha visto impactada debido a múltiples factores. A continuación, estaremos presentando realidades de la adolescencia trans en relación con la salud mental, aspectos de la identidad y sus interseccionalidades.

Salud Mental. La juventud trans está en mayor riesgo de tener resultados de salud mental negativos en comparación con su contraparte cisgénero. Encuestas con miles de jóvenes así lo confirman. Una encuesta representativa de nueve grandes distritos urbanos y diez estados en los Estados Unidos (E.U.), reveló que la juventud trans en escuela superior tiene una probabilidad significativamente mayor, de ser víctimas de violencia, uso de substancias, llevar a cabo algunas conductas de comportamiento sexual riesgoso, sentirse triste y desesperanzada, considerar el suicidio, hacer planes e intentar quitarse la vida, que la juventud cisgénero (Johns et al., 2019). Esta prevalencia significativamente mayor en factores de riesgo suicida, incluyendo las conductas de autolesiones, en comparación con la juventud cisgénero, se repitió en una amplia encuesta realizada en línea en los E.U. (N = 2,020) (Thoma et al., 2019)

Price-Feeney, Green, y Dorison (2020) utilizaron una encuesta realizada a la juventud LGBTQ+ entre las edades de 13 a 24 años en los EE.UU. (N = 25,000) para explorar diferencias entre la juventud trans y no binaria y sus pares cisgénero. Un 33% de la muestra se identificó como trans o de género no binario. Los resultados reflejaron que la juventud de hombres trans en los últimos 12 meses estuvo dos veces a mayor riesgo de experimentar ánimo deprimido y de considerar seriamente el suicidio que sus pares cisgéneros lesbianas, gay, bisexuales y "questioning" (Price-Feeney et al., 2020). Otro estudio tomó en consideración una muestra de estudiantes entre los grados de 9no a 11mo (N = 81,885) donde el 2.7% eran jóvenes trans (N = 2,168). En esta muestra casi dos terceras partes de la juventud trans reportó ideación suicida, siendo tres veces más alta que en la juventud cisgénero (Eisenberg et al., 2017). En términos de conductas y factores de riesgo, este estudio señaló que la juventud de mujeres trans tuvo tasas más altas en uso de sustancia, experiencias de abuso físico en la escuela y de mayor conducta sexual peligrosa que los hombres trans; mientras que los hombres trans reportaron tasas más altas de estrés emocional que las mujeres trans (Eisenberg et al., 2017).

Las personas transgénero sufren más violencia, trauma y experiencias discriminatorias que sus pares cisgénero situándoles en mayor riesgo de desarrollar trastornos de salud mental (Eisenberg et al., 2017; Johns et al., 2019). El impacto de estas experiencias en la salud mental se ven agravadas con el acceso limitado a cuidados de salud y espacios informativos y afirmativos creando disparidades para esta población (Fraser & Knudson, 2017).

Interseccionalidades en la Identidad. Muy pocos estudios se han centrado en entender la relación entre la etnicidad latina y la identidad de género trans en la juventud y su relación con la salud mental o bienestar general (Garcia-Perez, 2020). Garcia-Pérez (2020) realizó una revisión sistemática en la literatura en la que buscaba estudios sobre la salud mental realizados con la juventud LGBTQ+ y en los cuales al menos parte de la muestra fuera identificada como latina. Solo encontró 23 estudios. De estos, solo 10 identificaron a la juventud trans como parte de la muestra, y unos pocos presentaron resultados específicamente para la juventud trans. Un solo estudio tipo encuesta fue específicamente sobre la juventud trans (N = 4,778), en el cual 45% se identificó como latina (Hatchel et al., 2019). Este fue el único estudio que tenía como parte de sus objetivos explorar la relación entre etnicidad e identidad trans. En este se confirmaron los hallazgos encontrados con la juventud trans en general que indican que la juventud trans está en mayor riesgo de victimización por parte de sus pares y de experimentar síntomas depresivos y pensamientos suicidas. No obstante, no se confirmó que la juventud trans latina estuviera en mayor riesgo que la juventud trans blanca. Más adelante, Vance y colaboradores (2021) realizaron un estudio que apunta a que la juventud trans negra y latina está en mayor riesgo de presentar síntomas de salud mental en comparación con la juventud trans blanca y la juventud cisgénero negra y latina.

El impacto de las interseccionalidades en la identidad de la juventud trans latina todavía es un tema del cual queda mucho por explorar. Sin embargo, al considerar la literatura existente podemos concurrir con García-Pérez (2020) en su conclusión, basada en su revisión sistemática, en que "la juventud Latina LGBTQ+ experimenta una realidad única que está enmarcada en su contexto social" (traducción p. 470). Dependiendo del contexto en que se encuentren y en muchas instancias, la juventud trans latina y afrolatina se encuentra en una posición de doble minoría donde pueden experimentar transfobia y racismo impactando de manera negativa su salud mental (Singh, 2013; Vance et al., 2021).

Factores protectores o de riesgo en la juventud trans

Johns y colaboradores (2018) hicieron una revisión de artículos para explorar desde el punto de vista ecológico (individual, relaciones interpersonales, comunidad y sociedad) los factores protectores en la juventud adolescente trans. A nivel individual, encontraron que la autoestima es un factor importante; a nivel interpersonal, las relaciones con sus pares; y a nivel comunitario, las personas aliadas a la comunidad trans. En otros estudios, se han identificado como factores protectores la conexión familiar, la relación entre estudiantes, la relación con el personal docente y el sentido de seguridad en la comunidad (Eisenberg et al., 2017). La aceptación familiar ha sido uno de los factores protectores claves en las investigaciones realizadas por el *Acceptance Project* (Ryan et al., 2010). Este programa de investigación sustenta que la aceptación de la familia puede ser un factor determinante hacia la salud mental en la juventud LGBTQ+. Por lo tanto, se debe incrementar la promoción de factores protectores para obtener mejores resultados de salud mental y salud en general en la juventud trans (Johns et al., 2018). El ambiente escolar, familiar y la comunidad, temas que se discuten a continuación, son claves en el desarrollo de una juventud trans saludable y pueden representar tanto factores protectores como de riesgo, por lo cual, todas las personas, de una forma u otra, pueden ser parte activa en crear ambientes positivos y de afirmación para nuestra juventud.

Ambiente Escolar

La juventud trans enfrenta retos particulares en el ambiente escolar. Estos retos han estado relacionados con el sentido de seguridad, acoso escolar, discriminación y falta de apoyo del sistema o profesionales en la escuela. Estudios sustentan que la juventud trans en su mayoría no se siente segura en la escuela (Gohil et al., 2021; Kosciw et al., 2020). Gihil, Dibahue y Eugster (2021) exploraron las razones por las cuales un grupo en la juventud trans no estaba en escuelas tradicionales. El estudio, que se llevó a cabo entrevistando a sus cuidadores[16], reveló que la mayoría utilizaba la enseñanza en el hogar o que habían transferido a sus adolescentes de las escuelas tradicionales debido al ambiente escolar negativo, incluyendo experiencias de acoso escolar, no sentir seguridad y falta de apoyo. El tener experiencias de acoso escolar y discriminación se ha relacionado con deterioro en el trabajo escolar y en el desarrollo académico, mayor ausentismo y peor salud mental, como experimentar depresión y pensamientos suicidas (Gohil et al., 2021; Johns et al., 2019). Estudios apuntan hacia la importancia

---

[16] Al usar "los cuidadores", nos referimos a las personas adultas que están encargadas legalmente del bienestar de una persona menor de edad, tales como madres, padres, abuelas/os, tíes, entre otros. Utilizamos "los" para facilitar la lectura en consideración de las personas que no pertenecen a círculos académicos.

de tener conexiones con personas adultas en las escuelas que provean seguridad y apoyo (García-Pérez, 2020; Gohil et al., 2021; Singh, 2013).

Un estudio reciente con una muestra de 1,061 estudiantes encontró que los grupos de Gay-Straight Alliances (GSA) son de gran beneficio a la comunidad LGBTQ+ en las escuelas (Day et al., 2020). Los resultados revelan que la juventud LGBTQ+ sentía mayor apoyo cuando existía un grupo de GSA y políticas enfocadas en el estudiantado LGBTQ+. De igual forma, cuando existían ambas, políticas para LGBTQ+ y el apoyo de GSA, se reportó menos acoso escolar y mayor apoyo percibido de parte del estudiantado y personal docente. Estos resultados indican que la presencia de apoyo social afirmativo y explícito, tales como el provisto por el GSA, y políticas escolares de afirmación y protección generan un ambiente más positivo en las escuelas (Day et al., 2020). Por lo tanto, tanto el personal docente, como la institución escolar tienen un rol muy importante en incrementar y promover espacios de seguridad con el fin de disminuir el acoso, el abuso y la discriminación en las escuelas. Además, las escuelas pueden hacer un mejor trabajo donde los profesionales de la salud, tales como consejeras o trabajadores sociales, podrían proveer educación a nivel escolar para que el personal docente y administrativo sepa cómo lidiar con asuntos relacionados a la comunidad LGBTQ+ en el plantel escolar.

Ambiente Familiar

Las investigaciones con familias latinas e identidades sexuales diversas en la juventud son limitadas. Las investigaciones con la juventud trans latina y sus cuidadores son casi nulas. En esta sección estaremos utilizando investigaciones recientes donde utilizan muestras de jóvenes con una identidad sexual y de género diversa en el contexto familiar. A pesar de que en algunos sectores de la sociedad ha habido mayor apertura hacia parejas del mismo sexo en los últimos años, el proceso de revelar la orientación sexual o de identidad de género sigue siendo un proceso difícil para la mayoría de la juventud y sus cuidadores (Lozano et al., 2021). El rechazo familiar luego de revelar la orientación sexual o identidad de género predice resultados negativos (Abreu et al., 2022; Ryan et al., 2010). Por otro lado, la aceptación de la familia ayuda a fomentar la autoestima y protege contra la depresión, el uso de sustancia y el suicidio (Ryan et al., 2010).

Lozano y colaboradores (2021) realizaron uno de los pocos estudios enfocados en entender las experiencias de salir del closet o de revelación de la orientación sexual o identidad de género en las familias latinas y sus adolescentes. Utilizando un enfoque cualitativo en el cual entrevistaron a adolescentes LGBTQ+, incluyendo trans y sus cuidadores, encontraron tres temas comunes: retos intrapersonales, navegación de la revelación y conceptuación de la aceptación. En términos intrapersonales, la juventud reportó desear en muchas ocasiones reprimir sus pensamientos y ocultar su identidad de género u orientación sexual por miedo al rechazo o reacciones negativas, miedo a la opinión de las demás personas, e incluso reportaron tratar en ocasiones de encajar con el discurso heteronormativo. Para algunos participantes el ocultar su orientación sexual o identidad de género a sus cuidadores traía una carga emocional muy fuerte. Por otro lado, los cuidadores reportaron sentirse perdidos luego de la revelación. Algunos cuidadores en este estudio indicaron tener una reacción negativa inicial de la cual luego se arrepintieron, otros procedieron con cautela en lo que decían. Además, algunos cuidadores pensaban que era un asunto momentáneo y que se les iba a pasar con el tiempo. Otros cuidadores querían mantener la revelación de manera secreta, solo entre ellos, y no querían que sus adolescentes les dijeran nada a la familia extendida e incluso a sus familiares más cercanos, tales como sus hermanas.

Varios estudios indican que el apoyo familiar y el de los cuidadores es un factor protector en las minorías sexuales y en la juventud de género diverso (Abreu et al., 2022; Ryan et al., 2010; Simons et al., 2013). El apoyo de los cuidadores se encontró que estaba asociado a mayor satisfacción de vida, menor carga emocional percibida por ser transgénero y menores síntomas depresivos (Simons et al., 2013). Taliaferro y colaboradores (2019) encontraron que la conexión con los cuidadores en la juventud transgénero tuvo un rol fundamental en el acceso a servicios de salud en general, incluyendo los servicios dentales.

Las intervenciones que busquen incrementar el apoyo de las figuras de apego pueden ser de mucho beneficio para la juventud transgénero. Los profesionales de la salud necesitan entender el rol fundamental que pudieran tener los cuidadores en el acceso a los servicios de salud, incluyendo la mental, de la juventud trans. Sin embargo, es importante destacar la alternativa de buscar recursos o personas de apoyo fuera de la familia sanguínea, la familia escogida, como personas que pueden apoyar a la juventud, entre estos pueden estar personas de la comunidad, organizaciones y amistades (Taliaferro et al., 2019).

Comunidad

A nivel más sistémico y de comunidad, la juventud trans tiene otros retos particulares que se han relacionado a su identidad de género y a los discursos heteronormativos en diferentes escenarios incluyendo las escuelas y vecindarios. La juventud trans está en mayor riesgo de enfrentar aislamiento, enfrentar inestabilidad en el hogar o falta de vivienda, crímenes de odio o agresiones (Castellanos, 2016; Duncan & Hatzenbuehler, 2014; Tuzun et al., 2022). Castellano (2016) realizó un estudio en la comunidad entrevistando a jóvenes latinx LGBTQ+ en Nueva York. Entrevistó a 13 varones gay o bisexuales y encontró que algunos fueron puestos bajo cuidado del estado antes de revelar su identidad, otros fueron obligados a irse de sus hogares debido a conflictos asociados a ser homosexuales y su expresión de género. También encontraron que el conflicto familiar existente se incrementó luego de la revelación y posteriormente fueron expulsados de su hogar.

Rhoades y colaboradores (2018) realizaron una encuesta con una muestra nacional de jóvenes LGBTQ+ entre 12 a 24 años que utilizaron servicios de prevención de suicidio durante 18 meses (N = 524). Un 23% se identificó como trans y un 21% como otro género no-binario. De la muestra total, un 83% reportó experiencias de inseguridad de vivienda o falta de vivienda, tales como quedarse temporalmente en el sofá de alguna persona, vivir con una persona extraña, en el exterior, o en refugios. Sin embargo, la juventud trans reportó mayores tasas de inseguridad en la vivienda que sus pares cisgénero con una orientación sexual diversa. También se encontró una asociación entre revelar la identidad LGBTQ+ a los cuidadores e inestabilidad en el hogar al experimentar rechazo de parte de sus cuidadores. Igualmente, que la juventud reportó experiencias de inestabilidad en la vivienda también reportó mayor incidencia en síntomas de salud mental relacionados con desesperanza, trauma, depresión y suicidio (Rhoades et al., 2018).

Duncan y Hatzenbuehler (2014) utilizaron una muestra diversa de estudiantes de escuela superior (N = 1,292) de los cuales 108 se identificaban como LGBT y datos de la policía de Boston. Los resultados reflejaron que en los vecindarios con mayor incidencia en crímenes de odio y agresiones dirigidas a personas LGBT había mayor incidencia de intentos suicidas en la juventud LGBT (Duncan & Hatzenbuehler, 2014). En resumen, estos estudios resaltan la importancia del entorno y el sentido de seguridad en la comunidad.

Agencias de comunidad, asuntos de autodeterminación y conexión social. A pesar de los retos que enfrenta esta población existen personas y espacios sociales que se han encargado de hacer una diferencia. Es importante proveer espacios comunitarios de afirmación y grupos de apoyo para la comunidad trans y sus familiares. En E.U. existen organizaciones comunitarias donde se proveen espacios afirmativos, un sentido de comunidad y se proveen recursos de apoyo. También existen espacios de apoyo para sus cuidadores (Ej. PFLAG). Estos espacios afirmativos pueden ayudar a la juventud trans de diversas maneras y de acuerdo con sus necesidades. Algunos ejemplos pudieran ser el proveer un espacio donde puedan expresar su género libremente (Ej. usar ropa deseada, maquillaje) libre de juicios y grupos de apoyo de pares para fortalecer los sentidos de conexión social. Tuzun y colaboradores (2022) realizaron un estudio durante la pandemia de COVID para entender cómo la misma afectó a la juventud trans encontrando que aquella que tenía menos apoyo y sentido de conexión social presentaba mayor severidad en síntomas de depresión y ansiedad.

Existen también maneras en las cuales la juventud trans puede demostrar autodeterminación y autoafirmación. Esta puede autodeterminarse desde un punto de vista social, de expresión de género y/o haciendo procedimientos clínicos afirmativos, como el uso de hormonas o cirugías. Sin embargo, es importante destacar que no toda la juventud trans quiere tener un cambio corporal. Algunos aspectos de empoderamiento pudieran incluir escoger su nombre, la ropa que les gusta, accesorios, llevar algún símbolo que les represente y participar en actividades deseadas.

La organización *Word Professional Associaton for Trangender Health* (WPATH) ofrece recomendaciones sobre el uso de hormonas y cirugías con datos recientes. La organización establece que la decisión de proceder con una cirugía debe ser un procedimiento informado y se debe proceder con cuidado (Coleman et al., 2022). A pesar de los estudios existentes apoyando la cirugía afirmativa, el WPATH considera que aún son pocos los estudios con adolescentes. Sin embargo, la organización reconoce los efectos positivos que pudiera tener la cirugía afirmativa para la salud de la juventud trans. Estudios reseñados en Coleman y colaboradores (2022) indican que procedimientos para la resolución de la disforia de género está asociado con mejor funcionamiento psicológico y mejor imagen corporal en la juventud trans que así lo desea.

Elementos para considerar en terapia

Existen elementos fundamentales para considerar en terapia cuando se provee servicios a la juventud trans. Algunos de los más importantes son el lenguaje y el proveer un espacio de apoyo y afirmación donde la juventud se sienta segura. El ofrecer un espacio de afirmación, utilizando sus pronombres y su nombre escogido puede ayudar a reducir conductas de riesgo (Russell et al., 2018). También crea esperanza en el futuro y lleva el mensaje de que existen espacios donde la juventud trans es aceptada.

Algunos estudios han comenzado a hacer más visible la importancia de desarrollar tratamientos para la población trans. La guía de la Asociación de Psicología Americana (APA, 2015) fue desarrollada para trabajar en terapia y consultoría con personas transgénero y de género no conforme. Además, existen algunos estudios de investigación de modelos terapéuticos emergentes en el cual se considera directamente la juventud trans.

El modelo llamado AFIRM, que se implementó en los E.U. en un pequeño estudio piloto, es en formato grupal y está dirigido a promover destrezas de afrontamiento y fomentar cambios positivos en la juventud trans (Austin et al., 2018). Este modelo propone trabajar desde un enfoque cognitivo conductual incluyendo temas importantes para la juventud trans, como por ejemplo el estrés subyacente de las minorías (Austin et al., 2018). Este modelo de terapia trans afirmativo parece ser prometedor. Sin embargo, su desarrollo está en su etapa inicial y sería importante eventualmente evaluar cómo puede adaptarse o extenderse a la juventud trans latina.

La Terapia Sociocognitiva Conductual para el Comportamiento Suicida (TSCC-CS) fue desarrollada con una perspectiva ecológica y afirmativa específicamente para la juventud latina que ha experimentado una crisis suicida (Duarte-Velez et al., 2022). Este acercamiento mostró tener resultados positivos reduciendo los síntomas de depresión e intentos suicidas al ser comparada con tratamiento usual en un ensayo clínico piloto aleatorizado. En este ensayo clínico realizado en los E.U., un 10% eran miembros de la juventud trans latina. Actualmente, un ensayo clínico aleatorizado con la capacidad estadística de probar la eficacia y efectividad de este tratamiento está en proceso (R01MD013907, PI: Duarte-Vélez). En el mismo, alrededor de un 14% son parte de la comunidad trans. A continuación, se presentan dos casos que ilustran el acercamiento terapéutico. El énfasis no es ilustrar cómo se trabajó la crisis suicida, si no aspectos a considerar en una terapia afirmativa.

Terapia sociocognitiva conductual para el comportamiento suicida

La TSCC-CS toma en consideración aspectos de la identidad como un "hilo" central en el tratamiento ya que uno de los mecanismos de cambio propuestos es la integración de la identidad. En ésta, se exploran aspectos de la identidad desde el comienzo de la terapia preguntando abiertamente por sus pronombres, nombre escogido, orientación sexual, espiritualidad y aspectos de personalidad, entre otros. También se explora el nombre y pronombres que la juventud desea se utilice cuando se hacen intervenciones con sus cuidadores. La consistencia en el lenguaje es muy importante y se debe respetar en todo momento a lo largo del tratamiento. La TSCC-CS explora como las interseccionalidades en la identidad impacta la integración de la identidad y la crisis suicida (por ejemplo, valores espirituales o familiares versus identidad de género). Los fundamentos de la TSCC-CS sobre la identidad sexual y de género son: *"Las identidades LGBTQ+ son expresiones naturales de la diversidad humana."* y *"Las familias latinas pueden aprender a apoyar a sus adolescentes aun cuando no estén de acuerdo con su orientación sexual o identidad de género."* (InVita Project, 2020).

Las guías de la TSCC-CS (Duarte-Velez et al., 2022) para el trabajo con la juventud trans y sus cuidadores proponen evaluar, empatizar, proveer psicoeducación, facilitar la reestructuración cognitiva y conectar con otros recursos cuando sea posible. Esto con conciencia del rol social en la formación de homofobia y transfobia, incluyendo la internalizada que afecta psicológicamente a la juventud trans. Es necesario identificar dónde se encuentra la persona adolescente en el proceso de desarrollo de su identidad sexual y de género, y donde se encuentra la familia en el proceso de conocimiento y aceptación.

Ilustración de caso: Ariel, joven hombre trans

Ariel (nombre ficticio) es un joven/hombre trans latino de 14 años nacido en E.U., pero sus cuidadores fueron nacidos en un país de América

Latina. Él recibe la TSCC-CS luego de salir de una hospitalización debido a un intento suicida. La crisis de Ariel estuvo relacionada con el rechazo que sentía de parte de sus cuidadores particularmente porque no utilizaban sus pronombres y querían que se vistiera como una niña acorde con su sexo asignado al nacer. En el trabajo individual con Ariel, la terapeuta se aseguró de proveer un espacio seguro donde Ariel se sintiera respetado y valorado (Ej. utilizando el nombre y pronombres correctos). Las intervenciones con los cuidadores también fueron muy importantes. Bajo el modelo TSCC-CS, similar a otros modelos, es muy importante de primera establecer enganche terapéutico y ganarse la confianza de los cuidadores. La persona que provee el servicio de terapia debe mostrar respeto a los valores y creencias de la familia como también partir de la premisa de que las preocupaciones de los cuidadores tienen base en el amor hacia su adolescente (Huebner et al, 2013). También debe partir del entendiendo que pudieran estar experimentado un proceso de pérdida. Ganar confianza con las familias latinas es fundamental para poder ayudarles, por tanto, proveer un ambiente de terapia donde las personas adultas en la familia se sientan escuchadas y puedan libremente expresar sus miedos y preocupaciones sin ser juzgadas es beneficioso.

En el caso de Ariel, luego de alcanzar una alianza con sus cuidadores, su terapeuta utilizó la película corta titulada *Lead with love*, un documental de casos de la vida real (Huebner et al., 2013). En esta película se documentan varias historias sobre salir del closet en términos de la orientación sexual dirigida a los cuidadores. Los cuidadores hablan de sus reacciones ante la noticia y las etapas que vivieron. Aunque el documental no es específicamente sobre la identidad trans, cumple con el propósito de normalizar sentimientos negativos, empatizar, y generar una conversación abierta sobre sus sentimientos y preguntas. Una discusión sobre sus reacciones puede ayudar al terapeuta a identificar la etapa en el proceso de aceptación en el que se encuentran los cuidadores.

El estudio realizado sobre el documental propone que los cuidadores experimentan etapas de cambio. Huebner y colaboradores (2013) las describen de la siguiente manera: (a) *precontemplación*, en la cual los cuidadores están en sufrimiento; (b) *contemplación*, en la cual los cuidadores quieren aprender sobre la identidad LGBTQ+ y tienen un mejor entendimiento de que su sufrimiento proviene de la desinformación; y (c) *preparación y acción*, en la cual desean apoyar con sus acciones de manera más activa. La TSCC-CS sigue el enfoque que proponen Huebner y colaboradores (2013) en el que se debe adecuar las intervenciones dependiendo de la etapa en que se encuentren los cuidadores. Para la primera etapa (precontemplación) sería empatizar con el dolor, para la segunda (contemplación) proveer psico-educación basada en evidencia empírica, incluyendo explicar el efecto del rechazo versus la aceptación, y en tercer lugar (preparación y acción), proveer modelaje, recursos y guías específica de cosas que pudieran hacer para apoyar a su adolescente. Las personas que proveen los servicios de terapia no tienen que necesariamente usar este documental, pero sí pudieran utilizar otras historias de vida que sirvan con los mismos propósitos.

Al comienzo de la terapia, las personas cuidadoras de Ariel se encontraban en diferentes etapas. La madre se encontraba todavía sumida en el dolor de la pérdida (precontemplación), mientras que el padre estaba en la etapa de contemplación listo para aprender más. Identificar dónde estaba cada persona fue importante para proveer espacios individuales para trabajar sus procesos. La madre se benefició de espacios individuales donde pudo ventilar su dolor sin recibir críticas de su esposo. Saber en qué etapa se encontraban de manera individual también ayudó a reconocer cuándo era el momento adecuado tener sesiones en conjunto, con mamá y papá, y de familia, incluyendo a su hijo.

Otro aspecto importante que ayudó mucho a los cuidadores de Ariel fue la psicoeducación. Su terapeuta les proveyó estadísticas certeras sobre el impacto del rechazo en las conductas de riesgo, tales como el uso de sustancias y el comportamiento suicida. La información que provee el *Acceptance Project*[17] fue vital en este proceso. Este proyecto provee información ilustrada en un lenguaje sencillo en inglés y en español.

Ilustración de caso: Allie, joven de género no binario o fluido

Allie (nombre ficticio) es una persona adolescente de 15 años, sexo asignado al nacer femenino y quien no se identifica con ningún género y utiliza pronombres (they/them; elle). Su crisis suicida estuvo relacionada con sentirse en aislamiento y soledad durante la pandemia de COVID-19. Sin embargo, el aislamiento estaba relacionado en parte al hecho de estar con su familia por mucho tiempo, quienes no sabían sobre su identidad de género. Allie tenía temor a su reacción debido a las creencias religiosas de sus cuidadores. En este caso ambos cuidadores, mamá y papá, estaban involucrados en el tratamiento de su adolescente.

En algunos casos, como es el de Allie, la persona adolescente no quiere revelar a sus cuidadores su identidad de género y esto debe ser respetado. Sin embargo, esto es algo que Allie comenzó a contemplar durante el tratamiento. Independientemente de su decisión final, es importante ir preparando a sus cuidadores para una posible revelación futura. Esto se puede lograr promoviendo la importancia de la aceptación de su adolescente respetando todos los aspectos de su identidad, aun aquellos que no les gusten.

---

[17] Acceptance Project: https://familyproject.sfsu.edu/

Con la mamá y papá de Allie, su terapeuta trabajó la sesión titulada, *Sesión de afirmación*. Esta sesión fue desarrollada pensando en las personas cuidadoras que no saben sobre la identidad de género u orientación sexual de su adolescente. Esta sesión tiene como objetivo fomentar el fortalecimiento de la autoestima de la persona joven a través de la afirmación y validación. Se practica con las personas cuidadoras cómo ellos pueden apoyar a su adolescente de diversas maneras, incluyendo el uso de palabras de validación y afirmación, la disminución de las críticas, y formas creativas en las que pueden demostrar su amor.

Allie, eventualmente, decidió revelar su identidad de género a su familia y les explicó su nombre y pronombres escogidos. En sesiones subsiguientes, la terapeuta se enfocó en ayudar a la familia a identificar que el utilizar el nombre y pronombres escogidos por su adolescente era una manera de proveer apoyo, respeto, y de promover su bienestar emocional. Con Allie se trabajó cómo el lenguaje tiene un rol particular en la comunidad latina, donde el idioma español tiende a establecer un género para todo. Allie indicó que "el español no ayuda" y explicó entender a sus cuidadores siempre y cuando sepa que no es intencional. Poniéndose en el lugar de sus cuidadores, con ayuda de su terapeuta, pudo entender que se les pudiera hacer difícil usar su nuevo nombre luego de estar usando por 15 años el nombre que sus cuidadores escogieron. Sin embargo, sentía que había momentos en que utilizaban su nombre legal "a propósito". Fue importante mantener a ambas partes en perspectiva poniéndose en el lugar de la otra persona. La terapeuta validó la identidad de Allie en todo momento y esto ayudó a promover el autodescubrimiento de una manera segura. Allie mostró mucho interés en aprender sobre la variedad de términos utilizados para explicar las diversidades en la orientación sexual e identidad de género. El espacio de terapia individual le permitió explorar cómo podía autodeterminarse y autoafirmarse en diferentes escenarios como el hogar, la escuela, y la iglesia, entre otros.

Conclusiones

La adolescencia es una etapa de muchos cambios y la juventud trans enfrenta estresores adicionales a los típicos de la adolescencia a nivel personal, familiar, y de comunidad. Queda claro la importancia de proveer espacios de apoyo, seguridad y aceptación en todos los entornos para fomentar un desarrollo saludable en la juventud trans. Las personas profesionales de la salud mental, tales como consejeras, doctoras en psicología, entre otros, pueden continuar educándose y educando a otras personas para mitigar las disparidades de servicios y de salud que la juventud trans enfrenta. El tomar acción en diferentes entornos, como en las escuelas y centros comunitarios, incrementará los espacios donde la juventud trans se pueda sentir segura y fomentar conexiones sociales que tan importante son para su bienestar.

En términos de procesos terapéuticos el lenguaje es fundamental (usar nombre escogido y los pronombres correctos). Explorar aspectos de identidad con la juventud fomenta espacios de inclusión y es importante para sentar las bases de confianza en la terapia. Es trascendental el integrar a los familiares y/o cuidadores siempre que sea posible. Las intervenciones de familia pueden ser beneficiosas para promover el apoyo y proveer la educación adecuada. También se puede enseñar la importancia de respetar y afirmar a sus adolescentes incluso cuando los cuidadores no sepan sobre su identidad de género. Cabe señalar que hace falta más investigaciones dirigidas a entender los procesos vividos por la juventud trans latina y sus familias, así como para entender el rol de la cultura y sus valores en los procesos de aceptación.

Referencias

Abreu, R. L., Lefevor, G. T., Gonzalez, K. A., Teran, M., & Watson, R. J. (2022). Parental support, depressive symptoms, and LGBTQ adolescents: Main and moderation effects in a diverse sample. *Journal of Clinical Child and Adolescent Psychology*, 1–16. https://doi.org/10.1080/15374416.2022.2096047

American Psychological Association (2015). Guidelines for Psychological Practice With Transgender and Gender Nonconforming People. American Psychologist, 70(9), 832-864. http://dx.doi.org/10.1037/a0039906

Austin, A., Craig, S. L., & D'Souza, S. A. (2018). An AFFIRMative cognitive behavioral intervention for transgender youth: Preliminary effectiveness. *Professional Psychology: Research and Practice, 49*(1), 1–8. https://doi.org/10.1037/pro0000154

Castellanos, D. (2016). The role of institutional placement, family conflict, and homosexuality in homelessness pathways among Latino LGBT youth in New York City. *Journal of Homosexuality, 63*(5), 601–632. doi: 10.1080/00918369.2015.1111108

Coleman, E., Radix, A. E., Bouman, W. P., Brown, G. R., de Vries, A. L. C., Deutsch, M. B., Ettner, R., Fraser, L., Goodman, M., Green, J., Hancock, A. B., Johnson, T. W., Karasic, D. H., Knudson, G. A., Leibowitz, S. F., Meyer–Bahlburg, H. F. L., Monstrey, S. J., Motmans, J., Nahata, L., . . . & Arcelus, J. (2022). Standards of care for the health of transgender and gender diverse people, Version 8. *International Journal of Transgender Health, 23*(Suppl 1), S1–S259. https://doi.org/10.1080/26895269.2022.2100644

Day, J. K., Fish, J. N., Grossman, A. H., & Russell, S. T. (2020). Gay–straight alliances, inclusive policy, and school climate: LGBTQ youths' experiences of social support and bullying. *Journal of Research on Adolescence, 30 Suppl 2*(Suppl 2), 418–430. https://doi.org/10.1111/jora.12487

Duarte-Velez, Y., Jimenez-Colon, G., Jones, R., & Spirito, A. (2022). Socio-cognitive behavioral therapy for Latinx adolescents with suicidal behaviors: A pilot randomized clinical trial. *Child Psychiatry & Human Development*. https://doi.org/https://doi.org/10.1007/s10578-022-01439-z

Duncan, D. T., & Hatzenbuehler, M. L. (2014). Lesbian, gay, bisexual, and transgender hate crimes and suicidality among a population-based sample of sexual-minority adolescents in Boston. *American Journal of Public Health, 104*(2), 272–278. https://doi.org/10.2105/AJPH.2013.301424

Eisenberg, M. E., Gower, A. L., McMorris, B. J., Rider, G. N., Shea, G., & Coleman, E. (2017). Risk and protective factors in the lives of transgender/gender nonconforming adolescents. *Journal of Adolescent Health, 61*(4), 521–526. https://doi.org/10.1016/j.jadohealth.2017.04.014

Fraser, L., & Knudson, G. (2017). Past and future challenges associated with standards of care for gender transitioning clients. *Psychiatric Clinics of North America, 40*(1), 15–27. https://doi.org/10.1016/j.psc.2016.10.012

Garcia-Perez, J. (2020). Lesbian, gay, bisexual, transgender, queer + Latinx youth mental health disparities: A systematic review. *Journal of Gay & Lesbian Social Services 32*(4), 440–478. https://doi.org/10.1080/10538720.2020.1764896

Gohil, A., Donahue, K. L., & Eugster, E. A. (2021). Nontraditional school enrollment in transgender and gender-diverse youth. *Journal of Adolescent Health, 68*(1), 207–209. https://doi.org/10.1016/j.jadohealth.2020.05.036

Golden, R. L., & Oransky, M. (2019). An intersectional approach to therapy with transgender adolescents and their families. *Archives of Sexual Behavior, 48*(7), 2011–2025. https://doi.org/10.1007/s10508-018-1354-9

Hatchel, T., Valido, A., De Pedro, K. T., Huang, Y., & Espelage, D. L. (2019). Minority stress among transgender adolescents: The role of peer victimization, school belonging, and ethnicity. *Journal of Child and Family Studies, 28*(9), 2467–2476. https://doi.org/10.1007/s10826-018-1168-3

Huebner, D. M., Rullo, J. E., Thoma, B. C., McGarrity, L. A., & Mackenzie, J. (2013). Piloting lead with love: A film-based intervention to improve parents' responses to their lesbian, gay, and bisexual children. *Journal of Primary Prevention, 34*(5), 359–369. https://doi.org/10.1007/s10935-013-0319-y InVita Project (2020).

Johns, M. M., Beltran, O., Armstrong, H. L., Jayne, P. E., & Barrios, L. C. (2018). Protective factors among transgender and gender variant youth: A systematic review by socioecological level. *Journal of Primary Prevention, 39*(3), 263–301. https://doi.org/10.1007/s10935-018-0508-9

Johns, M. M., Lowry, R., Andrzejewski, J., Barrios, L. C., Demissie, Z., McManus, T., Rasberry, C. N., Robin, L., & Underwood, M. (2019). Transgender identity and experiences of violence victimization, substance use, suicide risk, and sexual risk behaviors among high school students –19 states and large urban school districts, 2017. *Morbidity and Mortality Weekly Report, 68*(3), 67–71.

Kosciw, J. G., Clark, C. M., Truong, N. L., & Zongrone, A. D. (2020). *The 2019 National School Climate Survey. The experiences of lesbian, gay, bisexual, transgender, and queer youth in our nation's schools*. Gay, Lesbian and Straight Education Network. https://rb.gy/dnplk

Lev, A. I. (2004). *Transgender emergence: Therapeutic guidelines for working with gender–variant people and their families*. Haworth Clinical Practice Press.

Lozano, A., Fernandez, A., Tapia, M. I., Estrada, Y., Juan Martinuzzi, L., & Prado, G. (2021). Understanding the lived experiences of hispanic sexual minority youth and their parents. *Fam Process, 60*(4), 1488–1506. https://doi.org/10.1111/famp.12629

Price–Feeney, M., Green, A. E., & Dorison, S. (2020). Understanding the mental health of transgender and nonbinary youth. *Journal of Adolescent Health, 66*(6), 684–690. https://doi.org/10.1016/j.jadohealth.2019.11.314

Rhoades, H., Rusow, J. A., Bond, D., Lanteigne, A., Fulginiti, A., & Goldbach, J. T. (2018). Homelessness, mental health and suicidality among LGBTQ youth accessing crisis services. *Child Psychiatry & Human Development, 49*(4), 643–651. https://doi.org/10.1007/s10578-018-0780-1

Russell, S. T., Pollitt, A., Li, G., & Grossman, A. H. (2018). Chosen name use is linked to reduced depressive symptoms, suicidal ideation, and suicidal behavior among transgender youth. *Journal Adolescent Health, 63*, 503–505.

Ryan, C., Russell, S. T., Huebner, D., Diaz, R., & Sanchez, J. (2010). Family acceptance in adolescence and the health of LGBT young adults. *Journal of Child and Adolescent Psychiatric Nursing, 23*(4), 205–213. https://doi.org/10.1111/j.1744–6171.2010.00246.x

Simons, L., Schrager, S. M., Clark, L. F., Belzer, M., & Olson, J. (2013). Parental support and mental health among transgender adolescents. *Journal of Adolescent Health, 53*(6), 791–793. https://doi.org/10.1016/j.jadohealth.2013.07.019

Singh, A. A. (2013). Transgender youth of color and resilience: Negotiating oppression and finding support. *Sex Roles, 68*(11–12), 690–702. https://doi.org/10.1007/s11199–012–0149–z

Taliaferro, L. A., McMorris, B. J., Rider, G. N., & Eisenberg, M. E. (2019). Risk and protective factors for self–harm in a population–based sample of transgender youth. *Archives of Suicide Research, 23*(2), 203–221. https://doi.org/10.1080/13811118.2018.1430639

Thoma, B. C., Salk, R. H., Choukas–Bradley, S., Goldstein, T. R., Levine, M. D., & Marshal, M. P. (2019). Suicidality disparities between transgender and cisgender adolescents. *Pediatrics, 144*(5). https://doi.org/10.1542/peds.2019–1183

Tuzun, Z., Basar, K., & Akgul, S. (2022). Social connectedness matters: Depression and anxiety in transgender youth during the COVID–19 pandemic. *The Journal of Sexual Medicine, 19*(4), 650–660. https://doi.org/10.1016/j.jsxm.2022.01.522

Vance, S. R., Jr., Boyer, C. B., Glidden, D. V., & Sevelius, J. (2021). Mental health and psychosocial risk and protective factors among black and latinx transgender youth compared with peers. *JAMA Network Open, 4*(3), e213256. https://doi.org/10.1001/jamanetworkopen.2021.3256

Capítulo 5

Transmasculinidades en Puerto Rico: Apuntes Para su Bienestar

Alíxida Ramos–Pibernus, Ph.D.
David Mejías Serrano, B.A.

Hombre trans: se utiliza para describir a una persona que le fue asignado el sexo femenino al nacer, pero que es un hombre y se identifica en algún punto de la masculinidad.

Transmasculinidad: se utiliza para describir a una persona, generalmente no binaria, con una identidad y presentación de género que difieren del sexo asignado al nacer y que se identifica en algún punto del espectro de la masculinidad.

La discusión, presencia y visibilidad de los hombres trans en Puerto Rico ha ido en progreso en los últimos años (Ramos-Pibernus, 2021). Sin embargo, como pueden ver en el siguiente recuadro, aún las voces de hombres trans y personas transmasculinas reclaman que se les incluya en las iniciativas de servicios de salud, se documenten sus necesidades específicas y atiendan las inequidades existentes.[18]

---

[18] Las verbalizaciones que aparecen en los recuadros surgen de varios proyectos de investigación en Puerto Rico y los datos no contienen identificadores personales para proteger la confidencialidad y privacidad de las personas participantes en el mismo.

> "...no hay nada para chicos trans... He buscado en Estados Unidos, no hay nada, porque no existe una data de que estamos en riesgo [de contagio de VIH]. So, yo estoy tratando de empujarla por prevención, por PREP... pues por ahí es que estoy tratando de impulsarla. <u>Pero realmente si no hay datos, no hay propuestas y los fondos federales no van a llegar...</u>"

Una mirada a lo que ha pasado en términos de comunidad de hombres trans deja claro que el identificarse y comenzar a vivir su verdadera identidad de género depende mucho de los vínculos con la comunidad (Pearce et al., 2020). Recuerdo que cuando se llevó a cabo el primer estudio con la población de hombres trans en Puerto Rico (Ramos-Pibernus, 2013; Ramos-Pibernus et al., 2016), una pregunta común entre las personas participantes era "¿conoces a otra persona como yo?", dejando en evidencia que aún no había una comunidad conformada, pero sí mucha necesidad por el desarrollo de vínculos. Poco tiempo después surge el grupo Transrican guys como un espacio que comenzó a unir personas transmasculinas en apoyo, lucha y liderato dentro de la comunidad (Vázquez-Rivera et al., 2022). Este grupo tuvo presencia en las redes sociales y llevaba un mensaje de reconocimiento, inclusión y abogacía en pro de las identidades transmasculinas. Fue de esta forma que se comenzó a formar un sentido de comunidad y presencia, lo que dio paso a que continuaran desarrollando grupos de apoyo y se fomentara la implementación de investigaciones dirigidas a documentar sus necesidades, experiencias y luchas.

Con este capítulo pretendemos discutir el proceso de transición/afirmación de género, aspectos sociales y de salud que experimentan los hombres trans y las personas transmasculinas en Puerto Rico y discutir el rol de la sociedad en el desarrollo de espacios afirmativos que promuevan la visibilidad, el orgullo y la resistencia trans. A lo largo del capítulo utilizaremos las voces de hombres trans y de personas transmasculinas para ilustrar los temas discutidos.

> "en términos de las personas trans, pues, tú sabes que al ser rechazados en muchos espacios. Muchos espacios que son hostiles para nosotros…he observado en mis hermanos [trans], es que buscan unos nichos entre ellos mismo para sentirse seguros…"

Entendiendo el proceso de transición/afirmación de género

El proceso de transición o afirmación de género en personas de experiencia trans puede ser uno caótico y no es lineal (Chang et al., 2018). El mismo ha sido descrito de varias formas incluyendo el proceso que pasa una persona trans para vivir en su identidad de género (Byrne, 2014) o cualquier proceso conductual o de pensamiento que ayuda a la persona a manejar su disforia de género (Wise & Pitagora, 2020). La meta que se desee lograr con este proceso debe ser definida y evaluada de manera individual, a modo de que se ajuste a lo que desea la persona en el momento en el que se encuentre. Esto quiere decir que esta meta puede ser re-evaluada y ajustada a lo largo del camino. Es importante resaltar que la transición es un proceso individual en el cual es la persona quien decide cómo y cuándo está preparada para comenzar su transición. Asimismo, no todas las personas de experiencia trans desean hacer una transición y esto no deslegitima su identidad. Cuando hablamos del proceso de transición o afirmación de género, usualmente, nos referimos a tres áreas principales: transición social, transición médica y transición legal (Teich, 2012). Esto no significa que el proceso de transición o afirmación de género se circunscribe a esas tres áreas, ya que abarca muchas áreas integrales de la vida.

A continuación, describimos brevemente en qué podría consistir el proceso de transición o afirmación de género en hombres trans y personas transmasculinas:

Transición Social

La transición social podría ser considerada una de las fases más difíciles del proceso de transición (Teich, 2012). Esto se debe a que en gran medida requiere la divulgación de la identidad o experiencia de género a otras personas. Esta divulgación puede ser recibida por la familia y amistades con resistencia y rechazo, añadiendo estresores adicionales. Sin embargo, es durante la transición social que las personas de experiencia trans comienzan a vivir su "yo" de una forma más auténtica (Gonzalez & Rayne, 2019). La meta de este proceso es comenzar a expresar su sentido de género en relación con otras personas. Incluye, aunque no se limita a, cambio de nombre y pronombres utilizados, vestimenta, recorte, roles y expresión de género, y modificaciones que no requieren intervención médica (Ej. *Chest binding*, uso de prótesis, cremas para crecimiento de vello facial [Gonzalez & Rayne, 2019]). Veamos las particularidades de algunas de las instancias antes mencionadas.

Chest Binding. Una de las prácticas más frecuentes asociadas a la transición es el *chest binding* o comprensión de pecho, que se refiere al proceso de comprimir el tejido del pecho para que esté plano y provea una apariencia de torso masculino (Gonzalez & Rayne, 2019). En ocasiones la compresión de pecho puede ayudar a aliviar la disforia del pecho.[19] Para algunos hombres trans y personas transmasculinas esta práctica es necesaria (Cole & Han, 2011) e incluso puede ser un factor determinante al momento de salir de sus casas porque provee comodidad en las interacciones sociales (Jarrett et al., 2018; Peitzmeier et al., 2017). Para aquellas personas que desean realizarse la cirugía de pecho o doble mastectomía, este puede ser un paso intermedio en lo que logran accederla.

Existen diversas maneras de hacerlo, e incluso existen compresores con ese propósito, algunos confeccionados por miembros de la misma comunidad a base de tela y otros con productos como cinta adhesiva, los cuales pueden o no fomentar el desarrollo de condiciones musculares, alergias en la piel, entre otras (Jarrett et al., 2018; Peitzmeier et al., 2017). Por ello, el conocimiento del uso de estas herramientas al momento de ofrecer el cuidado de salud ayuda a disminuir, e incluso prevenir, el desarrollo de dichas condiciones y, por el contrario, permite a lxs profesionales que proveen cuidados a la comunidad transmasculinas el fomentar la educación en salud que considere la identidad y los deseos de la persona, así como una comunicación más asertiva entre el profesional y la persona.

Se han documentado beneficios a nivel de salud mental y bienestar emocional asociados a la compresión de pecho (Peitzmeier et al., 2017). Sin embargo, también podría tener algunos efectos perjudiciales a la salud como, por ejemplo, dolor de espalda, dolor de pecho, dificultad para respirar y sofocones (Jarrett et al., 2018; Peitzmeier et al., 2022). En un estudio con hombres trans en Puerto Rico, el 33% de los participantes reportó dolores de espalda y cuello (Ramos-Pibernus & Rodríguez Rodríguez, 2019). Esto se asemeja a lo reportado en la literatura y podría estar asociado a la compresión de pecho. Es importante reconocer que esta práctica tiene be-

---

[19]Disforia de pecho es la incomodidad física y emocional causada por la presencia del desarrollo del tejido mamario no deseado (Mehringer et al., 2021).

neficios para los hombres trans y personas transmasculinas, por lo que se debe abogar por la educación en prácticas seguras para la comprensión de pecho en lugar de intentar eliminar la misma.

> "[en] lo único que he tenido problemas es con los senos y no me gusta…lo que hago es que para que no se me noten tanto yo uso como una camisa para verme más masculino, y cuando me veo en el espejo digo ¡ese soy yo! …es como una faja, pero da demasiado de mucho calor…"

Prótesis. En ocasiones los hombres trans y personas transmasculinas pueden utilizar artefactos conocidos como prótesis que se asemejan a los genitales masculinos. La transición social también implica comenzar a navegar los espacios segregados por sexo como, por ejemplo, el uso de los baños en espacios públicos (Chang et al., 2018). Todavía existe mucho discrimen, violencia y *misgendering*[20] al momento de utilizar los baños, lo que en ocasiones ha llevado a hombres trans y personas transmasculinas a evitar por completo el uso de baños públicos. Esto es un estresor adicional que podrían experimentar en su día a día y que puede tener consecuencias tanto a nivel físico como a nivel emocional.

Transición Médica

Algunas personas de experiencia trans toman la decisión de comenzar la transición médica. Este proceso puede incluir el uso de bloqueadores hormonales, terapia de reemplazo de hormonas, cirugías de afirmación de género, entre otras intervenciones cuyo propósito principal es lograr alguna

---

[20] Misgendering – La experiencia de que nuestra identidad social no sea reconocida correctamente por otras personas (McLemore, 2015).

congruencia entre el género sentido y el expresado físicamente (Hembree et al., 2017; Salas-Humara et al., 2019; The World Professional Association for Transgender Health, 2012). De la misma forma, hay personas que por múltiples razones pueden decidir no hacer ninguna transición médica. El decidir qué tipo de transición perseguir debe ser discutido de manera abierta y desde un enfoque afirmativo. Esto puede facilitar el proceso de toma de decisión de la persona y nunca debe ser responsabilidad del profesional de la salud el decidir, entorpecer o bloquear el proceso decisional de la persona con respecto a su transición médica. A continuación, ofrecemos una descripción general de algunos de los procesos que comprenden la transición médica.

Bloqueadores de Hormonas

El uso de bloqueadores hormonales puede ser recomendado en ocasiones durante la adolescencia y tiene como objetivo contener el progreso de la pubertad o detener el desarrollo de las características sexuales secundarias que no son congruentes con la identidad de género de la persona (Rew et al., 2021; Salas-Humara et al., 2019). Algunos de estos tratamientos pueden ser reversibles. Estudios han identificado que el uso de bloqueadores hormonales está asociado a una reducción en ideación suicida y malestar psicológico (Turban et al., 2020). Sin embargo, es importante reconocer que la literatura aún es escasa con respecto a los potenciales efectos a largo plazo del uso de bloqueadores hormonales (Chen et al., 2020). Alguna de las discusiones importantes que aún se tiene con el caso de los bloqueadores de hormonas está relacionada a posibles efectos a nivel neurocognitivo y el potencial impacto que podría tener a largo plazo en los procesos de gestación. Estos elementos deben ser ponderados de modo que los beneficios sean mayores. Los casos deben ser evaluados de manera individual y la decisión debe ser tomada en conjunto con un equipo interdisciplinario y en pro del mejor bienestar de la persona menor de edad.

Tratamiento Hormonal Masculinizante

La terapia hormonal para hombres trans y personas transmasculinas consiste en utilizar testosterona con el propósito de facilitar el desarrollo de características sexuales típicamente asociadas con la masculinidad o para lograr una presentación de género no binaria (Chang et al., 2018). Los cambios deseados que se observan con el uso de la testosterona pueden incluir: agudeza vocal, cese de sangrado menstrual, aumento de masa muscular, redistribución de grasa en el cuerpo, agrandamiento del clítoris, crecimiento de vellos en diferentes partes del cuerpo, entre otros (Hembree et al., 2017; Sherbourne Health, 2019; The World Professional Association for Transgender Health, 2012). Existen múltiples guías desarrolladas por organizaciones profesionales que deben ser utilizadas por profesionales de la salud para ofrecer este tipo de tratamiento afirmativo a personas trans.

> "Pues mira, ahora mismo, eh, voy para un año ya, como tal me falta un mes. Y, para mí ha sido una experiencia bien bonita porque desde la primera vez, pues el primer momento que tú te pones el medicamento (ya que es bien de adentro, yo siento que fue la sensación como tal), tú te sientes como que pues, estás... como si volvieses a nacer (para serte más claro). Y según vas cambiando, vas sintiendo (porque yo lo he sentido), eh, cuando te miras en el espejo, cambios, como tal, interiores, este, ¿cómo te puedo decir?... Sientes en la garganta y el sonido, en la voz, como te va cambiando todo. Para mí ha sido una experiencia bonita, y cada día que pasa es un cambio más que se suma a todo"

Durante el proceso de decisión para comenzar con el tratamiento de testosterona es importante que se discuta de manera individual aspectos relacionados a los efectos secundarios deseados y los no deseados, aspectos reproductivos, manejo de salud y estilos de vida. Todo esto para promover el que se tome una decisión informada y con el debido seguimiento médico. El acompañamiento psicológico también es altamente recomendado durante todo el proceso ya que puede ser clave para el manejo de los cambios físicos y emocionales relacionados al uso de testosterona. Cuando el tratamiento hormonal es deseado por la persona, el acceso al mismo está relacionado a bienestar emocional y mejor calidad de vida (Chang et al., 2018).

Cirugías de afirmación de Género

Aún existe mucha controversia en torno a los procedimientos quirúrgicos cuyo propósito es afirmar la identidad de género de una persona. En el caso de los hombres trans algunos de los procedimientos quirúrgicos podrían incluir: cirugía de pecho (doble mastectomía); cirugía genital (histerectomía, faloplastía, metoidioplastía, escrotoplastía, entre otros); y otras intervenciones (terapia de voz) que puede incluir implantes pectorales y otras intervenciones estéticas (Coleman et al., 2022; The World Professional Association for Transgender Health, 2012). Estos procedimientos en raras ocasiones obtienen la cobertura de los planes médicos al ser considerados como procesos electivos no esenciales (Killermann, 2017). Esto acompañado a los altos costos de los procedimientos hace que el acceso a las cirugías de afirmación de género sea limitado y más aún en un contexto como Puerto Rico.

Es importante recalcar que no todos los hombres trans o personas transmasculinas desean realizarse cirugías de afirmación de género, pero en aquellos que sí lo desean, estudios han demostrado que el acceso a estos procedimientos mejora significativamente su bienestar físico y emocional, y reduce la ideación e intento suicida (Almazan & Keuroghlian, 2021).

E: ¿Sientes que ha habido un cambio en como tú te sientes con tu cuerpo antes de esa cirugía [top surgery] versus ahora?

P: Sí, [ríe] bien grande. Este, yo tenía la autoestima bien baja, porque obviamente pues no me sentía cómodo con cómo me veía y me sentía incomodo saliendo a ciertos sitios, poniéndome cierta ropa que no me quedaba como yo quería porque tenía que estar usando, eh, el binder...Me sentía súper incomodo, me daba mucha ansiedad y a veces hasta... yo soy una persona bien sociable y antes de la cirugía, este, sentía que hasta tenía, eh, ansiedad estando alrededor de la gente, tú sabes que, ya yo con vellos faciales y todo esto, y que se dieran cuenta que tenía un binder y toda la cosa. So, sí. Me sentía horrible...ahora me siento súper bien.

Transición Legal

La transición legal recoge los trámites que pueden llevarse a cabo para el cambio de nombre y marcador de género en los documentos legales (Ej. certificado de nacimiento, licencia de conducir, pasaporte). Este proceso en muchas ocasiones viene acompañado de estresores sociales y obstáculos estructurales. Es frecuente que las oficinas encargadas de dichos trámites no cuenten con la sensibilidad, competencia y protocolos para facilitar el proceso. En Puerto Rico, a partir de julio de 2018, el gobierno aprobó el cambio en el marcador de género en los certificados de nacimiento (Lambda Legal, 2018). Esto, sin duda, es un avance importante en el reconocimiento de la diversidad de género y de las personas de experiencia trans en Puerto Rico. Sin embargo, aún existen trabas en el proceso que hacen difícil tramitar los cambios en los documentos legales, que en ocasiones se traducen en múltiples visitas y justificaciones innecesarias para que la personas puedan lograr los cambios deseados. Aquí un ejemplo:

"se ha hecho difícil, un poco más, en la cuestión de lo que tiene que ver más con los cambios de gobierno y los documentos oficiales, como tal. Este, se me hizo muy difícil ir por el proceso de cambio de nombre y lo empecé… bueno creo que ya- como dos o tres años, más o menos, pero se tardó casi más de un año en hacer eso. Por...los abogados no sabían cómo lidiar con la cosa y pues, en esa parte sí se me había hecho cuesta arriba. Incluso, después del cambio de nombre con la licencia, me la negaron un montón de veces porque...pues, para ellos no...no coincidía con lo que ellos creen, básicamente. Este...pero eso...en ese aspecto, es más donde se me ha hecho más difícil"

Luego de haber ofrecido un breve recorrido sobre algunos de los procesos de transición por los que podrían pasar hombres trans y personas transmasculinas, nos moveremos a discutir algunos aspectos de salud física y mental.

Aspectos relacionados a la salud integral

La literatura científica ha sido consistente en reportar que las personas de experiencia trans, en particular las personas latinas experimentan de manera desproporcionada desventajas sociales (Ej. estigma y discriminación, bajo nivel socioeconómico) que a su vez tienen un impacto directo en su salud física y emocional (Ramos-Pibernus et al., 2020). A continuación, elaboramos sobre las principales condiciones de salud que impactan el bienestar de hombres trans y de personas transmasculinas.

Salud Mental

Estudios han documentado que los hombres trans y las personas transmasculinas puede experimentar de manera desproporcionada múltiples condiciones de salud mental entre las que se encuentran ansiedad, depresión, ideación e intento suicida, uso de sustancias y disforia de género (Bockting et al., 2013; Borgogna et al., 2019; Cicero et al., 2020). El modelo de estrés de minorías ha sido utilizado para explicar la alta incidencia de condiciones de salud mental en la población (Hendricks & Testa, 2012; Meyer, 2003). Esta teoría postula que aquellas personas que pertenecen a grupos minorizados, en este caso por identidad de género diversa y etnia, experimentan estrés social lo que a su vez tiene un impacto directo en su salud mental (Hendricks & Testa, 2012). Este modelo inicialmente se desarrolló para describir el impacto del estrés social en minorías sexuales (personas lesbianas, gays y bisexuales; LGB). Meyer (2003) postuló que existen varias formas en las que personas LGB pueden experimentar estrés de minorías, entre las que se encuentran las experiencias distales o externas y proximales o internas. Esto modelo ha sido revisado y expandido para integrar elementos que impactan a personas trans y género no conforme (Testa et al., 2015). Por ejemplo, uno de los factores asociados al estrés de minorías en personas trans es la no afirmación, que incluye el negarse a reconocer la identidad de género de la persona y resistirse a utilizar el nombre y pronombres con los que se identifica (McLemore, 2015).

Algunos de los factores que están vinculados al estrés de minorías, y a su vez al desarrollo de condiciones de salud mental son: apertura sobre su identidad de género, apoyo familiar y social, acceso a cuidado género afirmativo, experiencias de discrimen, estigma y rechazo, microagresiones, violencia, dificultades navegando espacios segregados por género (Ej. Baños públicos), entre otras. Un estudio realizado con la población trans latinx en Puerto Rico y Estados Unidos identificó que más de la mitad de los hombres trans participantes reportó algún diagnóstico de salud mental (Ramos-Pibernus & Rodríguez Rodríguez, 2019). Los diagnósticos más frecuentes fueron ansiedad, disforia de género y depresión. Un dato interesante es que aquellas personas que se encontraban viviendo en la Isla tenían mayor probabilidad de reportar alguna condición de salud mental. La Tabla 1 presenta la frecuencia y porcentaje por condición de salud mental de hombres trans que participaron del estudio.

Tabla 1

Reporte de Condiciones de Salud Mental en una Muestra de Hombres Trans Latinx

Condición de Salud Mental	Frecuencia (%)
Depresión	22 (49%)
Ansiedad	30 (67%)
Trastorno Bipolar	6 (13%)
Disforia de Género	27 (60%)

Note. N=45

Acceso a servicios de Salud Mental

Otra dificultad que ha sido identificada por personas de experiencia trans es el poder identificar profesionales de salud mental con las competencias y sensibilidad para ofrecer servicios desde un enfoque afirmativo (Padilla et al., 2016; Ramos-Pibernus et al., 2020). A pesar de que la competencia cultural es un elemento que se trabaja en el adiestramiento de estxs profesionales de la salud, en raras ocasiones la discusión sobre la integración de un modelo afirmativo es incluida en los currículos educativos (Rivera-Segarra et al., 2019; Rodriguez-Madera et al., 2019). En varias ocasiones hemos escuchado relatos de hombres trans y personas trans masculinas en los cuales las experiencias con los servicios de salud mental han sido tan negativas que han optado por no regresar e incluso no confiar en volver a buscar los servicios nuevamente.

> "Sí, alguna vez traté de buscar ayuda, pero con todo y eso los psicólogos [a los] que me enviaban por parte de la reforma no, en ningún momento yo considero que fueron de ayuda… Con todo esto de la transexualidad y de tú no saber a dónde acudir y eso, yo padecía de… siempre estaba como depresivo y básicamente eso era… Bueno, una vez me mandaron donde una señora en Bayamón y esa señora lo primero que sacaba era…esta señora de una sesión psicológica se convertía en un culto bíblico y yo pues dejé de ir".

Actualmente, en Puerto Rico existe un requisito de créditos de educación continua para profesionales de la salud sobre sensibilidad y competencia cultural en los servicios a la población LGBTQI (R.C. Del S. 95, 2021). A pesar de que este requisito no atiende por completo la necesidad de adiestramiento en profesionales de la salud, es un paso importante en el reconocimiento de la necesidad de desarrollo de competencias que vayan en pro del bienestar de las personas género diversas. Al explorar con hombres trans y personas transmasculinas, la mayoría reconoce la importancia del acompañamiento psicológico en sus vidas, y en especial en las fases iniciales de su proceso de transición o afirmación de género (Ramos-Pibernus & Rodríguez Rodríguez, 2019). Lamentablemente, el acceso a servicios de salud mental afirmativos continúa siendo una barrera en Puerto Rico. La siguiente verbalización refleja la necesidad de que los servicios de salud mental sean accesibles y que las personas terapeutas tengan las competencias necesarias para trabajar con la población.

> "terapia de salud mental para las personas trans, este… que sean accesibles. Yo… yo tengo…ahora mismo estoy tomando terapia, pero igual sé que es un privilegio pa' muchas personas que no tienen acceso a eso...pero sí, <u>servicios de salud mental mucho más accesibles y específicos para personas trans, o sea que, que conozca las necesidades de las personas trans, que estén empapados del tema."</u>

Salud Física

Otro aspecto al que en pocas ocasiones se le presta atención es el área de la salud física, En muchas ocasiones el enfoque va dirigido al acceso a cuidado afirmativo para la transición médica. Esto a pesar de ser un área importante, en la cual aún falta mucho por avanzar, invisibiliza en ocasiones el cuidado de salud primario y la prevención de condiciones como lo puede ser el cáncer cervical. A continuación elaboramos un poco sobre cáncer cervical, acceso a servicios de salud y el estigma, y su impacto en la salud física de hombres trans y personas transmasculinas.

Cáncer Cervical. Los hombres trans y personas transmasculinas que mantienen cérvix pueden estar en riesgo de desarrollar cáncer cervical (Ramos-Pibernus et al., 2021; Weyers et al., 2020). Estudios ya han documentado algunos de los factores que les vulnera a esta condición, los cuales incluyen poco cernimiento y desconocimiento sobre sus potenciales riesgos. El estigma por parte de profesionales de la salud es uno de los factores que lleva a que hombres trans y personas transmasculinas eviten el cuidado ginecológico preventivo (Ramos-Pibernus et al., 2016). Experiencias negativas previas en escenarios médicos y en las interacciones médico-paciente también les aleja de mantenerse recibiendo cuidados preventivos. Otros factores como la disforia genital y la falta de personal competente se convierten en barreras adicionales que provocan que reciban cuidados médicos por debajo de los estándares (Peitzmeier et al., 2017). Es importante que se desarrollen espacios orientados en las necesidades particulares de los hombres trans y personas transmasculinas para poder fomentar el cuidado preventivo. Esto puede incluir modificar espacios que usualmente son asociados a salud de la mujer para incluir personas menstruantes con diversas identidades de género, y en el caso de cernimiento de cáncer cervical (*pap smear*), ofrecer opciones como el autoexamen. Estos serían pasos importantes para reducir las inequidades relacionadas al cáncer cervical en la población.

Acceso a servicios de salud. Al igual que lo descrito en la sección anterior sobre salud mental, una de las principales disparidades que afecta a las comunidades género diversas es la dificultad en el acceso a servicios de salud afirmativos. Las experiencias de estigmatización previas en escenarios clínicos, incluidas las interacciones médico-paciente, impactan la motivación para buscar y recibir servicios de salud preventivos. De hecho, estudios han documentado que en Puerto Rico una gran parte de profesionales de la medicina no reciben adiestramiento ni cuentan con las competencias para ofrecer cuidados género afirmativos (Rodriguez-Madera et al., 2019). A pesar de esto, ya se ha comenzado a documentar que el adiestramiento para el desarrollo de competencias es viable y que promueve cambios en actitudes y sensibilidad en la interacción médico-paciente con hombres trans y personas transmasculinas. Un estudio reciente (Ramos-Pibernus et al., 2021) que buscaba adiestrar a estudiantes de medicina para ofrecer cuidado afirmativo en el cernimiento de cáncer cervical a hombres trans y personas transmasculinas encontró que lxs estudiantes de medicina no tenían las destrezas necesarias para promover el cernimiento de cáncer cervical en pacientes de esta población. Más aún, tampoco mostraron competencias afirmativas en la interacción médico-paciente como el preguntar el nombre y pronombres con los que se identifica la persona. Como se ha documentado anteriormente, esto afecta la interacción y se traduce en espacios poco seguros para hombres trans y personas transmasculinas.

Estigma. Uno de los determinantes sociales que más afecta la salud de personas género diversas es el estigma. White Hughto et al., (2015) han conceptualizado el estigma transgénero como un proceso multinivel que ocurre a nivel estructural (prácticas institucionales), a nivel interpersonal (normas sociales que se traducen en actitudes negativas hacia personas de identidad trans), y a nivel individual (proceso psicológico de internalizar las creencias negativas). En el caso de los hombres trans y las personas transmasculinas se ha documentado que experimentan altos niveles de estigma en el acceso a servicios de salud que incluye el que se le nieguen los servicios (Ramos-Pibernus et al., 2020). El estigma también se da en forma de violencia física e incluso crímenes de odio (Rodríguez-Madera et al., 2017). Estas experiencias, tal y como hemos mencionado, tienen un impacto directo en su calidad de vida y bienestar emocional. A continuación, presentamos algunos ejemplos de espacios estigmatizantes u hostiles que han narrado hombres trans y personas transmasculinas:

Ejemplos de espacios hostiles

Baños públicos:

> "…hay lugares que no hay inodoros, hay urinales nada más y obviamente, nosotros tenemos que sentarnos para hacer, para orinar…necesitamos la privacidad porque si se dan cuenta que nosotros tenemos vagina, tú sabes lo que eso significa…los baños de hombres a veces hay tres, cuatro hombres o cinco. Está lleno de hombres. Sabes, que son espacios peligrosos y hostiles para nosotros…"

Oficina ginecológica:

> "…no es fácil cuando tú estás es una oficina de mujeres solamente y tú te ves hombre, eres hombre, este tú sabes, te tratan como si tuvie… Tú te sientes como debajo de un microscopio y todo el mundo observándote…Es un ambiente hostil a nivel psicológico, también, emocional para los muchachos…"

Farmacias:

> "Desde la primera vez que yo fui a Walmart [para la receta de testosterona] el…el trato fue de transfobia completo. Fue…eh, violando mi Ley HIPAA. Este, llamándome por el nombre legal a toda boca, haciéndome consulta. A diferencia de esta farmacia local que entonces ya yo fui como, como con miedo."

Planes médicos

> "Sí, he estado intentándolo [comenzar la transición médica], pero, especialmente con los planes médicos, que todavía no tienen muchas políticas para… Y no saben, y he ido a la oficina y me he sentado con la gente y no tienen idea de cómo trabajar, si hay algún- los deducibles y todo eso, para las… los tratamientos, sabes… por eso no me han podido decir nada

Recomendaciones a Considerar Para Apoyar a la Comunidad

Educación

Es responsabilidad de todas las profesiones aliadas a la salud comenzar a modificar los currículos con información basada en ciencia que permita el adiestrar profesionales culturalmente competentes para ofrecer servicios género afirmativos en diferentes partes de la Isla. La discusión de temas de diversidad de género es cambiante, por lo que también acompaña la responsabilidad, la apertura de mantenerse actualizando el conocimiento para poder ofrecer servicios adecuados. Este compromiso con la educación a su vez fomentaría el que se provea el apoyo social que es fundamental para estas comunidades.

Apoyo Social

Un elemento importante que resaltamos a lo largo del capítulo es la necesidad del apoyo social. Este juega un rol en las diversas fases del reconocimiento y la identificación como persona trans y en el proceso de transición. El poder comunicarse con personas que estén en un proceso similar o hayan experimentado lo mismo, en ocasiones es lo que les permite abrirse a la posibilidad de reconocer sus experiencias y darle paso. Esta verbalización ejemplifica muy bien la importancia del apoyo social:

Investigación

Otro aspecto importante es el continuar desarrollando investigaciones para informar cambios a nivel interpersonal, estructural y de política pública. Estas investigaciones deben moverse de la documentación de necesidades a la atención de las barreras e inequidades que ya han sido identificadas. Por lo tanto, se deben traducir en acción y deben considerar las voces y conocimientos de hombres trans y personas transmasculinas. La integración de hombres trans y personas transmasculinas en los equipos de investigación en los diferentes espacios (academia, comunidad) es crucial y es un paso más en dirección hacia la equidad. Actualmente, se están realizando esfuerzos investigativos con el fin de continuar identificando las barreras y facilitadores para promover cuidados de salud integrales, así como el desarrollo de intervenciones dirigidas a adiestrar a profesionales de la salud para que puedan facilitar cuidados género afirmativos. Estos y otros esfuerzos son la clave para que se continúe el movimiento hacia la justicia social y la eliminación de las inequidades en salud experimentadas por hombres trans y personas transmasculinas.

Orgullo, Resistencia y Lucha

Hasta el momento hemos discutido aspectos relacionados al proceso de transición/afirmación de género y relacionados a la salud. Ofrecimos también algunas recomendaciones que nos parecen fundamentales para continuar reduciendo las inequidades en salud que experimentan los hombres trans y personas transmasculinas. No queremos cerrar el capítulo sin antes resaltar algunos factores protectores que promueven el orgullo, la resistencia y la lucha.

El orgullo sobre su identidad de género ha sido reconocido como un factor protector a nivel individual, que implica el poder definir y abrazar su identidad de género y su valía (Testa et al., 2015). El manejar la internalización de mensajes negativos por parte de la sociedad, y en ocasiones de la familia, promueve la resistencia y el sentido de esperanza hacia un mejor futuro. La conexión con la comunidad, en este caso con otros hombres trans y personas transmasculinas, es otro factor protector ya que promueve sentido de pertenencia, redes de apoyo y la identificación de modelos positivos a seguir.

La resistencia surge con el desarrollo del sentido de comunidad en áreas sociales, políticas y gubernamentales que le permite a la comunidad transmasculina el presentar las necesidades que aún en la actualidad siguen presentándose a base del desconocimiento, estigmatización e invisibilidad de la sociedad en ámbitos de salud, socioeconómicas y de bienestar. La lucha es la herramienta con la cual dicha comunidad pueda hacer valer los derechos que a diario se le arrebatan, por ello, es crucial que profesionales tengan, más allá del conocimiento, la iniciativa de abordar las discusiones de importancia para el buen cuidado y desarrollo de las personas a las que atienden de una forma más holística.

Referencias

Bockting, W. O., Miner, M. H., Swinburne Romine, R. E., Hamilton, A., & Coleman, E. (2013). Stigma, mental health, and resilience in an online sample of the US transgender population. *American Journal of Public Health*, 103(5), 943–951. https://doi.org/10.2105/AJPH.2013.301241

Borgogna, N. C., McDermott, R. C., Aita, S. L., & Kridel, M. M. (2019). Anxiety and depression across gender and sexual minorities: Implications for transgender, gender nonconforming, pansexual, demisexual, asexual, queer, and questioning individuals. *Psychology of Sexual Orientation and Gender Diversity*, 6(1), 54–63. https://doi.org/10.1037/sgd0000306

Bourns, A. (2019). *Guidelines for gender–affirming primary care with trans and non–binary patients: A quick reference guide for primary care providers (PCPs)*. https://rb.gy/nt1am

Byrne, J. (2014). *License to be yourself: Laws and advocacy for legal gender recognition of trans people*. https://www.opensocietyfoundations.org/uploads/4bcc8c11–db97–4eea–87ad–f9a8b7b21d09/license-to-be-yourself-20140501.pdf

Chang, S., Singh, A., & Dickey, L. (2018). *A Clinician's Guide to Gender–Affirming Care*. New Harbinger Publications, Inc.

Chen, D., Strang, J. F., Kolbuck, V. D., Rosenthal, S. M., Wallen, K., Waber, D. P., Steinberg, L., Sisk, C. L., Ross, J., Paus, T., Mueller, S. C., Mccarthy, M. M., Micevych, P. E., Martin, C. L., Kreukels, B. P. C., Kenworthy, L., Herting, M. M., Herlitz, A., Haraldsen, I. R. J. H., … Garofalo, R. (2020). Consensus Parameter: Research Methodologies to Evaluate Neurodevelopmental Effects of Pubertal Suppression in Transgender Youth. *Transgender Health*, 5(4), 246–257. https://doi.org/10.1089/trgh.2020.0006

Coleman, E., Radix, A. E., Bouman, W. P., Brown, G. R., de Vries, A. L. C., Deutsch, M. B., Ettner, R., Fraser, L., Goodman, M., Green, J., Hancock, A. B., Johnson, T. W., Karasic, D. H., Knudson, G. A., Leibowitz, S. F., Meyer–Bahlburg, H. F. L., Monstrey, S. J., Motmans, J., Nahata, L., … Arcelus, J. (2022). Standards of Care for the Health of Transgender and Gender Diverse People, Version 8. *International Journal of Transgender Health*, 23(sup1), S1–S259. https://doi.org/10.1080/26895269.2022.2100644

Gonzalez, K., & Rayne, K. (2019). *TRANS+: Love, sex, romance and being you*. Magination Press.

Hembree, W. C., Cohen-Kettenis, P. T., Gooren, L., Hannema, S. E., Meyer, W. J., Murad, M. H., Rosenthal, S. M., Safer, J. D., Tangpricha, V., & T'Sjoen, G. G. (2017). Endocrine treatment of gender-dysphoric/gender-incongruent persons: An endocrine society* clinical practice guideline. *The Journal of Clinical Endocrinology & Metabolism, 102*(11), 3869–3903. https://doi.org/10.1210/jc.2017-01658

Hendricks, M. L., & Testa, R. J. (2012). A conceptual framework for clinical work with transgender and gender nonconforming clients: An adaptation of the Minority Stress Model. *Professional Psychology: Research and Practice, 43*(5), 460–467. https://doi.org/10.1037/a0029597

Jarrett, B. A., Corbet, A. L., Gardner, I. H., Weinand, J. D., & Peitzmeier, S. M. (2018). Chest binding and care seeking among transmasculine adults: A cross-sectional study. *Transgender Health, 3*(1), 170–178. https://doi.org/10.1089/trgh.2018.0017

Killermann, S. (2017). *A guide to gender: The social justice advocate's handbook* (2nd ed). Impetus Books. https://guidetogender.com/

Lambda Legal. (2018, July 16). *Puerto Rico comienza a permitir correcciones de género en certificados de nacimiento de personas transgénero*. https://rb.gy/0er5b

McLemore, K. A. (2015). Experiences with misgendering: Identity misclassification of transgender spectrum individuals. *Self and Identity, 14*(1), 51–74. https://doi.org/10.1080/15298868.2014.950691

Meyer, I. H. (2003). Prejudice, social stress, and mental health in lesbian, gay, and bisexual populations: Conceptual issues and research evidence. *Psychological Bulletin, 129*(5), 674–697. https://doi.org/10.1037/0033-2909.129.5.674

Pearce, R., Moon, I., Gupta, K., & Steinberg, D. L. (Eds.). (2020). *The emergence of trans: Cultures, politics and everyday lives*. Routledge.

Peitzmeier, S. M., Gardner, I. H., Weinand, J., Corbet, A., & Acevedo, K. (2022). Chest binding in context: Stigma, fear, and lack of information drive negative outcomes. *Culture, Health & Sexuality, 24*(2), 284–287. https://doi.org/10.1080/13691058.2021.1970814

Peitzmeier, S., Gardner, I., Weinand, J., Corbet, A., & Acevedo, K. (2017). Health impact of chest binding among transgender adults: A community-engaged, cross-sectional study. *Culture, Health & Sexuality, 19*(1), 64–75. https://doi.org/10.1080/1369105 8.2016.1191675

Ramos-Pibernus, A. (2013). *Estudio exploratorio sobre masculinidades femeninas: La experiencia de hombres trans y mujeres "buchas" en Puerto Rico* [Disertación no publicada]. Escuela de Medicina y Ciencias de la Salud de Ponce.

Ramos-Pibernus, A. G., Rivera-Segarra, E. R., Rodríguez-Madera, S. L., Varas-Díaz, N., & Padilla, M. (2020). Stigmatizing experiences of trans men in Puerto Rico: Implications for health. *Transgender Health, 5*(4), 234–240. https://doi.org/10.1089/trgh.2020.0021

Ramos-Pibernus, A. G., Rodríguez-Madera, S. L., Padilla, M., Varas-Díaz, N., & Vargas Molina, R. (2016). Intersections and evolution of 'butch-trans' categories in Puerto Rico: Needs and barriers of an invisible population. *Global Public Health, 11*(7–8), 966–980. https://doi.org/10.1080/17441692.2016.1180703

Ramos-Pibernus, A., Carminelli-Corretjer, P., Bermonti-Pérez, M., Tollinchi-Natali, N., Jiménez-Ricaurte, C., Mejías-Serrano, D., Silva-Reteguis, J., Moreta-Ávila, F., Blanco, M., Justiz, L., Febo, M., & Rivera-Segarra, E. (2021). Examining cervical cancer preventive behaviors for Latinx transmasculine individuals among medical students. *International Journal of Environmental Research and Public Health, 18*(3), 851. https://doi.org/10.3390/ijerph18030851

Rew, L., Young, C. C., Monge, M., & Bogucka, R. (2021). Review: Puberty blockers for transgender and gender diverse youth—A critical review of the literature. *Child and Adolescent Mental Health, 26*(1), 3–14. https://doi.org/10.1111/camh.12437

Rodríguez-Madera, S. L., Padilla, M., Varas-Díaz, N., Neilands, T., Vasques Guzzi, A. C., Florenciani, E. J., & Ramos-Pibernus, A. (2017). Experiences of Violence Among Transgender Women in Puerto Rico: An Underestimated Problem. Journal of Homosexuality, 64(2), 209–217. https://doi.org/10.1080/00918369.2016.1174026

Rodriguez-Madera, S., Varas-Díaz, N., Padilla, M., Ramos-Pibernus, A., Neilands, T., Rivera-Segarra, E., Pérez-Velázquez, C., & Bockting, W. (2019). "Just like any other patient": Transgender stigma among physicians in Puerto Rico. *Journal of Health Care for the Poor and Underserved, 30*(4), 1518–1542. https://doi.org/10.1353/hpu.2019.0089

Salas–Humara, C., Sequeira, G. M., Rossi, W., & Dhar, C. P. (2019). Gender affirming medical care of transgender youth. *Current Problems in Pediatric and Adolescent Health Care, 49*(9), 100683. https://doi.org/10.1016/j.cppeds.2019.100683

Sherbourne Health. (2019). Guidelines for gender-affirming primary care with trans and non-binary patients: A quick reference guide for primary care providers (PCPs). https://www.rainbowhealthontario.ca/wp-content/uploads/woocommerce_uploads/2019/12/Guidelines-FINAL-Dec-2019-iw2oti.pdf

Teich, N. M. (2012). *Transgender 101: A simple guide to a complex issue.* Columbia Univerity Press.

Testa, R. J., Habarth, J., Peta, J., Balsam, K., & Bockting, W. O. (2015). Development of the gender minority stress resilience measure. *Psychology of Sexual Orientation and Gender Diversity, 2*(1), 65–77.

The World Professional Association for Transgender Health. (2012). *Standards of Care for the health of transsexual, transgender, and gender noncomforming people.* www.wpath.org

Turban, J. L., King, D., Carswell, J. M., & Keuroghlian, A. S. (2020). Pubertal suppression for transgender youth and risk of suicidal ideation. *Pediatrics, 145*(2), e20191725. https://doi.org/10.1542/peds.2019–1725

Vázquez–Rivera, M., Rivas, D. E., & Sayers–Montalvo, S. (2022). Trans Rican guys self support group: Unifying trans men with empowerment and knowledge Miguel. *Perspectivas en Psicología, 19*(1), 209–230. http://perspectivas.mdp.edu.ar/revista/index.php/pep/article/view/609

Weyers, S., Garland, S., Cruickshank, M., Kyrgiou, M., & Arbyn, M. (2020). Cervical cancer prevention in transgender men: a review. *BJOG: An International Journal of Obstetrics & Gynaecology,* 1471–0528.16503. https://doi.org/10.1111/1471-0528.16503

White Hughto, J. M., Reisner, S. L., & Pachankis, J. E. (2015). Transgender stigma and health: A critical review of stigma determinants, mechanisms, and interventions. *Social Science and Medicine, 147,* 222–231. https://doi.org/10.1016/j.socscimed.2015.11.010

Wise, K., & Pitagora, D. A. (2020). The evolution of sexuality during gender transition. In G. J. Jacobson, J. C. Niemira, & K. J. Violeta (Eds.), *Sex sexuality and trans identities clinical guidance for psychotherapists and counselors* (pp. 37–66). Jessica Kingsley Publishers.

Capítulo 6

Identidades Transfemeninas: Estatus Socioeconómico, Físico, Mental y Sexual

Eunice Avilés, Psy.D.

María Belén Correa

Ivana Fred, BSN

El término transfemenina (conocido informalmente por su abreviatura trans fem) ha sido utilizado para describir aquellas personas género no binario o no conforme, cuya identidad de género está en el espectro femenino y que se les asigna el sexo masculino en su certificado de nacimiento (Deutsch, 2016). Cuando el término se utiliza de manera más abarcadora puede incluir a las mujeres transgénero, cuya identidad de género se encuentra en el binario, y que han nacido con genitales y órganos reproductivos reconocidos por la sociedad como masculinos. Por lo tanto, se les asigna el género masculino al nacer en su certificado de nacimiento. Independientemente de cómo les perciba la sociedad y la ley, éstas se conciben a sí mismas y se identifican como mujeres o "mujeres trans".

En este capítulo se discutirán las vivencias de las mujeres transgénero y personas de identidad transfemenina. Se utilizará el término transfemenina desde una perspectiva abarcadora que incluye también a las mujeres trans y cualquier persona que se identifique con el género femenino o cuya identidad de género se encuentre en el espectro femenino. El uso del mismo reconoce a todas las personas cuya identidad de género va más allá de las normas establecidas por la sociedad, y, por ende, no se ajustan al género que se les asignó al nacer, o al binario de género, y quienes de alguna manera u otra se identifican en el espectro femenino. (L. Candelario, comunicación personal, 1 de abril de 2022).

Violencia hacia las Personas Transfemeninas en América Latina y los Estados Unidos

Las estadísticas reflejan que las personas transgénero son cuatro veces más propensas a ser víctimas de crímenes violentos que las personas cisgénero (Meyer et al., 2021). Esta parte de la comunidad LGBT es la más afectada por la violencia física y sexual (Blondeel et al., 2018). Futuros estudios deben enfocarse en la incidencia de violencia entre personas particularmente transfemeninas.

Las estadísticas disponibles sobre las personas transfemeninas en países de América Latina y el Caribe reflejan que la violencia institucional y social son manifestaciones extremas del estigma y discriminación existente en contra de esta población (La Red Latinoamericana y del Caribe de Personas Trans [REDLACTRANS], 2020). A las mujeres transgénero, en específico, se les etiqueta como transgresoras que violan las normas de género binario establecidas socialmente (Rodríguez-Madera y Toro-Alfonso, 2005). Al transgredir las normas sociales en relación con el género, y dada la intolerancia que existe hacia quien transgrede dichas normas, estas personas confrontan obstáculos para poder vivir una vida saludable y digna (Rodríguez-Madera et al., 2017). El querer disciplinarles para obligar al cuerpo trans a ajustarse a las normas sociales ha llevado al exterminio real y simbólico (invisibilidad) de esta población. Esto es lo que se ha definido como necropraxis, todas aquellas situaciones e interacciones experimentadas por las personas trans en el contexto social y familiar y que les acercan o llevan a la muerte (Rodríguez-Madera, 2022). La falta de aceptación y respeto hacia las personas transfemeninas en lugares como Puerto Rico desciende del legado de las creencias y prácticas religiosas, particularmente las Judeocristianas (Rodríguez-Madera et al., 2017). Las personas transfemeninas son "condenadas" en los discursos religiosos fundamentalistas y esto no permite que la sociedad tenga una visión real de estas (I. Fred, comunicación personal, 9 de marzo de 2020). El estigma que sufren, además, proviene de la deshumanización, incluyendo la falta de aceptación familiar, el clima político hostil y la cultura de marginalización e invisibilidad. Esto lleva a un aumento en factores de riesgo (Ej. violencia doméstica y asalto sexual, trabajo sexual para sobrevivir, pobreza y falta de un hogar, disparidad en términos de la salud mental y física) que refuerza el estigma y las narrativas sin fundamento sobre dicha comunidad y aumentan el riesgo de experimentar violencia (Human Rights Campaign, 2018).

Manifestaciones de Violencia

La violencia que experimentan las personas transfemeninas puede comenzar desde muy temprana edad (Comisión Interamericana de Derechos Humanos, 2015). Estudios han documentado los tipos de violencia a las que estas personas son sometidas, incluyendo el hostigamiento, la violencia verbal, psicológica, física y sexual, la marginalización, exclusión económica y discriminación con relación a la búsqueda de oportunidades de empleo y servicios de salud (Castaño, 2018; Galvan et al., 2019; Klemmer et al., 2021; Rodríguez-Madera et al., 2017). Con frecuencia las personas transfemeninas son rechazadas por sus familias y expulsadas de espacios públicos y privados. Además, se les abusa psicológicamente al invalidar su identidad de género al utilizar los pronombres incorrectos, al tratárseles como hombres, y al cuestionarles sobre sus genitales (Castaño, 2018; I. Fred, comunicación personal, 9 de marzo de 2020).

Los cuerpos de las personas transfemeninas son percibidos como patológicos (Guerrero & Muñoz, 2018) "castigables" (Bello-Ramírez, 2014, para. 12) y espacios sobre los cuales se puede ejercer poder y control (Martínez-Eraso & Pulido-Varón, 2022). Estas personas son representadas en los medios de comunicación como maleantes, "mujeres indecentes que venden su cuerpo" o son caricaturizadas y víctimas de burla (Castaño, 2018). Esto forma parte del abuso psicológico del que son víctimas. Por su parte, la criminalización del trabajo sexual, una fuente de ingreso importante para algunas de las personas transfemeninas, permite que se promueva la violencia de tipo institucional, sexual y física. Además, da lugar a las detenciones ilegales de las trabajadoras y a la extorsión (REDLACTRANS, 2020).

La violencia que experimentan las personas transfemeninas no solo envuelve el recibir heridas que dejan marcas físicas, también existe la violencia por omisión. Este tipo de violencia puede tener implicaciones físicas, pero también deja marcas psicológicas cuando una persona o un grupo son víctima de negligencia y se les excluye y priva de recibir lo que necesitan para su desarrollo (Rutherford et al., 200). Aplicando lo que Rutherford definió como violencia por omisión a las experiencias de esta comunidad, las personas transfemeninas son víctimas de violencia por omisión cuando se les excluye de espacios sociales, públicos, educativos, laborales y familiares. También cuando se les priva de recibir los servicios biopsicosociales, incluyendo los servicios médicos generales y especializados de afirmación de la identidad de género, que necesitan para subsistir y prosperar.

Homicidios

Una de las manifestaciones más dramáticas de la violencia en contra de las personas transfemeninas son los homicidios (Rodríguez-Madera, 2017). En el año 2021 se reportó la mayor cantidad de asesinatos de personas transgénero o genero no binario en el mundo, desde que estos crímenes comenzaron a contabilizarse en el año 2008. Del 1ero de octubre de 2020 al 30 de septiembre del 2021, se reportaron 375 asesinatos a nivel mundial, una cifra mayor que los años anteriores (Transrespect Versus Transphobia Worldwide, 2021). Un 96% de las víctimas eran, específicamente, personas transfemeninas. La mayor parte de los asesinatos fueron registrados en Brasil, México, y los Estados Unidos, en donde estos crímenes se han duplicado.

En el año 2020, 44 personas transgénero fueron asesinadas en los Estados Unidos y sus territorios, incluyendo cinco asesinatos registrados en Puerto Rico (Human Rights Campaing Foundation, 2020; Human Rights Campaing Foundation, 2021). La mayoría de las víctimas fueron personas transfemeninas (Human Rights Campaing Foundation, 2020). En Estados Unidos, las tasas de asesinatos son significativamente más altas entre personas transfemeninas negras y latinas, siendo las que se encuentran entre las edades de 15 a 34 años las más vulnerables (Dinno, 2017; Human Rights Campaign Foundation, 2018; Human Rights Campaing Foundation, 2020).

Entre el 1 de octubre de 2021 y el 30 de septiembre de 2022, se reportaron 327 asesinatos de personas transgénero y género no binario a nivel mundial. Un 95% de las víctimas eran específicamente personas transfemeninas. Un total de 222 casos fueron reportados en América Latina y el Caribe, siendo estas regiones las que continúan registrando la mayoría de los asesinatos (Transrespect Versus Transphobia Worldwide, 2022).

Leyes

En su gran mayoría, los países latinoamericanos no cuentan con leyes que protejan efectivamente a las personas transfemeninas. Esto da paso a la violencia perpetrada en contra de esta comunidad (Romero, 2020). Algunos países y territorios latinoamericanos como Puerto Rico, Argentina, Chile y Uruguay poseen leyes concernientes a la identidad de género. Las mismas proveen diferentes niveles de protección a las personas transfemeninas (Defensoría del Pueblo de la Ciudad Autónoma de Buenos Aires, 2017; Ministerio de Justicia y Derechos Humanos de la Nación de Argentina, 2014; Ministerio de Justicia y Derechos Humanos de Chile, 2018; Poder Legislativo de la República Oriental de Uruguay, 2018).

En Puerto Rico, existen leyes y órdenes ejecutivas locales y federales que están destinadas a proteger a las personas de la comunidad transgénero y género no binario. A nivel federal (Estados Unidos de América), existe la "Orden ejecutiva sobre prevención y lucha contra la discriminación por motivos de identidad de género u orientación sexual" (Orden Ejecutiva Número 13988, 2021). A nivel local existe la Ley número 22-2013, "Ley para establecer la política pública del gobierno de Puerto Rico en contra del discrimen por orientación sexual o identidad de género en el empleo, público o privado". Las personas transgénero y género no binario también pueden cambiar su marcador de género en el registro demográfico y en otros documentos legales. Por su parte, la propuesta "Carta de Derechos de las personas LGBTTIQ+" busca agrupar "los derechos generales que son reconocidos para las personas LGBTTIQ+ de Puerto Rico" a la vez que reitera que las personas de la mencionada comunidad pueden disfrutar de los derechos establecidos por la Constitución de Puerto Rico y las leyes y reglamentos del país (Asamblea Legislativa de Puerto Rico, 2021, p.10).

La experiencia ha mostrado que las leyes y órdenes ejecutivas son frecuentemente deficientes al momento de garantizar protecciones legales para las personas transgénero y genero no binario, incluyendo las transfemeninas. El estigma y el desconocimiento sobre esta comunidad previene que estas protecciones legales se ejerzan, privando a estas personas de seguridad y de sus derechos más básicos.

Estatus Socioeconómico

Las experiencias de discrimen, violencia y marginalización son la raíz de las altas tasas de pobreza y desempleo entre personas transfemeninas. Además, son el detonante para que muchas personas de esta comunidad no tengan un hogar estable donde vivir (World Health Organization [Who], s.f. b).

Un estudio llevado a cabo en los Estados Unidos reflejó que las personas transgénero, en comparación con hombres cisgénero, tienen mayores probabilidades de estar desempleadas, de no poder trabajar, de tener un ingreso familiar más bajo y de vivir en situaciones de pobreza (Carpenter et al., 2020). El mismo estudio reflejó que las mujeres transgénero que se identifican en el binario tienen menos probabilidades de tener una pareja y poseer un grado académico (Carpenter et al., 2020). Un informe del "National Center for Transgender Equality" (James et al., 2016) llevado a cabo en los Estados Unidos y sus territorios, incluyendo Puerto Rico, reflejó que las personas transgénero y genero no binario que provienen de Latinoamérica, en especial quienes no poseen documentos legales para permanecer en el país, experimentan patrones más severos de discrimen que las personas transgénero y género no binario blancas. Estos patrones de discrimen se manifiestan por medio de las exponencialmente altas cifras de desempleo en esta comunidad, la que con frecuencia vive bajo los niveles de pobreza (James et al., 2016).

La precaria situación socioeconómica que sufren las personas transfemeninas frecuentemente se origina en el discrimen que experimentan desde etapas tempranas en el núcleo familiar y en espacios académicos. El expresar su identidad de género lleva a muchas personas transfemeninas a ser sometidas a humillaciones y abusos que les conducen a abandonar el hogar y a la deserción escolar. La falta de acceso a espacios seguros donde puedan recibir educación representa una gran limitación para su desarrollo socioeconómico. Esto, sumado a las dificultades para obtener un trabajo legal, lleva a muchas a realizar trabajo sexual (I. Fred, comunicación personal, 9 de marzo de 2020; M. B. Correa, comunicación personal, 29 de enero de 2021).

En Puerto Rico, la marginación económica y social de las personas transfemeninas se manifiesta por medio de las altas tasas de desempleo. Muchas, al no tener un empleo legal, dependen de ayudas sociales como los programas de asistencia nutricional o del trabajo sexual, el cual es criminalizado (Martínez-Vélez et al., 2019; Padilla et al., 2018; Rodríguez-Madera et al., 2017; Toro-Alfonso, 1995).

El trabajo sexual puede ser un ingreso suplementario que permite costear aspectos de la afirmación de la identidad de género (Jennings Mayo-Wilson et al., 2020). Cuando el trabajo sexual es la fuente principal de ingreso, su criminalización expone a las personas transfemeninas a dificultades económicas que traen como consecuencia problemas para obtener una vivienda segura, alimentos y para poder cuidar de la familia (M. B. Correa, comunicación personal, 29 de enero de 2021).

Cuando las personas transfemeninas tienen la capacidad de costear una vivienda, en ocasiones enfrentan discrimen por parte de los arrendadores. Esto amenaza la posibilidad de que tengan una vivienda segura (M. B. Correa, comunicación personal, 29 de enero de 2021).

Las personas transfemeninas tienen un gran deseo de estar empoderadas, mejorar su situación socioeconómica y poder proyectarse hacia el futuro. A pesar del discrimen, muchas luchan por completar su educación y abrirse camino en espacios sociales y laborales en los que históricamente han sido discriminadas. En países como Puerto Rico y Argentina, programas que son parte de organizaciones sin fines de lucro o gubernamentales, han comenzado a proveer ayudas económicas para facilitar el que puedan completar sus estudios, recibir servicios de salud y tener acceso a empleos y a una vivienda segura. Particularmente en Argentina, se provee apoyo económico a personas de esta comunidad que sean mayores de 50 años (Primera autora en comunicación con I. Fred, 9 de mayo de 2023; Primera autora en comunicación con M. B. Correa, 10 de mayo de 2023).

Salud mental en Personas Transfemeninas

Las personas transfemeninas exhiben una incidencia significativamente más alta de estrés psicológico y trastornos psiquiátricos que el resto de la población (Paz-Otero et al., 2021). La prevalencia de ideación y conductas suicidas es más alta en este segmento de la población. Al comparar las tasas de la población transgénero con la población general en los Estados Unidos, ésta reporta una prevalencia casi 18 veces más alta de intentos suicida (Herman et al., 2019). En comparación con las personas cisgénero LGB, las personas transgénero tienen una proporción más alta de intentos de suicidio a lo largo de la vida (Meyer et al., 2021).

En América Latina, en países en donde se han implementados cambios en políticas públicas para salvaguardar los derechos de las personas transgénero y género no binario, aun éstas exhiben altas tasas de problemas de salud mental. Por ejemplo, las personas transgénero residentes en Chile presentan una incidencia 10 veces más alta de depresión al compararles con la población mundial, y una prevalencia desproporcionalmente más alta de ideación e intentos suicidas al compararles con la población nacional (Guzmán-González et al., 2020). En Argentina la prevalencia de intentos de suicidio entre personas de la comunidad transgénero ha sido al menos 10 veces más alta que la observada entre las poblaciones no transgénero (Marshall et al., 2016). Nuevas investigaciones deben ir dirigidas a explorar la incidencia de problemas de salud mental, particularmente en personas transfemeninas, en otros países de la región latinoamericana.

Estrés de Minoría

La incidencia de problemas de salud mental y físicos en las personas transfemeninas puede relacionarse al estrés de las minorías (Hendricks & Testa, 2012; Poteat et al., 2021). Una minoría es un grupo que es percibido por la cultura dominante como inferior debido a por lo menos una característica en particular como son la raza o la orientación sexual. En este contexto, la minoría es un grupo estigmatizado (Brooks, 1981; Meyer, 1995, 2003). Las personas transfemeninas son una minoría estigmatizada, marginalizada y desatendida debido a su identidad de género. El modelo de Estrés de las Minorías (Meyer, 1995) propone que las personas etiquetadas como parte de una minoría experimentan más estresores que aquellas personas que pertenecen al grupo dominante (Brooks, 1981; Meyer, 1995, 2003). El estrés de las minorías ocurre como resultado de la atmósfera de hostilidad a la que estas personas son sometidas (Meyer, 1995).

Desde la perspectiva de este marco teórico las personas que son parte de grupos minoritarios y marginalizados experimentan estresores "distales", los cuales son crónicos, y estresores "próximos" (Meyer 2003). Los estresores distales son manifestaciones del prejuicio sistemático y estigmatizante prevaleciente en la sociedad. Dichas manifestaciones o eventos están fuera del control del individuo que las experimenta (Meyer 2003, p.5; Meyer, 2015). Para las personas transfemeninas los estresores distales pueden incluir el discrimen, las microagresiones y la violencia, así como el que no se les valide su identidad de género (Hendrick & Testa, 2012; Meyer, 2015; Testa et al., 2015). Los estresores próximos son subjetivos y, por ende, dependientes de la evaluación que el individuo tenga del estresor distal. Esto los hace cercanos al mundo interno del individuo. En el caso de las personas transfemeninas los estresores próximos incluyen la anticipación de que se experimentará discriminación o violencia de cualquier tipo (Ej. violencia física, verbal o por omisión) (Hendricks & Testa, 2012; Meyer, 2015), la transfobia internalizada que ocurre cuando la persona interioriza las ideas negativas existentes en la sociedad sobre su identidad de género (Hendricks & Testa et a., 2012), y el tener que ocultar aspectos de su identidad de género o no tener el control de cuándo y cómo revelar la misma o su sexo asignado al nacer (Testa et al. 2015).

Los estresores próximos son los mediadores entre un estresor distal y el impacto de dicho estresor en la salud mental y física de las personas (Ouch & Moradi, 2019; Rood et al., 2016). Por ejemplo, las personas transfemeninas que presentan mayores niveles de negatividad internalizada (transfobia internalizada) sobre su identidad de género y que anticipan rechazo, pueden experimentar mayores niveles de dificultades de salud mental y conductas suicidas (Helsen et al., 2021; Marshall et al., 2016).

La alta ocurrencia de condiciones de salud mental en personas trans-femeninas es la secuela del estrés que viven a diario debido al estigma, marginalización, discriminación y la violencia de la que son víctimas (Beck-with et al., 2019; Bockting et al., 2013; Downing & Przedworski, 2018; Guzmán-González, et al., 2020; Hendricks & Testa, 2012). Los altos niveles de estrés que experimenta esta comunidad aumentan el riesgo de que sufran trastornos de ansiedad, depresión mayor, estrés postraumático, relacionados con sustancias, alimentarios, e ideación y conductas suicidas (Guzmán-González, et al., 2020; Kota et al., 2020; Livingston et al., 2020; Mustanski, et al., 2016; Nagata et al., 2020; Puckett et al., 2020; Tebbe & Moradi, 2016).

Los factores psicosociales en personas transfemeninas como la ansiedad, la anticipación de que se experimentará rechazo, la discriminación y violencia debido a la identidad de género, el impacto psicosocial de la posición que se ocupa en la sociedad por ser parte de una minoría de género, las experiencias de abuso sexual, el abuso verbal familiar y por parte de extraños, están relacionados a un mayor riesgo de ideación suicida (Kota et al., 2020). El discrimen, las preocupaciones financieras y de vivienda y las limitaciones para obtener servicios de salud mental son a su vez factores de riesgo para el uso de tabaco en personas transgénero y género no binario (Tan et al., 2021). Particularmente, en las personas transfemeninas, el consumo de tabaco es alto y se ha asociado con la falta de vivienda, la violencia de pareja íntima y el trabajo sexual (Culbreth et al., 2022).

Disforia de Género

El concepto de disforia de género hace referencia a la incongruencia entre la identidad de género y el cuerpo. Dicha incongruencia causa malestar clínicamente significativo (American Psychiatric Association [APA], 2022). Por ejemplo, una persona transfemenina asignada el género masculino al nacer, puede experimentar malestar o angustia debido a su genitalia y/o la forma de su cuerpo (Ej. por no tener caderas anchas).

Aunque la disforia de género aún forma parte del Manual Diagnóstico y Estadístico de Trastornos Mentales (DSM-5 TR por sus siglas en inglés) (APA, 2022), este no es un problema de salud mental (Coleman et al., 2022; Who, s.f. a). La Clasificación Internacional de Enfermedades para Estadísticas de Mortalidad y Morbilidad, (ICD-11 por sus siglas en inglés) le ha titulado incongruencia de género y colocado en el capítulo de condiciones relacionadas a la salud sexual (WHO, n.d. a).

La violencia de la que son víctimas las personas transfemeninas puede impactar el nivel de disforia corporal (angustia sobre partes del cuerpo debido a la incongruencia entre su cuerpo y su identidad de género). Dicho impacto es un aspecto asociado a sintomatología de depresión y ansiedad (Klemmer et al., 2021).

Por su parte, la hipervigilancia, el observar en busca de una amenaza para evitar una consecuencia peligrosa como el ser víctima de un ataque (Kimble et al., 2014) es parte de las experiencias que viven las personas transfemeninas. Algunas de estas personas buscan ser percibidas como mujeres cisgénero para sentirse seguras y evitar ser víctimas de violencia y de discrimen, lo cual en ocasiones se les dificulta debido a sus características físicas. Como consecuencia, con frecuencia pueden experimentar hipervigilancia que les lleva a constantemente inspeccionar su cuerpo y estar pendientes a cómo lucen cuando se encuentran en ámbitos sociales (Brewster et al., 2019; Monteiro & Poulakis, 2019; Padilla et al., 2018).

La afirmación de la identidad de género está influenciada por el ideal de belleza que impone la cultura desde una perspectiva cisnormativa (Monteiro & Poulakis, 2019) y que se divulga a través de los medios de comunicación. Las imágenes que se han proliferado en los medios sobre el "cuerpo ideal" han desencadenado la idea de que las personas transgénero y género no binario han nacido en el cuerpo incorrecto. Además, que estas pueden llegar a superar la disforia utilizando las tecnologías desarrolladas para lucir "hermosas" como lo han hecho personalidades de los medios. Esto sugiere que, para llegar a ser una "mujer auténtica", se debe enfocar en los cambios corporales (Lovelock, 2017). Ideas como estas se convierten en un estresor cuando la persona no tiene acceso a los medios para afirmar su identidad género, propiciando también que experimente disforia y la presión de ajustarse a expectativas de belleza que pueden ser inalcanzables (Monteiro & Poulakis, 2019).

La disforia de género y la presión que reciben a nivel social y cultural, así como la objetivación sexual y la discriminación experimentada, puede llevar a las personas transfemeninas al desarrollo de trastornos alimentarios (Brewster et al., 2019; Nowaskie et al., 2021). La práctica de patrones de alimentación desordenados busca eliminar o resaltar características físicas del género con el que se identifican y reducir la disforia de género (Milano et al., 2020; Nowaskie et al., 2021).

La habilidad de poder afirmar la identidad de género desde una perspectiva psicológica, social y médica está asociada a un mejoramiento de la autoestima y reducción de los niveles de depresión y frecuencia de ideación y conductas suicida (Herman et al., 2019; Hughto et al., 2020; Glynn et al., 2016). La terapia hormonal en particular, posiblemente debido a que asiste en la reducción de la disforia de género, ayuda a reducir los síntomas de depresión y de trastornos alimentarios (Aldridge, et al., 2021; Nowaskie et al., 2021).

Salud Física y Acceso a Servicios de Salud en Personas Transfemeninas

La pobreza, el discrimen, la escasez de especialistas competentes (Chárriez Cordero & Seda Ramírez, 2016; Martínez-Vélez et al., 2019), la falta de sensibilidad por parte de proveedores médicos y su equipo, el estigma por parte de quienes proveen servicios médicos y que se manifiesta por medio de las decisiones clínicas que toman y que no favorecen a las personas transgénero y género no binario (Rodríguez-Madera et al., 2019), la falta de servicios de afirmación de la identidad de género (Domínguez et al., 2018) y las preocupaciones sobre los costos de los servicios médicos (Feldman et al., 2021), son algunas barreras que previenen a las personas transfemeninas de tener acceso a servicios de salud.

La inequidad en los servicios de salud restringe el acceso a servicios médicos generales, y a los servicios especializados para afirmar la identidad de género. En América Latina, la falta de acceso a atención médica competente, que se da como resultado del estigma y la discriminación en contra de esta comunidad, es una de las causantes de muerte de las personas transfemeninas (M. B. Correa, comunicación personal, 29 de enero de 2021). En Puerto Rico, el mayor obstáculo para recibir servicios de salud es la falta de proveedores que posean las competencias clínicas para atenderles. Además, la comunidad confronta limitaciones de acceso debido a la negación de los servicios (Martínez-Vélez et al. 2019).

Servicios de Afirmación de la Identidad de Género

Las intervenciones, cirugías y tratamientos médicos necesarios para la afirmación de la identidad de género con frecuencia no son asequibles. Una multiplicidad de factores contribuye a esta disparidad incluyendo la falta de contenido sobre educación de la salud trans en los currículos médicos (van Heesewijk et al., 2022), la falta de especialistas con la capacidad, experiencia y sensibilidad para proveer los servicios, la localización y distancia de las clínicas donde se proveen, sus costos y la falta de seguro médico que cubra los mismos (Chárriez Cordero & Seda Ramírez, 2016; Puckett et al., 2018; Rodríguez-Madera et al., 2019).

Muchas personas transfemeninas se ven obligadas a buscar servicios para afirmar su identidad de género en lugares en los cuales no se provee atención médica competente por profesionales con el adiestramiento y los certificados requeridos, lo que pone sus vidas en riesgo (Martínez-Vélez et al., 2019). Algunas personas transfemeninas también se someten a procedimientos de modificación corporal peligrosos, adquieren hormonas fuera de espacios clínicos, y se inyectan las mismas sin haber recibido recomendaciones de un/a especialista. Ante la desesperación por manejar la disforia de género, y ante la falta de recursos para hacerlo, algunas se inyectan sustancias (Ej. rellenos inyectables como silicona y aceite comestible) con el propósito de modificar el busto, las caderas y las nalgas, también sin supervisión de un/a especialista (Aguayo–Romero et al., 2015; M. B. Correa, comunicación personal, 29 de enero de 2021; Padilla et al., 2018; Sevelius, 2013).

Condiciones de Salud Física

Las personas transgénero reportan más días de mala salud física al mes que las personas cisgénero (Feldman et al., 2021). Se ha sugerido que las personas transfemeninas que reciben terapia hormonal como parte de la afirmación de su identidad de género, tienen una incidencia más alta de tromboembolismo venoso y de accidentes cerebrovasculares isquémicos en comparación con hombres y mujeres cisgénero (Getahun et al., 2018). Esta asociación no toma en cuenta las disparidades de salud que experimentan las personas transfemeninas, incluyendo las altas tasas de VIH y de angustia psicológica que pueden contribuir a tales eventos (Goldstein et., 2019). Esto es importante ya que los estresores experimentados por las personas transfemeninas, incluyendo las experiencias tempranas de abuso sexual, físico y emocional, la discriminación, y el estrés psicológico, han sido relacionados al desarrollo de problemas cardiovasculares en esta comunidad (Poteat et al., 2021).

La falta de empleo, así como la necesidad de que otras personas afirmen su género, lleva a muchas personas transfemeninas a exponerse a conductas sexuales de alto riesgo que les hace más vulnerables al contagio de VIH (Barrington et al., 2017; Jennings Mayo-Wilson et al., 2020). En los Estados Unidos, donde las personas negras y latinas son las más afectadas por el VIH, desde el año 2018 se ha observado un aumento en los casos de personas transfemeninas que han contraído el virus (Centers for Disease Control and Prevention [CDC], 2020; CDC, 2021).

Salud Sexual

La atracción, la intimidad, el deseo sexual, la excitación y la habilidad para experimentar placer sexual son aspectos importantes de la sexualidad humana. Una variedad de factores puede impactar negativamente la sexualidad de las personas transfemeninas. La insatisfacción con el cuerpo (-AH-N et al., 2021) y la angustia emocional debido a los genitales, entre personas que no han recibido tratamientos para manejar la disforia de género (Gil-Llario et al., 2020), son algunos de estos factores. Otros elementos pueden tener un impacto positivo. Por ejemplo, reducción en la disforia de género y mayor disfrute de la sexualidad es posible luego de la vaginoplastía (Jerome et al., 2022), la cirugía genital para afirmar la identidad de género de personas transfemeninas. La misma no es accesible para muchas de las personas trasfemeninas.

Es importante notar que no todas las personas transfemeninas deciden afirmar su identidad de género por medio del uso de hormonas, intervenciones y/o cirugías. Para quienes buscan hacerlo, es necesario que reciban educación sobre cómo su funcionamiento sexual y reproductivo podría cambiar y cuáles son las alternativas para manejar estos cambios. Por ejemplo, se les debe educar sobre cómo el proceso de feminización, por medio del uso de hormonas, puede impactar su deseo sexual y función eréctil (Deutsch, 2016). También sobre cómo el uso de hormonas puede afectar la producción de espermatozoides e impactar la fertilidad. En este caso, la persona debe de ser orientada sobre las opciones para tener descendencia (Adeleye et al. 2019). Estas opciones incluyen, pero no se limitan a, la adopción y la 'criopreservación' de semen o congelamiento del esperma, lo cual no es accesible para la mayoría de las personas por sus altos costos. Quien provee servicios médicos de afirmación de la identidad de género debe mantener presente que muchas personas están dispuestas a arriesgar su funcionamiento sexual y reproductivo para poder afirmar su identidad de género.

La información sobre la satisfacción sexual, incluyendo el deseo sexual, excitación y habilidad para tener un orgasmo antes y después de procedimientos médicos para afirmar la identidad de género, es limitada (Kloer et al., 2021; -AH-N et al., 2021). Particularmente, las investigaciones enfocadas en reportes de pacientes luego de la vaginoplastía son escasos (Dy et al., 2019). Con frecuencia los mismos contienen lenguaje confuso y heteronormativo (ex. "sexo normal") y no poseen medidas validadas y estandarizadas para evaluar la calidad de la actividad sexual (Kloer et al., 2021). Los estudios existentes proponen que las personas experimentan una mejoría en satisfacción sexual luego de esta cirugía y con frecuencia mantienen la capacidad para tener un orgasmo (Bustos et al., 2021; Kloer et al., 2021; Schardeind, 2022). La profundidad y ancho de la vagina ha sido el factor más frecuentemente asociado a satisfacción sexual (Kloer et al., 2021) y el clítoris es el área a la cual se le atribuye con más frecuencia la mayor sensación erógena (Kloer et al., 2021; Jerome et al., 2022).

Las disfunciones sexuales luego de la vaginoplastía han sido asociadas a reportes de alteraciones en el funcionamiento sexual acompañadas de angustia emocional, cuya intensidad aumenta cuando solo se tienen expectativas positivas de la cirugía (Schardein, 2022). Esto destaca la necesidad de incorporar apoyo psicológico pre y post operativo. La dispareunia, o dolor genital, es el obstáculo para la actividad sexual más frecuentemente reportado luego de la vaginoplatía (Kloer et al., 2021).

Las personas transfemeninas tienen el derecho y la necesidad de disfrutar su sexualidad desde su identidad de género. Es normal y esperado que persigan el disfrute de su sexualidad para obtener placer y para conectar emocional y psicológicamente con otras personas. Además, que practiquen conductas sexuales con el propósito de procrear. Los nuevos estudios deben enfocarse en la intersección de diversos aspectos relacionados a la sexualidad (ex. Autoestima, proceso de salir en citas o "dating", calidad de las interacciones con parejas sexuales y parejas con quien se tiene una conexión emocional, deseo sexual, intensidad del orgasmo, etc.) y el aumento de la congruencia entre el cuerpo y la identidad de género de las personas transfemeninas.

Recomendaciones para atender los retos que enfrentan las personas transfemeninas

Las personas transfemeninas, además de ser sobrevivientes, han mostrado su capacidad para vivir una vida con propósito a pesar de las dificultades. A fines de contribuir con su fortalecimiento se incluyen una serie de recomendaciones.

Práctica Clínica: Servicios Médicos y de Salud Mental

Considerando la violencia perpetrada en contra de esta comunidad, la atención de salud mental y física siempre debe ser informada por el trauma ("trauma informed"). Los servicios informados por el trauma se fundamentan en el reconocimiento del impacto que tiene la violencia interpersonal y la victimización en la vida de los individuos (Elliot et al., 2005). Los mismos incorporan el conocimiento existente sobre el impacto del trauma dentro de los procedimientos, políticas y prácticas de salud, y se enfocan en la prevención de la retraumatización (Substance Abuse and Mental Health Services Administration, 2014). La utilización de un enfoque de servicios de salud informados por el trauma puede ayudar a mejorar la participación del paciente y sus resultados de salud (The Better Care Playbook, 2020). Entre personas de la comunidad LGBTQ, este tipo de cuidado se ha relacionado a mayor empoderamiento del paciente y regulación emocional y menor aislamiento social (Scheer, 2021). Para las personas transgénero y género diversas, uno de los componentes de importancia para aumentar el sentido de seguridad de la persona es la actitud de quien provee los servicios de salud. La misma debe reflejar conocimiento en la materia, humildad y apertura mental, independientemente de la identidad de género (Hall & DeLaney, 2021).

Los servicios clínicos deben ser culturalmente sensibles y dirigidos a satisfacer las necesidades médicas (Ej. manejo de la diabetes), psicológicas (Ej. problemas de aprendizaje, conductuales), y psiquiátricas (Ej. esquizofrenia) generales. También deben enfocarse en proporcionar servicios especializados para afirmar la identidad de género.

La práctica de la terapia sexual debe enfocarse en intervenciones inclusivas y específicamente diseñadas para personas transfemeninas. Las intervenciones deben ser informadas por el impacto de las experiencias vividas (estresores) y de la disforia de género. Tanto el historial sexual como el desarrollo de un plan de tratamiento de terapia sexual debe incorporar el historial de usos de hormonas, cirugías y procedimientos para la afirmación de la identidad de género. El plan de tratamiento debe considerar las partes del cuerpo. Por ejemplo, no debe asumir cuál es la genitalia de la persona y de su(s) pareja(s) sexuales.

Centros de Educación en Profesiones de la Salud

Los currículos académicos y de adiestramiento deben incorporar educación sobre la incongruencia entre la identidad de género del individuo y el sexo asignado al nacer. Además, sobre las necesidades médicas, psicológicas, sexuales y sociales de las personas transfemeninas y cómo atender las mismas.

Política Pública

Los gobiernos deben considerar una ley de identidad de género que proteja a las personas transfemeninas en todas las esferas. Esta ley debe establecer protecciones legales que garanticen la seguridad de estas personas. Además, debe destinar fondos para la educación sobre la identidad de género para comenzar a eliminar el estigma, reducir la transfobia y aumentar la seguridad emocional y física de estas personas. También debe perseguir la eliminación de barreras para afirmar el género (Ej. eliminar los costos por cambio de nombre) y el aumento de acceso a herramientas legales, sociales y clínicas para facilitar la afirmación de la identidad de género.

Es la responsabilidad del Estado el garantizar los derechos de las personas transfemeninas. Es la responsabilidad de todes el trabajar por cambiar las ideas erróneas y negativas engranadas en la cultura sobre estas personas. Solo cuando se conozca y entienda la realidad de quiénes son y sus necesidades, se crearán cambios estructurales, se romperá con el estigma y se pondrá fin a la marginalización, el discrimen y la violencia en contra de estas.

Referencias

Adeleye, A. J., Reid, G., Kao, C. N., Mok-Lin, E., & Smith, J. F. (2019). Semen parameters among transgender women with a history of hormonal treatment. *Urology, 124*, 136-141. https://doi.org/10.1016/j.urology.2018.10.005

Aguayo-Romero, R. A., Reisen, C. A., Zea, M. C., Bianchi, F. T., & Poppen, P. J. (2015). Gender affirmation and body modification among transgender persons in Bogotá, Colombia. *The International Journal of Transgenderism, 16*(2), 103-115. https://doi.org/10.1080/15532739.2015.1075930

Aldridge, Z., Patel, S., Guo, B., Nixon, E., Pierre Bouman, W., Witcomb, G. L., & Arcelus, J. (2021). Long-term effect of gender-affirming hormone treatment on depression and anxiety symptoms in transgender people: A prospective cohort study. *Andrology, 9*(6), 1808-1816. https://doi.org/10.1111/andr.12884

American Psychiatric Association. (2022). Gender Dysphoria. In *Diagnostic and statistical manual of mental disorders* (5ta ed., text rev.). https://doi.org/10.1176/appi.books.9780890425787.x14_Gender_Dysophoria

Asamblea Legislativa de Puerto Rico. (2021). P. del S. 485 Para establecer la "Carta de Derechos de las personas LGBTTIQ+"; disponer sobre sus derechos y protecciones ante la sociedad; y definir las obligaciones y responsabilidades de las agencias del Estado, y el sector privado, respecto a los derechos humanos que cobijan a las personas LGBTTIQ+. https://openstates.org/pr/bills/2021-2024/PS485/

Barrington, C., Acevedo, R., Donastorg, Y., Perez, M., & Kerrigan, D. (2017). 'HIV and work don't go together': Employment as a social determinant of HIV outcomes among men who have sex with men and transgender women in the Dominican Republic. *Global Public Health, 12*(12), 1506-1521. https://doi.org/10.1080/17441692.2016.116014

Beckwith, N., McDowell, M. J., Reisner, S. L., Zaslow, S., Weiss, R. D., Mayer, K. H., & Keuroghlian, A. S. (2019). Psychiatric epidemiology of transgender and nonbinary adult patients at an urban health center. *LGBT health, 6*(2), 51-61. https://doi.org/10.1089/lgbt.2018.0136

Bello–Ramírez, (2014, enero 30). *Cuerpos cautivos: Experiencia trans, cárceles y resistencias.* Las disidentes, colectivo artístico. https://lasdisidentes.com/2014/01/30/cuerpos-cautivos-experiencias–trans–carceles–y–resistencias/

Blondeel, K., de Vasconcelos, S., García–Moreno, C., Stephenson, R., Temmerman, M., & Toskin, I. (2018). Violence motivated by perception of sexual orientation and gender identity: A systematic review. *Bulletin of the World Health Organization, 96*(1), 29–41L. https://doi.org/10.2471/BLT.17.197251

Bockting, W. O., Miner, M. H., Swinburne Romine, R. E., Hamilton, A., & Coleman, E. (2013). Stigma, mental health, and resilience in an online sample of the US transgender population. *American journal of public health, 103*(5), 943–951. https://doi.org/10.2105/AJPH.2013.301241

Brewster, M. E., Velez, B. L., Breslow, A. S., & Geiger, E. F. (2019). Unpacking body image concerns and disordered eating for transgender women: The roles of sexual objectification and minority stress. *Journal of Counseling Psychology, 66*(2), 131–142. https://doi.org/10.1037/cou0000333

Brooks, V. R. (1981). *Minority stress and lesbian women.* Lexington Books.

Bustos, S. S., Bustos, V. P., Mascaro, A., Ciudad, P., Forte, A. J., Del Corral, G., & Manrique, O. J. (2021). Complications and patient–reported outcomes in transfemale vaginoplasty: An updated systematic review and meta–analysis. *Plastic and reconstructive surgery. Global open, 9*(3), e3510. https://doi.org/10.1097/GOX.0000000000003510

Carpenter, C. S., Eppink, S. T., & Gonzales, G. (2020). Transgender status, gender identity, and socioeconomic outcomes in the United States. *ILR Review, 73*(3), 573–599. https://doi.org/10.1177/0019793920902776

Castaño, J. T. (2018). El confinamiento como concepto clave en el estudio de la injusticia social hacia las mujeres transgénero. *Revista Eleuthera, 19,* 134–148. DOI: 10.17151/eleu.2018.19.8

Centers for Disease Control and Prevention. (2020). *HIV surveillance report, 2018* (Updated). http://www.cdc.gov/hiv/library/reports/hiv–surveillance.html.

Centers for Disease Control and Prevention. (2021). *HIV infection, risk, prevention, and testing behaviors among transgender women – National HIV behavioral surveillance, 7 U.S. cities, 2019–2020.* HIV surveillance special report 27. http://www.cdc.gov/hiv/library/reports/hiv–surveillance.html.

Chárriez Cordero, M. B., & Seda Ramírez, J. M. (2016). Los servicios de apoyo a las personas transgénero: Una realidad imperceptible. *Revista Griot, 8*(1), 73–84. https://revistas.upr.edu/index.php/griot/article/view/1500

Coleman, E. Radix, A. E, Bouman, W. P., Brown, G. R., de Vries, A. L. C., Deutsch, M. B., Ettner, R., Fraser, L., Goodman, M., Green, J., Hancock, A. V., Johnson, T. W., Karasic, D. H., Knudson, G. A., Leibowitz, S. F., Meyer–Bahlburg, H. F. L., Monstrey, S. J., Motmans, J., Nahata, L., . . . Arcelus, J. (2022). Standards of care for the health of transgender and gender diverse people, Version 8. *International Journal of Transgender Health, 23*(1), S1–S259. DOI: 10.1080/26895269.2022.2100644

Comisión Interamericana de Derechos Humanos (2015). *Violencia contra personas lesbianas, gays, bisexuales, trans e intersex en América.* https://www.acnur.org/fileadmin/Documentos/Publicaciones/2015/10247.pdf

Culbreth, R. E., Salazar, L., Spears, C. A., Crosby, R., Hayat, M. J., & Aycock, D. M. (2022). *Stressors associated with tobacco use among trans women.* Transgender Health. https://doi.org/10.1089/trgh.2020.0168

Defensoría del Pueblo, Ciudad Autónoma de Buenos Aires. (2017). *Ley integral para las personas trans.* http://www2.cedom.gob.ar/es/legislacion/normas/leyes/ley4238.html

Deutsch, M. B. (2016). Guidelines for the primary and gender–affirming care of transgender and gender nonbinary people (2nd ed.). transcare.ucsf.edu/guidelines.

Dinno, A. (2017). Homicide rates of transgender individuals in the United States: 2010–2014. *American Journal of Public Health, 107*(9), 1441–1447. https://doi.org/10.2105/AJPH.2017.303878

Domínguez, C. M., Ramírez, S. V., & Arrivillaga, M. (2018). Acceso a servicios de salud en mujeres transgénero de la ciudad de Cali, Colombia. *MedUNAB, 20*(3), 296–309. https://doi.org/10.29375/01237047.2404

Downing, J. M., & Przedworski, J. M. (2018). Health of transgender adults in the U.S., 2014–2016. *American Journal of Preventive Medicine, 55*(3), 336–344. https://doi.org/10.1016/j.amepre.2018.04.045

Dy, G. W., Nolan, I. T., Hotaling, J., & Myers, J. B. (2019). Patient reported outcome measures and quality of life assessment in genital gender confirming surgery. *Translational Andrology and Urology, 8*(3), 228–240. https://doi.org/10.21037/tau.2019.05.04

Elliott, D. E., Bjelajac, P., Fallot, R. D., Markoff, L. S., & Reed, B. G. (2005). Trauma-informed or trauma-denied: Principles and implementation of trauma-informed services for women. *Journal of Community Psychology, 33*(4), 461–477. https://doi.org/10.1002/jcop.20063

Executive Office of the President. (2021). *Executive Order No. 13988, 3 C. F. R. 7023–7025, Preventing and combating discrimination on the basis of gender identity or sexual orientation.* https://www.federalregister.gov/d/2021-01761

Feldman, J. L., Luhur, W. E., Herman, J. L., Poteat, T., & Meyer, I. H. (2021). Health and health care access in the US transgender population health (TransPop) survey. *Andrology, 9*(6), 1707–1718. https://doi.org/10.1111/andr.13052

Galvan, F. H., Chen, Y., Contreras, R., & O'Connell, B. (2019). Violence inflicted on Latina transgender women living with HIV: Rates and associated factors by perpetrator type. AIDS and Behavior, 25(Suppl 1), 116–126. doi:10.1007/s10461-019-02751-x

Getahun, D., Nash, R., Flanders, W. D., Baird, T. C., Becerra-Culqui, T. A., Cromwell, L., Hunkeler, E., Lash, T. L., Millman, A., Quinn, V. P., Robinson, B., Roblin, D., Silverberg, M. J., Safer, J., Slovis, J., Tangpricha, V., & Goodman, M. (2018). Cross-sex hormones and acute cardiovascular events in transgender persons: A cohort Study. *Annals of Internal Medicine, 169*(4), 205–213. https://doi.org/10.7326/M17-2785

Gil-Llario, M. D., Gil-Juliá, B., Giménez-García, C., Bergero-Miguel, T., & Ballester-Arnal, R. (2020). Sexual behavior and sexual health of transgender women and men before treatment: Similarities and differences. *International Journal of Transgender Health, 22*(3), 304–315. https://doi.org/10.1080/26895269.2020.1838386

Glynn, T. R., Gamarel, K. E., Kahler, C. W., Iwamoto, M., Operario, D., & Nemoto, T. (2016). The role of gender affirmation in psychological well-being among transgender women. *Psychology of Sexual Orientation and Gender Diversity, 3*(3), 336–344. https://doi.org/10.1037/sgd0000171

Goldstein, Z., Streed, C., Resiman, T., Mukherjee, M., & Radix, A. (January, 2019). Cross-sex hormones and acute cardiovascular events in transgender persons [Carta al editor]. *Annals of Internal Medicine, 170*(2), 142.

Guerrero, S., & Muñoz, L. (2018). Ontopolíticas del cuerpo trans: Controversia, historia e identidad. En L. R. de la Madrid & A. G. Cíntora (Eds.), *Diálogos diversos para mundos posibles* (pp. 71–94). Universidad Nacional Autónoma de México, Instituto de Investigaciones Jurídicas. https://archivos.juridicas.unam.mx/www/bjv/libros/10/4758/12.pdf

Guzmán-González, M., Barrientos, J., Saiz, J. L., Gómez, F., Cárdenas, M., Espinoza-Tapia, R., Bahamondes, J., Lovera, L., & Giami, A. (2020). Salud mental en población transgénero y género no conforme en Chile. *Revista Médica de Chile, 148*(8), 1113–1120. http://dx.doi.org/10.4067/S0034-98872020000801113

Hall, S. F., & DeLaney, M. J. (2021). A trauma-informed exploration of the mental health and community support experiences of transgender and gender-expansive adults. *Journal of Homosexuality, 68*(8), 1278–1297. DOI: 10.1080/00918369.2019.1696104

Helsen, V., Enzlin, P., & Gijs, L. (2021). Mental health in transgender adults: The role of proximal minority stress, community connectedness, and gender nonconformity. *Psychology of Sexual Orientation and Gender Diversity, 9*(4), 466–477. https://doi.org/10.1037/sgd0000530

Hendricks, M. L., & Testa, R. J. (2012). A conceptual framework for clinical work with transgender and gender nonconforming clients: An adaptation of the minority stress model. *Professional Psychology: Research and Practice, 43*(5), 460–467. https://doi.org/10.1037/a0029597

Herman, J. L, Brown, T. N, & Haas, A. P. (2019). *Suicide thoughts and attempts among transgender adults: Findings from the 2015 U.S. transgender survey.* UCLA: The Williams Institute. https://escholarship.org/uc/item/1812g3hm

Hughto, J. M. W., Gunn, H. A., Rood, B. A., & Pantalone, D. W. (2020). Social and medical gender affirmation experiences are inversely associated with mental health problems in a U.S. non-probability sample of transgender adults. *Archives of Sexual Behavior, 49*(7), 2635–2647. https://doi.org/10.1007/s10508-020-01655-5

Human Rights Campaign Foundation (2018). *Dismantling of a culture of violence: Understanding anti-transgender violence and ending the crisis.* https://rb.gy/6vhtv

Human Rights Campaign Foundation. (2020). *Violence against the transgender and gender non-conforming community in 2020.* https://rb.gy/rqp1w

Human Rights Campaign Foundation. (2021). *Fatal violence against the transgender and gender non-conforming community in 2021*. https://rb.gy/vomrl

James, S. E., Herman, J. L., Rankin, S., Keisling, M., Mottet, L., & Anafi, M. (2016). *The report of the 2015 U.S. Transgender Survey*. National Center for Transgender Equality. https://transequality.org/sites/default/files/docs/usts/USTS-Full-Report-Dec17.pdf

Jennings Mayo-Wilson, L., Benotsch, E. G., Grigsby, S. R., Wagner, S., Timbo, F., Poteat, T., Cathers, L., Sawyer, A. N., Smout, S. A., & Zimmerman, R. S. (2020). Combined effects of gender affirmation and economic hardship on vulnerability to HIV: A qualitative analysis among U.S. adult transgender women. *BMC Public Health, 20*(1), 782. https://doi.org/10.1186/s12889-020-08902-3

Jerome, R. R., Randhawa, M. K., Kowalczyk, J., Sinclair, A., & Monga, I. (2022). Sexual satisfaction after gender affirmation surgery in transgender individuals. *Cureus, 14*(7), e27365. https://doi.org/10.7759/cureus.27365

Kimble, M., Boxwala, M., Bean, W., Maletsky, K., Halper, J., Spollen, K., & Fleming, K. (2014). The impact of hypervigilance: Evidence for a forward feedback loop. *Journal of Anxiety Disorders, 28*(2), 241-245. https://doi.org/10.1016/j.janxdis.2013.12.006

Klemmer, C. L., Arayasirikul, S., & Raymond, H. F. (2021). Transphobia-based violence, depression, and anxiety in transgender women: The role of body satisfaction. *Journal of Interpersonal Violence, 36*(5-6), 2633-2655. https://doi.org/10.1177/0886260518760015

Kloer, C., Parker, A., Blasdel, G., Kaplan, S., Zhao, L., & Bluebond-Langner, R. (2021). Sexual health after vaginoplasty: A systematic review. *Andrology, 9*(6), 1744-1764. https://doi.org/10.1111/andr.13022

Kota, K. K., Salazar, L. F., Culbreth, R. E., Crosby, R. A., & Jones, J. (2020). Psychosocial mediators of perceived stigma and suicidal ideation among transgender women. *BMC Public Health, 20*(1), 125. doi: 10.1186/s12889-020-8177-z.

La Red Latinoamericana y del Caribe de Personas la Trans (REDLACTRANS). (2020). *"Paren de matarnos", Informe regional 2019-2020*. http://www.redlactrans.org/

La Red Latinoamericana y del Caribe de Personas la Trans (REDLACTRANS). (2020, octubre 22). *Declaración de la coalición de organizaciones LGBTTI y de trabajadoras sexuales de América Latina y el Caribe.* http://redlactrans.org.ar/site/declaracion-de-la-coalicion-de-organizaciones-

Livingston, N. A., Berke, D., Scholl, J., Ruben, M., & Shipherd, J. C. (2020). Addressing diversity in PTSD treatment: Clinical considerations and guidance for the treatment of PTSD in LGBTQ populations. *Current Treatment Options in Psychiatry, 7*(2), 53–69. doi: 10.1007/s40501-020-00204-0.

Lovelock, M. (2017). Call me Caitlyn: Making and making over the 'authentic' transgender body in Anglo-American popular culture. *Journal of Gender Studies, 26*(6), 675–687. https://doi-org.colby.idm.oclc.org/10.1080/09589236.2016.1155978

Marshall, B. D. L., Socias, M. E., Kerr, T., Zalazar, V., Sued, O., & Arıstegui, I., (2016). Prevalence and correlates of lifetime suicide attempts among transgender persons in Argentina. *Journal of Homosexuality, 63*(7), 955–967. doi: 10.1080/00918369.2015.1117898

Martínez-Eraso, M., & Pulido-Varón, H. S. (2022). El cuerpo trans*: Territorio de poder, lugar de resistencia al sistema heteronormativo. *Revista colombiana de ciencias sociales, 13*(1), 260-277. https://doi.org/10.21501/22161201.3410

Martínez-Vélez, J. J., Melin, K., & Rodríguez-Diaz, C. E. (2019). A Preliminary assessment of selected social determinants of health in a sample of transgender and gender nonconforming individuals in Puerto Rico. *Transgender Health, 4*(1), 9–17. https://doi.org/10.1089/trgh.2018.0045

Meyer, I. H, Wilson, B. D, & O'Neill, K. (2021). *LGBTQ people in the US: Select findings from the generations and transpop studies.* UCLA: The Williams Institute. https://escholarship.org/uc/item/25k9t0jd

Meyer, I. H. (1995). Minority stress and mental health in gay men. *Journal of Health and Social Behavior, 36*(1), 38–56. http://www.jstor.org/stable/2137286

Meyer, I. H. (2003). Prejudice, social stress, and mental health in lesbian, gay, and bisexual populations: Conceptual issues and research evidence. *Psychological Bulletin, 129*(5), 674–697. https://doi.org/10.1037/0033-2909.129.5.674

Meyer, I. H. (2015). Resilience in the study of minority stress and health of sexual and gender minorities. *Psychology of Sexual Orientation and Gender Diversity, 2*(3), 209-213. https://doi.org/10.1037/sgd0000132

Milano, W., Ambrosio, P., Carizzone, F., De Biasio, V., Foggia, G., & Capasso, A. (2020). Gender dysphoria, eating disorders and body image: An overview. *Endocrine, Metabolic & Immune Disorders Drug Targets, 20*(4), 518–524. https://doi.org/10.2174/1871530319666191015193120

Ministerio de Justicia y Derechos Humanos (Chile). (2018). *Ley número 21.120, Del derecho a la identidad de género.* https://www.bcn.cl/leychile/navegar?idNorma=1126480&idParte=

Ministerio de Justicia y Derechos Humanos de la Nación (Argentina). (2014). *Ley N° 26.743 Identidad de Género.* Secretaría de Derechos Humanos. http://www.jus.gob.ar/media/3108867/ley_26743_identidad_de_genero.pdf

Monteiro, D., & Poulakis, M. (2019). Effects of cisnormative beauty standards on transgender women's perceptions and expressions of beauty. *Midwest Social Sciences Journal, 22*(1), Article 10. https://scholar.valpo.edu/mssj/vol22/iss1/10

Mustanski, B., Andrews, R., & Puckett, J. A. (2016). The effects of cumulative victimization on mental health among lesbian, gay, bisexual, and transgender adolescents, and young adults. *American journal of public health, 106*(3), 527–533. https://doi.org/10.2105/AJPH.2015.302976

Nagata, J. M., Ganson, K. T., & Austin, S. B. (2020). Emerging trends in eating disorders among sexual and gender minorities. *Current Opinion in Psychiatry, 33*(6), 562–567. https://doi.org/10.1097/YCO.0000000000000645

Nowaskie, D. Z., Filipowicz, A. T., Choi, Y., & Fogel, J. M. (2021). Eating disorder symptomatology in transgender patients: Differences across gender identity and gender affirmation. *International Journal of Eating Disorders, 54*(8), 1493–1499. https://doi.org/10.1002/eat.23539

Ouch, S., & Moradi, B. (2019). Cognitive and affective expectation of stigma, coping efficacy, and psychological distress among sexual minority people of color. *Journal of Counseling Psychology, 66*(4), 424–436. https://doi.org/10.1037/cou0000360

Padilla, M. B., Rodríguez-Madera, S., Ramos Pibernus, A. G., Varas-Díaz, N., & Neilands, T. B. (2018). The social context of hormone and silicone injection among Puerto Rican transwomen. *Culture, health & sexuality, 20*(5), 574–590. https://doi.org/10.1080/13691058.2017.1367035

Paz–Otero, M., Becerra–Fernández, A., Pérez–López, G., & Ly–Pen, D. (2021). A 2020 review of mental health comorbidity in gender dysphoric and gender non-conforming people. *Journal of Psychiatry Treatment and Research*, 3(1), 44–55. doi:10.36959/784/425

Poteat, T. C., Divsalar, S., Streed, C. G., Jr., Feldman, J. L., Bockting, W. O., & Meyer, I. H. (2021). Cardiovascular disease in a population–based sample of transgender and cisgender adults. *American journal of preventive medicine*, 61(6), 804–811. https://doi.org/10.1016/j.amepre.2021.05.019

Puckett, J. A., Cleary, P., Rossman, K., Newcomb, M. E., & Mustanski, B. (2018). Barriers to gender–affirming care for transgender and gender nonconforming individuals. *Sexuality Research & Social Policy: Journal of NSRC: SR & SP*, 15(1), 48–59. https://doi.org/10.1007/s13178–017–0295–8

Puckett, J. A., Maroney, M. R., Wadsworth, L. P., Mustanski, B., & Newcomb, M. E. (2020). Coping with discrimination: The insidious effects of gender minority stigma on depression and anxiety in transgender individuals. *Journal of Clinical Psychology*, 76(1), 176–194. doi: 10.1002/jclp.22865

República Oriental de Uruguay, Poder Legislativo. (2018). *Reglamentación de la ley 19.684, ley integral para personas trans.* https://legislativo.parlamento.gub.uy/temporales/docu9303369472366.htm

Rodríguez–Madera, S. L. (2022). From necropraxis to necroresistance: Transgender experiences in Latin America. *Journal of Interpersonal Violence*, 37(11–12), NP9115–NP9143. https://doi.org/10.1177/0886260520980393

Rodríguez–Madera, S. L., Padilla, M., Varas–Díaz, N., Neilands, T., Vasques Guzzi, A. C., Florenciani, E. J., & Ramos–Pibernus, A. (2017). Experiences of violence among transgender women in Puerto Rico: An underestimated problem. *Journal of Homosexuality*, 64(2), 209–217. https://doi.org/10.1080/00918369.2016.1174026

Rodríguez–Madera, S. L., Varas–Díaz, N., Padilla, M., Ramos– Pibernus, A., Neilands, T. B., Rivera–Segarra, E., Pérez Velázquez, C. M., & Bockting, W. (2019). "Just like any other patient": Transgender stigma among physicians in Puerto Rico. *Journal of Health Care for the Poor and Underserved*, 30(4), 1518–1542. https://doi.org/10.1353/hpu.2019.0089

Rodríguez–Madera, S., & Toro–Alfonso, J. (2005). Gender as an obstacle in HIV/AIDS prevention: Considerations for the development of HIV/AIDS prevention efforts for male–to–female transgenders. *International Journal of Transgenderism, 8*(2/3), 113–122. https://doi–org.colby.idm.oclc.org/10.1300/j485v08n02_10

Romero, M. (2020, diciembre). *Carta pública de Marcela Romero a los gobiernos de Latinoamérica y el caribe: ¡Trabajen para el bienestar de nuestras poblaciones trans de la región, ya es tiempo de actuar!* https://rb.gy/c0mjm

Rood, B. A., Reisner, S. L., Surace, F. I., Puckett, J. A., Maroney, M. R., & Pantalone, D. W. (2016). Expecting rejection: Understanding the minority stress experiences of transgender and gender–nonconforming individuals. *Transgender health, 1*(1), 151–164. https://doi.org/10.1089/trgh.2016.0012

Rutherford, A., Zwi, A. B., Grove, N. J., & Butchart, A. (2007). Violence: A glossary. *Journal of Epidemiology and Community Health, 61*(8), 676–680. https://doi.org/10.1136/jech.2005.043711

ahin, S., Polat Korkmaz, Ö., Durcan, E., Özkaya, H. M., Turan, ., & Kadio lu, P. (2021). Sexual functions of transgender individuals before gender transition. *Turkish Journal of Endocrinology and Metabolism, 25*(2), 184–192. https://doi.org/10.25179/tjem.2021–81979

Schardein, J. N., & Nikolavsky, D. (2022). Sexual functioning of transgender females post–vaginoplasty: Evaluation, outcomes and treatment strategies for sexual dysfunction. *Sexual medicine reviews, 10*(1), 77–90. https://doi.org/10.1016/j.sxmr.2021.04.001

Scheer, J. R., & Poteat, V. P. (2021). Trauma–informed care and health among LGBTQ intimate partner violence survivors. *Journal of interpersonal violence, 36*(13–14), 6670–6692. https://doi.org/10.1177/0886260518820688

Sevelius J. M. (2013). Gender affirmation: A framework for conceptualizing risk behavior among transgender women of color. *Sex roles, 68*(11–12), 675–689. https://doi.org/10.1007/s11199–012–0216–5

Substance Abuse and Mental Health Services Administration. (2014). *SAMHSA's concept of trauma and guidance for a trauma–informed approach.* HHS Publication No. (SMA) 14–4884. https://store.samhsa.gov/sites/default/files/d7/priv/sma14–4884.pdf

Tan, A. S., Gazarian, P. K., Darwish, S., Hanby, E., Farnham, B. C., Koroma–Coker, F. A., Potter, J., & Ballout, S. (2021). Smoking protective and risk factors among transgender and gender–expansive individuals (Project SPRING): Qualitative study using digital Photovoice. *JMIR Public Health and Surveillance*, 7(10), e27417. https://doi.org/10.2196/27417

Tebbe, E. A., & Moradi, B. (2016). Suicide risk in trans populations: An application of minority stress theory. *Journal of counseling psychology*, 63(5), 520–533. https://doi.org/10.1037/cou0000152

Testa, R. J., Habarth, J., Peta, J., Balsam, K., & Bockting, W. (2015). Development of the gender minority stress and resilience measure. *Psychology of Sexual Orientation and Gender Diversity*, 2(1), 65–77. https://doi.org/10.1037/sgd0000081

The Better Care Playbook. (2020). *Adopting a trauma–informed approach to improve patient care: Foundational organizational–level steps*. https://rb.gy/qdjrk

Toro–Alfonso, J. (1995). Trabajo en promoción de salud en una comunidad de trabajadores sexuales en San Juan (Puerto Rico) y la prevención del virus de inmunodeficiencia adquirida (VIH/SIDA). *Avances en Psicología Clínica Latinoamericana*, 13, 55-70.

Transrespect Versus Transphobia Worldwide. (2021, noviembre 11). *TMM Update: TDoR 2021*. https://transrespect.org/en/tmm–update–tdor–2021/

Transrespect Versus Transphobia Worldwide. (2022, noviembre 8). *TMM Update: TDoR 2022*. https://transrespect.org/en/tmm–update–tdor–2022/

van Heesewijk, J., Kent, A., van de Grift, T. C., Harleman, A., & Muntinga, M. (2022). Transgender health content in medical education: A theory–guided systematic review of current training practices and implementation barriers & facilitators. *Advances In Health Sciences Education: Theory and Practice*, 27(3), 817–846. https://doi.org/10.1007/s10459–022–10112–y

World Health Organization. (s.f. a). *Gender incongruence and transgender health in the ICD*. https://www.who.int/standards/classifications/frequently–asked–questions/gender-incongruence-and-transgender-health-in-the-icd

World Health Organization. (s.f. b) *Transgender people*. https://www.who.int/teams/global–hiv–hepatitis–and–stis–programmes/populations/transgender-people

Capítulo 7
Identidades Queer y No Binarias

Ínaru Nadia de la Fuente Díaz, BA.

A través de las últimas décadas, las comunidades sexo-género diversas en Puerto Rico han abierto espacio a más diversidad en sus movimientos. Se ha dejado atrás la centralización únicamente de mujeres lesbianas, hombres gays, personas bisexuales y personas trans (LGBT), dándole paso así a una serie de identidades de género y orientaciones sexuales que adquirieron nombres luego de muchos años. Entre estas identidades se encuentra la de las personas no-binarias, es decir, aquellas que no se identifican dentro del binario de hombre o mujer, se sienten como ambes o simplemente sienten no tener género alguno. En este capítulo nos estaremos concentrando en las identidades no-binarias y *queer*, al igual que en sus intersecciones como identidades que rechazan el binario hombre-mujer y que proponen un cambio radical ante la naturalización de la relación sexo-género.

El binario de hombre vs. Mujer

Para hablar más ampliamente sobre identidades que se posicionan en un espacio diferente al de hombre-mujer, heterosexual-homosexual, cisgénero-transgénero y otras categorías, debemos primero hablar sobre el binario. El binario se refiere a la división de dos grupos que componen parte de una misma cosa. Socialmente, muchas cosas son separadas en dos partes, consideradas opuestas y mutuamente excluyentes. Esta división, además, predispone a que no existan otras posibilidades fuera de esas dos partes: pertenecen únicamente a una categoría y nunca pueden mostrar rasgos de su opuesto. En términos sociales, el binario más conocido es el de hombre y mujer. El mismo ha servido para reforzar, durante siglos, la premisa de que solamente existen dos sexos y, por consiguiente, dos géneros. El binario de género promueve tensiones entre ambos géneros, pues posiciona a los hombres por encima de las mujeres y, a partir de esto, crea un sistema de valorización de roles (Martínez, 2012), objetos (Lafferti, 2019), expresiones y maneras de existir. Otros binarios comunes que vemos en nuestras relaciones interpersonales incluyen homosexual-heterosexual y cisgénero-transgénero. Las formas en las que se oprime a las personas que rompen con el binario pueden ir desde negar su existencia hasta obligarlas a escoger un lado del binario (González Minero et al., 2021).

Las identidades de género fuera del binario de género hombre–mujer

Es un hecho que en la historia del mundo ha habido personas que no necesariamente se han conformado con los géneros hombre o mujer (Robinson, 2020). Esto ha sido especialmente cierto cuando consideramos la cultura eurocentrista y occidental, la cual impone un sistema de categorización de género binario en donde se debe escoger entre hombre o mujer (Shearer, 2019). Aunque esto ha variado en diferentes espacios y tiempos, nos estaremos concentrando en este capítulo en las que son más prevalecientes en la cultura occidental actual.

¿Qué son las identidades *Queer*?

Para hablar sobre las identidades no-binarias, será necesario primero entender la palabra queer, pues ambas palabras están conectadas bajo un trasfondo común. Se piensa que la palabra queer se remonta al siglo XVIII, proliferada a través de países angloparlantes (Somerville, 2007). Inicialmente, esta palabra se utilizaba para referirse a una persona con expresión de género "ambigüa"[21], que podía tener rasgos masculinos al igual que femeninos en base a las expectativas sociales de vestimenta para aquel tiempo. No fue hasta 1940 en donde el término queer comenzó a ser utilizado como un insulto dirigido a cualquier persona que fuese diferente a las expectativas sociales de sexualidad y género, en especial a quienes fueran percibides como homosexuales (Somerville, 2007). Cuarenta años después, en 1980, personas en la academia y otras violentadas por tal insulto lo decidieron reivindicar (Somerville, 2007). Cuando se reivindica un término cuyo uso ha sido despectivo con el fin de violentar a una o más comunidades, dicho acto representa una reapropiación a la palabra bajo la intención de asignarle un uso positivo y de empoderamiento. El uso positivo de la palabra queer significó que ya no se podía utilizar como arma contra las comunidades que lo retomaron (Walks, 2014).

La palabra queer tiene múltiples usos y diversas traducciones del término al español han incluído palabras como "raro", "torcido", y "extraño" (Somerville, 2007). La palabra, además, cuenta con diversos significados dependiendo del contexto, pues pudiese tanto referirse a la Teoría Queer, como también un reemplazo al acrónimo "LGBTTIQAP" (Lesbianas, gay, bisexuales, trans, intersex, queer, asexuales y pansexuales), y a una o varias identidades.

---

[21] Vale mencionar que la ambigüedad en cuanto a la expresión de género de una persona pudiese variar dependiendo del contexto (tiempo y lugar) histórico.

En general veremos que la teoría queer es un marco teórico, en donde se encuentran muchos textos críticos dirigidos a entender las identidades queer y sus experiencias como personas disidentes de las normas socialmente establecidas (Fonseca Hernandez y Quintero Soto, 2009; Somerville, 2007). Según Fonseca Hernández y Quintero Soto, esta teoría "intenta dar voz a estas identidades [periféricas] que han sido acalladas por el androcentrismo, la homofobia, el racismo y el clasismo de la ciencia" (pág. 44). Entre sus propuestas, la Teoría Queer sugiere una ruptura con la manera convencional de ver las identidades de las personas, tanto de forma esencialista como de forma binaria. Autores de la Teoría Queer proponen que nos traslademos del pensamiento de que "nacimos" con ciertas identidades hacia pensar que somos producto de un proceso complejo de socialización a través del cual legitimamos estas identidades y naturalizamos nuestros cuerpos (Martínez, 2014). Parte de este análisis incluye el cuestionamiento sobre si el mundo realmente se divide en los dos géneros categóricos tradicionales de hombre y mujer o si esta idea responde a narrativas impuestas socialmente para ejercer control sobre las personas (Somerville, 2007).

Como se mencionó anteriormente, la palabra queer también ha sido utilizada para reemplazar el acrónimo LGBTTIQAP+. Aunque esto puede tener un gran beneficio al momento de referirnos a todas aquellas comunidades que son de sexo-género diverso, se ha notado un incremento en la comercialización de esta palabra, presentándola como un término nuevo para encajonar a todas las identidades de género y orientaciones sexuales existentes desde una perspectiva homonormativa. Es necesario tener mucha cautela con este acercamiento hacia la palabra queer, pues como habíamos discutido anteriormente, el término no se puede despegar de su historia ni de las intenciones al momento de ser reivindicada.

El uso de "Cuir"

En Puerto Rico, al igual que en otros países latinos e hispanohablantes, se ha comenzado a utilizar una variación criollizada de la palabra queer. Esta variación, escrita como *cuir*, se ha hecho con la intención de apropiarse del idioma y favorecer el tener una palabra en español para nombrar nuestras identidades. A su vez, esta práctica hace una crítica a la pérdida de contexto de la versión anglosajona de la palabra (Díaz Jorge, 2011) debido a la diferencia en idioma y contexto histórico que vivimos les puertorriqueñes en comparación con Estados Unidos y otros países angloparlantes. Para muchas personas cuir, el término queer, que nos llegó desde Estados Unidos, es considerado uno comercializado, capitalista y eurocentrista. Es por esto por lo que se incluye en este capítulo, pues para estas comunidades es sumamente importante utilizar la variación criollizada de la misma.

Algo que es necesario notar es que, en Puerto Rico, el término cuir no es usado de manera intercambiable con el acrónimo LGBTTIQAP+, sino que se refiere a una serie de identidades que se desligan de las nociones normativas sociales relacionadas al género, raza, diversidad funcional, clase y cualquier otro mal social que históricamente ha afectado a dichas comunidades. Se pudiera decir que estas identidades caen dentro del acrónimo en donde se encuentra la "Q" (LGBTI[Q]AP+) en el contexto puertorriqueño.

Las personas "Genderqueer"

Alrededor los años noventa, en Estados Unidos se comenzó a adoptar el término *genderqueer* (en adelante, género cuir) como una identidad utilizada por aquellas personas que no se veían a sí mismas como hombres o mujeres o se sentían como ambes a la vez o como algo en medio (O'Brien, 2009). A pesar de que esta identidad viene influenciada directamente de la Teoría Queer, y de la palabra queer misma, es necesario señalar que no significan lo mismo. Mientras que las primeras dos se refieren a una serie de teorías y a la conglomeración de orientación sexual, identidad de género y expresión de género, la tercera se refiere a una identidad de género específica que surgió como una ramificación de las antes mencionadas. Las personas con dicha identidad de género formaban parte de un movimiento sociopolítico (O'Brien, 2009) que cuestionaba el binario de género como un ente esencial, estático e irremplazable. Además, hay muchas personas de género cuir que se identifican como personas trans, aunque esto siempre estará a discreción de cada individue.

Durante mucho tiempo, la identidad género cuir fue utilizada como un término sombrilla para referirse a una serie de identidades que no conformaban los binarios de géneros, tales como personas de género fluido, agénero, bigénero, dos-espíritus, terceros géneros y muchas otras categorías (Them, 2018). Actualmente, se están utilizando otros términos similares, como el de no-binarie, para referirse a toda una sombrilla de identidades que se salen del binario de género tradicional (Them, 2018).

Las Identidades No-Binarias

Las identidades de género y orientaciones sexuales pueden evolucionar a través del tiempo (Fausto-Sterling, 1999), algo de lo cual la identidad de género cuir no estuvo exenta. Según Them (2018), el término genderqueer comenzó a usarse menos para darle paso a el término sombrilla *no-binarie*, quedando así reclasificado como una identidad de género dentro de dicha sombrilla. Fue así, que se añadió la palabra no-binarie (o no-binaria) al vocabulario de términos que se refieren a toda persona que no se identifica ni como hombre ni como mujer, como ambes a la vez o como algo en medio. Desde la última década, la misma ha reemplazado otros términos (i.e., género cuir, tercer género, género no-conforme y otros similares) debido a que continúan surgiendo una multiplicidad de nuevas etiquetas (i.e., género fluido, bigénero, agénero, pangénero, género no-conforme) (Davidson, 2016). Ante las similitudes entre las etiquetas que fueron emergiendo, fue necesario utilizar un sólo término que las acaparara. La sombrilla incluye a personas que no se identifican como hombres o mujeres (Ej. *genderqueer* o géneroqueer), que se identifican como ambos a la misma vez (i.e., *bigender* o bigénero), o que no sienten que no tienen género (i.e., *agender* o agénero).

Las personas no–binarias también se encuentran debajo de la sombrilla de identidades trans, debido a que la misma incluye a toda persona que se identifica con un género diferente a aquel asignado al nacer[22]. Incluso, hay personas no–binarias que pueden sentir disforia de su cuerpo y, a causa de esto, someterse a procesos quirúrgicos y hormonales afirmativos que moldeen su expresión corpórea conforme al género con el que se identifican (Davidson, 2016). Debido a que las identidades no-binaries no tienen una sola forma de existir, es importante no desarrollar expectativas sobre cómo debe ser la expresión de género ni la orientación sexual que asuman las personas con dichas identidades. Las personas no-binarias también pueden identificarse con cualquier orientación sexual que deseen, tales como gay, lesbiana, bisexual, asexual, pansexual, entre otras.

Cuando revisamos toda la información que hay sobre las necesidades particulares que pueden pasar las personas no-binarias, nos podemos encontrar con que sus identidades no están necesariamente representadas en muchos de los pasados estudios, encuestas o entrevistas dirigidas a recopilar información. Debido a que las personas no-binarias retan los bina-

---

[22] En adelante, estaremos refiriéndonos intercambiablemente a los hombres trans y a las mujeres trans como "personas trans binarias" y a las personas no–binarias que son simultáneamente trans como "personas trans no–binarias."

rios académicos, que históricamente han sido la base para crear estadísticas, muchas de ellas no han logrado ser representadas dentro de los estudios o simplemente han sido conglomeradas dentro de la categoría "transgénero" o "género no-conforme". Esto ha obstruido la recopilación acertada de información necesaria para entender las necesidades de estas comunidades particulares (Davidson 2016). No obstante, existen estudios prominentes que han servido de puente para poder entender más a fondo las vicisitudes que viven las personas no-binarias. Más adelante, estaremos abordando hallazgos de los mismos.

La importancia del Uso del Lenguaje Inclusivo

Hay varios temas que son inseparables a la hora de hablar sobre las personas no-binarias, su influencia en los movimientos sexo-género diversos, y sus necesidades como comunidad. Entre estos se encuentran el lenguaje inclusivo en el español. Esta herramienta es indispensable cuando trabajamos con identidades que no se identifican bajo los géneros tradicionales de hombre y mujer. Esto se debe a que, en la mayoría de los casos, nuestro idioma divide a las personas y objetos en dos géneros. La letra "o" está actualmente asociada a lo masculino, mientras que la letra "a" está asociada a lo femenino. Si estamos trabajando con personas trans binarias, quiérase decir mujeres trans y hombres trans, el uso del lenguaje binario no representaría muchos problemas. Sin embargo, cuando se trata de personas no-binarias y otras que sientan mayor comodidad utilizando pronombres neutros, el uso malintencionado o negligente del femenino y el masculino en el español para referirse a estas personas puede ser un acto sumamente hostil. Insistir en utilizar únicamente estas dos vocales para referirnos a cualquier persona que no se identifica con ellas representaría la acción de borrar a aquellas identidades que han decidido utilizar un lenguaje más inclusivo para referirse a sí mismas. Se debe tener en cuenta también que perpetuamente utilizar de muletilla frases como "todavía estoy aprendiendo sobre lenguaje inclusivo", puede levantar barreras entre la persona a quien se le está comunicando y le emisore. Esto se debe a que, como comunidades no-binarias, llevamos escuchando a las mismas personas repitiendo esta muletilla por muchos años sin presentar ningún tipo de progreso ni intención de cambio. Por las razones anteriormente estipuladas, y las que se presentarán subsiguientemente, es meritorio hacer un esfuerzo como profesional, amigue o aliade de poder conectar con las personas no-binarias de una manera en que se puedan comunicar de manera afirmativa y respetuosa.

Breve introducción a la evolución del lenguaje inclusivo

Hasta hace unos años atrás, la variación de lenguaje inclusivo dentro del español utilizaba el desdoblamiento "todos y todas" para referirse a todo un grupo de personas, contrario al uso tradicional del masculino "todos" para referirse a toda la humanidad. Este método recibió críticas debido a que se creaban muchas discusiones sobre el "alargamiento innecesario" de las oraciones. Ejemplos de esto se daban cuando se mencionaban a varios sujetos que tenían variaciones masculinas y femeninas dentro de una oración. Oraciones similares a "Los maestros, los médicos y los psicólogos son servicios esenciales para todos" se tornaban en oraciones largas, tales como "los maestros y maestras, los médicos y médicas y los psicólogos y las psicólogas son servicios esenciales para todos y todas". Incluso, había muchas personas que optaban por utilizar el femenino como una contrapropuesta al "masculino como neutro" y la dominación histórica de los hombres sobre el lenguaje, pero esto seguía teniendo el problema de que su uso se abalanzaba más a un lado que otro[23]. Para solucionar este problema mu-

---

23   Es meritorio señalar que estas contrapropuestas responden a las luchas que muchas feministas llevaban dando desde ya hace varias décadas y que de ninguna manera debe tomarse la crítica nuestra perspectiva transfeminista para devaluar las aportaciones hechas por las colectivas feministas ni sus aliades.

chas personas comenzaron a utilizar el símbolo de arroba ("@") (Bejarano Franco, 2013) al momento de escribir el género en una oración cada vez que se refiriera a una persona. Es decir, no se utilizaba el "@" para objetos inanimados tales como "espejo" o "luna", sino que se utilizaba exclusivamente para palabras que se refieren a seres humanos, tales como "todos/tod@s" y "amigos/amig@s". Este nuevo uso cortaba por completo el desdoblamiento y evitaba alargar una oración de manera innecesaria y confusa. Con esta modalidad se entendía que se había encontrado la solución al problema, aunque sólo fuese utilizada mayoritariamente a través de canales informales como lo son los mensajes de texto y las redes sociales. No obstante, el uso de la arroba tampoco pasó mucho tiempo sin recibir múltiples críticas, pues no sólo era imposible de pronunciar, sino que también encajonaba a todas las personas únicamente dentro del binario masculino-femenino. Aquellas personas que tenían identidades fuera de hombre y mujer comenzaron a reclamar la falta de inclusividad por parte de los movimientos que habían sugerido el desdoblamiento o el "@" como soluciones.

La introducción de la vocal "e" como género neutro

Luego de un tiempo, el "@" fue reemplazado por el uso de la "x" (Esteban, 2016). Esta práctica estuvo muy presente entre personas dentro de movimientos feministas y queer/cuir tanto en Puerto Rico y Estados Unidos como en América Latina durante la década del 2010. Así, palabras como "todos" y "amigos" se alteraban a "todxs" y "amigxs", mientras que aquellas que tuviesen género, pero que no se refiriesen a seres humanos, quedaban intactas. Este uso creó muchas controversias, pues muchas personas entendían que el uso de esta letra, aparte de ilegible en el lenguaje hablado, era innecesaria porque entendían que el desdoblamiento y la arroba habían resuelto los problemas. Por otro lado, ante la necesidad de tener un lenguaje inclusivo hablado, aquellas mismas personas que utilizaban la "x" comenzaron a buscar otras maneras de crear un lenguaje más inclusivo. Es por esto por lo que eventualmente se utilizarían otras vocales que no fuesen la "o" ni la "a" para referirse a las personas de manera neutral, tales como la vocal "e", la "i" y la "u". Esta letra serviría como un neutro para cualquier palabra que tuviera género para referirse a las personas. Así, toda palabra que anteriormente utilizara desdoblamiento, arroba o la "x" para incluir u omitir el género, comenzaría a utilizar una "e" en la vocal originalmente adherida a un género. Los ejemplos más comunes incluyen (Tabla 1):

Tabla 1

Ejemplos de Uso de Lenguaje Inclusivo a Través del Tiempo

Palabra en español tradicional	Palabra desdoblada	Palabra con uso de "@"	Palabra con uso de "x"	Palabra con uso de "e"
Todos	Todos y todas	Tod@s	Todxs	Todes
Ellos	Ellos y Ellas	Ell@s	Ellxs	Elles
Amigos	Amigos y Amigas	Amig@s	Amigxs	Amigues

Guías de lenguaje inclusivo

El lenguaje inclusivo ha provocado tanto impacto que actualmente existen guías de lenguaje inclusivo, las cuales fueron redactadas con la intención de educar a las personas sobre las maneras en que pueden utilizar el género neutro, al igual que un lenguaje menos racista. Existe una guía puertorriqueña de lenguaje inclusivo y antirracista, redactada por Andrea Zambrana Rosario y publicada a través de la organización de Mentes Puertorriqueñas en Acción (Zambrana Rosario, 2021), quienes a su vez colaboraron con La Escuela de Liderazgo Político y Comunitario y La Sombrilla Cuir para asegurarse de que el documento fuera lo más sensible y acertado posible. La guía no sólo cuenta con definiciones actualizadas sobre cómo las comunidades trans, cuir y no-binarias entienden sus identidades, sino que también incluye datos históricos de cómo evolucionó el lenguaje inclusivo y ejemplos de uso. Este documento ha servido como una herramienta esencial para profesores, maestres, trabajadores sociales, psicólogues, académiques y senadores a nivel isla para tratar asuntos de comunidades sexo-género diversas.

Preocupaciones generales sobre el uso del lenguaje inclusivo

Han surgido algunas interrogantes sobre el lenguaje inclusivo. Por ejemplo, se ha cuestionado si el Lenguaje Inclusivo Español es aceptado por la Real Academia Española (en adelante, RAE), la cual se asume que prescribe cómo debemos usar el español. Si bien es cierto que en la cultura general puertorriqueña se ha tomado el rechazo del lenguaje inclusivo por la RAE como una verdad absoluta, no es menos cierto que como comunidades no-binarias en Puerto Rico hemos decidido abiertamente rechazar dicha imposición. El repudio por parte de las personas no-binarias a los mandatos de la RAE vienen desde tres posibles argumentos: primero, como personas sexo-género diversas que no pertenecen al binario de género masculino-femenino, siempre hemos sido excluídas del español convencional y, por ende, invisibilizadas por la RAE; segundo, como comunidades que vivimos nuestras experiencias estamos conscientes de que el lenguaje puede evolucionar con ellas y que ningún organismo puede detener dicha progresión y; tercero, la RAE proviene directamente desde la tradición española y la era de la colonización, fase histórica que las comunidades trans, cuir y no-binarias generalmente repudian por ser la causante de genocidio y haber traído la imposición religiosa cristiana (y consigo homofobia y transfobia) a los países que hoy conocemos como América Latina. Lo cierto es que, aunque organismos como la RAE emitan comunicados con ordenanzas a los países hispanohablantes sobre el uso "correcto" del español, las personas que lo viven y lo hablan no necesariamente seguirán tales mandatos.

Otras preocupaciones que encontramos cuando hablamos del uso del lenguaje inclusivo es sobre el uso de la "e" como letra neutro. La "e" en el español ya era utilizada por palabras masculinas, como "profesores", "jueces" y "escritores", mientras que estas palabras tenían sus propias versiones en femenino. Sin embargo, una manera en que muches hemos trabajado esta situación es siempre diferenciando el masculino y el género neutro a través de los artículos que acompañan justo antes a la palabra. Por ejemplo, en vez de "los profesores", utilizaríamos "les profesores". De esta manera se hace inconfundible cuando nos estamos refiriendo a un grupo de personas con pronombres masculinos, contrario a un grupo de personas con pronombres neutro. No obstante, muches de les activistas en Puerto Rico y América Latina hemos dejado a disposición de nuestras comunidades utilizar la letra de su preferencia. Por lo cual, si alguna persona desea escribir "lus profesorus" o "lis juecis", siempre tienen la oportunidad de hacerlo.

El uso del lenguaje inclusivo ha causado preocupación entre académiques puertorriqueñes, bajo la idea de que los nuevos pronombres neutros pudieran alargar demasiado las oraciones e incumplir con su objetivo inicial (Esteban, 2019). Es importante recalcar que desde un inicio el uso de la "e" y el lenguaje inclusivo buscaba reemplazar el desdoblamiento (o sea, el uso de "todos y todas" en una oración) como opción inclusiva para romper con el lenguaje convencional. Es por esto por lo que no será necesario escribir "todas, todos y todes", sino que el término "todes", siendo un género neutro que le pertenece a todes, será suficiente.

Necesidades y áreas a mejorar para las personas No–Binarias y Queer

El acceso a exámenes y tratamientos de salud física y salud mental en Puerto Rico ha sido un reto para muchas personas LGBTTIQAP+, en especial para aquellas que no cumplimos con los estándares sociales del género impuesto al nacer. Es importante tomar en cuenta que los estudios más contemporáneos usados en este capítulo sobre acceso a servicios para las personas trans incluyen a las personas no-binarias. Esto se debe a que toda dificultad que puedan enfrentar las personas trans binarias también afecta grandemente a las no-binarias. Esto se debe a que muchas personas no-binarias trans le interesa someterse a diferentes procesos quirúrgicos y hormonales para que su cuerpo vaya acorde con su identidad de género. Es por esto que en muchos estudios veremos que se utiliza la sombrilla trans para explicar cómo las personas no-binarias trans enfrentan prejuicios y obstáculos similares a los que enfrentan personas con identidades trans binarias (Puckett et al., 2018). Además, hay otros retos particulares que las comunidades no-binarias podrían enfrentar al momento de recurrir a servicios médicos.

Algunas de las barreras particulares que hemos pasado muchas personas no-binarias en la medicina incluyen: (a) el desconocimiento por parte de le profesional sobre lo que son las identidades no-binarias, (b) la invalidación por parte de le profesional a la persona no-binaria sobre su identidad, (c) el desconocimiento por parte de le profesional sobre el uso del lenguaje inclusivo; (d) los prejuicios y expectativas sobre lo que debe ser una persona no-binaria; (e) la falta de atemperación de formularios de la oficina para recibir a personas trans y no-binarias, y (f) la falta de sensibilidad ante los retos que viven las personas trans y no–binarias en la medicina[24]. Estos factores podrían provocar que personas de las comunidades no–binarias trans desconfíen en les proveedores de salud, al punto de retrasar sus visitas y dudar si están recibiendo un tratamiento adecuado. Debido a que las identidades no–binaries son consideradas como un concepto relativamente nuevo dentro del contexto puertorriqueño, muches profesionales de la salud pudiesen no estar aún informades al respecto, lo cual se puede volver un gran obstáculo para las personas no–binaries buscando servicios de salud de calidad.

A pesar de no contar con mucha información cualitativa sobre la situación mental, física o económica sobre personas no-binarias en Puerto Rico, podemos observar cómo en diferentes países a través del mundo se ha podido documentar la presencia de estas comunidades. Por ejemplo, existen estudios cualitativos en diferentes países hispanohablantes como México (Gónzalez et al., 2021)[25], Chile (Asociación Organizando Trans Diversidades, 2017) y España (Ministerio de Igualdad, 2020) que se han centrado en las experiencias particulares de las personas trans y no–binarias, y en los cuales se ha explorado los diversos factores y estresores que pudiesen empeorar la situación de vida de dichas comunidades. En su estudio, Gónzalez y les demás autores (2021) documentaron las vicisitudes que las

---

[24] Es necesario recalcar que esta información no fue obtenida de ningún estudio académico, ni es una lista taxativa de todas las barreras que enfrentamos, sino que es un intento de recopilación de experiencias repetitivas entre personas que vivimos estas experiencias en Puerto Rico.

[25] El estudio que les autores llevaron a cabo formó parte de una tesis para obtener su grado como licenciades en Psicología.

personas dentro de la sombrilla no–binarie viven a diario en México[26]. Concluyeron que las identidades fuera del binario están cada vez más presentes dentro del ojo público mexicano y que esto ha permitido visibilizar la inmensa cantidad de violencias que actualmente viven. Algo que diferencia este estudio de los demás es que, no sólo incluyó términos eurocéntricos para nombrar las identidades fuera del binario de hombre y mujer, sino que también incluyó identidades muy allegadas al país de México y regiones específicas del mismo, como lo son las Muxes de Juchitán.

Existen también estudios cuantitativos sobre comunidades no-binarias en Estados Unidos. Dos investigadores realizaron un estudio con personas no-binarias adultas en dicho contexto (Wilson y Meyer, 2021). Encontraron que un 55% de las personas entrevistadas habían reportado haber sido víctimas de violencia física, incluyendo haber sido golpeades y abusades sexualmente. Más de la mitad reportó estar viviendo fuertes estresores tales como no tener dinero para poder cubrir sus gastos básicos (68%), sentirse física y mentalmente agotades por sus trabajos (68%), sentir soledad prolongada (58%) y tener relaciones dificultosas con sus progenitores (60%). El estudio reveló, además, que muchas de estas dificultades las enfrentaron durante su infancia; incluyendo violencias físicas, emocionales y sexuales, así como ser sometides a terapias de conversión.

En cuanto a Puerto Rico, hay un estudio sobre las vivencias de personas trans y género no-conforme puertorriqueñas que incluye datos estadísticos sobre múltiples identidades, entre las cuales se encuentran nueve (9) personas que se identificaron como "genderqueer" (Martínez–Vélez et al., 2019). En este estudio, la mayoría de las personas participantes reportaron

---

[26] Debido a que el estudio de elles fue uno participativo, sería sumamente difícil detallar todas las vicisitudes por las que pasaron las personas no–binarias. El estudio cuenta con alrededor de 300 páginas o más de información y experiencias redactadas de personas no–binarias.

haber pasado por experiencias de discriminación en diversos escenarios sociales, tales como en la escuela y el trabajo, mientras que otras reportaron haber experimentado violencia física en espacios públicos. Además, muches indicaron haber tenido dificultades encontrando servicios médicos afirmativos, debido a la falta de conocimiento por parte de les proveedores de salud y la incomodidad que estes le ocasionaron (Martínez–Vélez et al., 2019).

Por otra parte, en un estudio del 2015 sobre las dificultades que viven las personas LGBTTIQAP+ en las escuelas de Puerto Rico, se documentaron diversas instancias de violencia en las cuales personas sexo-género diversas eran discriminadas por su orientación sexual o identidad de género (Giga, Danischewski, Greytak, Kosciw, & Ocasio-Domínguez, 2017). El estudio, que contó con la participación de estudiantes que se identificaban como no-binarie y genderqueer, muestra un amplio espectro de situaciones a las cuales se enfrentan muches estudiantes LGBTTIQAP+, incluyendo experiencias como: (a) vivir con miedo a usar los baños, (b) presenciar comentarios abiertamente transfóbicos y homofóbicos, (c) confrontar políticas escolares abiertamente discriminatorias contra personas sexo-género diversas, y (d) aguantar acoso físico y verbal por parte de les otres estudiantes, entre otros.

Estatus socioeconómico

Estudios dirigidos a auscultar las necesidades económicas de las personas trans y no-binarias han revelado que estas comunidades son las más desempleadas y empobrecidas entre todas las comunidades LGBTTIQAP+. En un estudio que realizó Davidson (2016), nombrado *Gender inequality: Nonbinary transgender people in the workplace*, se muestran varios factores sociales determinantes para que esto ocurra. Entre los más relevantes se encuentran (a) el discrimen hacia las personas dentro de la sombrilla transgénero y sombrilla no-binaria al momento de entrevistarles; (b) los obstáculos para el uso de los baños, los cuales son divididos por género hombre-mujer la mayoría de las veces; (c) la falta de protecciones en el empleo relacionadas al uso de pronombres, nombre escogido o comprensión de procesos transisivos; (d) el miedo por parte de la persona no-binaria o trans a revelar su identidad de género a la empleomanía; (e) los actos de hostigamiento y amedrentamiento físico o verbales a causa de su identidad de género; (f) los códigos de vestimenta binarios y basados en el sexo asignado al nacer; (g) los conflictos provocados por discrepancias entre la identidad asumida y los documentos entregados al departamento de recursos humanos; y (8) un ambiente de trabajo que promueve el binarismo y que divide a las personas por el sexo asignado al nacer, así obligándoles a escoger entre uno o el otro (Davidson, 2016); así como muchos otros factores similares a los que pasan las personas trans binarias.

Las necesidades de personas no–binarias en el contexto puertorriqueño vista desde las organizaciones

Actualmente en Puerto Rico, la identidad no-binarie está siendo utilizada como término sombrilla para referirse a toda identidad de género fuera del binario de hombre-mujer. Aunque encontraremos a personas a través del archipiélago que nos consideramos género cuir (o genderqueer), hay un consenso general de utilizar no-binarie para referirse a un colectivo completo que se identifica fuera del binario de género hombre-mujer.

Debido a que las comunidades no-binarias y cuir como identidades son unas que se encuentran emergiendo en Puerto Rico, hay escasez de información y estudios médicos o psicológicos que hablen sobre las experiencias de estas en nuestro contexto. Actualmente, la información recopilada apunta a que la existencia de personas no–binarias se puede remontar al 2013[27], donde se comenzó a hablar sobre identidades de género cuir. No obstante, existe mucha información recopilada y compartida por diferentes organizaciones de base comunitarias lideradas por personas no–binarias, como lo son La Sombrilla Cuir, EspicyNipples, Pólvora Colectiva Cuir, Puerto Rico Trans Youth Coalition y otras colectivas que han sido parte de la visibilización y empoderamiento de las personas cuir y no–binarias a nivel de Puerto Rico.

Parte de las vicisitudes que han vivido las personas no-binarias en Puerto Rico, a nivel social público, incluye (1) la falta de acceso a servicios médicos físicos y mentales; (2) la falta de fondos que atiendan las necesidades de estas comunidades en particular; (3) la escasez de leyes que cobijen específicamente a las personas no-binarias; (4) la violencia que sufren ante las instituciones en cuanto al uso de documentos oficiales y políticas de inclusión; (5) la falta de visibilización ante los medios y el ojo público, y (6) el discrimen en el empleo, entre otras. Además, grupos como La Sombrilla Cuir han reportado cómo otras organizaciones LGBTTIQAP+ lideradas por hombres gays y mujeres lesbianas han discriminado, invisibilizado y desinformado sobre las identidades de personas cuir y no–binarias en Puerto Rico[28].

---

[27] Es importante señalar que este dato viene desde mi propia experiencia como persona que salió abiertamente como "activista *genderqueer*" en 2013, lo cual a través del tiempo se transformó en "activista *genderqueer* bajo la sombrilla no–binaria y trans".

[28] Información obtenida de diferentes publicaciones a través de las redes sociales de La Sombrilla Cuir.

Conclusiones

A pesar de ser consideradas comunidades puertorriqueñas emergentes, las personas no-binarias y cuir han acaparado el ojo de muches dentro de la última década. Aún entendiendo que las experiencias pueden variar con respecto a las de aquellas personas no-binarias y cuir de otras partes del mundo, podemos sólo imaginar las vicisitudes que se viven en nuestro contexto puertorriqueño. Es a través de las mismas organizaciones y el arduo trabajo de las personas no-binarias, cuir y aliadas que se ha podido visibilizar y documentar algunas de ellas en Puerto Rico. Además, son innegables las grandes aportaciones traídas por líderes no-binaries y cuir para la comprensión más amplia de la situación de las comunidades a las que pertenecen.

Es necesario desarrollar más investigaciones para que las comunidades no-binarias y cuir puedan contar con una mayor recolección estadística sobre las necesidades que ameritan a sus comunidades en específico. Es meritorio también que desde todos los sectores, incluyendo los escenarios de salud, los medios y todo tipo de institución legitimada ante el Estado, reconozcan la existencia de dichas comunidades y estén en la disposición de hacer todo lo posible por traerles una calidad de vida más digna. El empoderamiento de estas comunidades para poder desarrollar sus propias organizaciones, estadísticas y destino debe ser parte de las agendas futuras para poder garantizar esto.

Por último, debemos considerar las identidades de género puertorriqueñas que pudiesen ser parte del gran espectro de identidades no-binarias, tales como lo son la de "ponka" y "bucha". A pesar de que históricamente estas etiquetas han sido usadas de forma despectiva hacia hombres gays y mujeres lesbianas, ha habido una evidente transición al uso de las mismas de manera empoderante y transgresiva de normas heteronormativas y homonormativas dentro de los movimientos LGBTTIQAP+. Será necesario que no se le reste mérito a estas y otras identidades similares que surjan desde nuestro contexto sociopolítico, así como ocurrió con las identidades de género cuir en algún punto de la historia occidental.

Referencias

Asociación Organizando Trans Diversidades (2017). *Encuesta T-- Octubre 2017. Primera encuesta a población trans en Chile, octubre 2017.* Organizando Trans Diversidades. https://otdchile.org/wp-content/uploads/2020/05/Informe_ejecutivo_Encuesta-T.pdf

Bejarano Franco, M. T., (2013). El uso del lenguaje no sexista como herramienta para construir un mundo más igualitario. *Vivat Academia*, (124), 79–89. doi: https://doi.org/10.15178/va.2013.124.79–89

Davidson, S. (2016). Gender inequality: Nonbinary transgender people in the workplace. *Cogent Social Sciences*, 2(1). https://doi.org/10.1080/23311886.2016.1236511

de la Fuente Díaz, I. N. (2020). Retos y trayectoria hacia un activismo más inclusivo. Boletín Diversidad, 11(2).

de la Fuente Díaz, I. N. (2021). Las comunidades no-binarias en Puerto Rico: Retos y resistencia. *Boletín Diversidad*, 12(2).

Díaz Jorge, & Rivas San Martín, F. (2011). Diga queer con la lengua afuera: sobre las confusiones del debate latinoamericano. En *Por Un feminismo sin mujeres: Fragmentos del Segundo circuito disidencia sexual* (pp. 59–75). ensayo, Editorxs.

Esteban, C. (2016). Hacia un lenguaje inclusivo no binomial. *Boletín diversidad, 7*(1), 2–3. https://rb.gy/nb7gc

Esteban, C. (2019). El uso de la e ¿lenguaje inclusivo o exclusivo? *Boletín Diversidad, 10*(1), 3. https://rb.gy/mh802

Fausto Sterling, A. (1999). *Sexing the body*. Basic Books.

Fenway Institute (2016, noviembre 15). *Providing Affirmative Care for Patients with Non-binary Gender Identities*. National LGBT Health Education Center.

Fonseca Hernández, C., & Quintero Soto, M. L. (2009). La teoría queer: La de-construcción de las sexualidades periféricas. *Sociológica*, 24(69), 43–60. https://www.scielo.org.mx/pdf/soc/v24n69/v24n69a3.pdf

Giga, N. M., Danischewski, D. J., Greytak, E. A., Kosciw, J. G., & Ocasio–Domín-guez, S. (2017). *The Puerto Rico School Climate Survey: The experiences of lesbian, gay, bisexual, transgender, and queer youth in Puerto Rico's schools.* Gay, Lesbian and Straight Education Network.

Hernández Guzmán, I. M., Rojas Jarquín, E. R., & González Minero, P. (2021). Las identidades no binarias dentro de un binarismo contextual mexicano. *Universidad Autónoma Metropolitana. Unidad Xochimilco.* https://doi.org/https://repositorio.xoc.uam.mx/jspui/handle/123456789/23155

Lafferty, M. (2019). The Pink Tax: The persistence of gender price disparity. *Midwest Journal of Undergraduate Research, 11,* 56–72. http://research.monm.edu/mjur/files/2020/02/MJUR–i12–2019–Conference–4–Lafferty.pdf

Martinez–Velez, J. J., Melin, K., & Rodriguez–Diaz, C. E. (2019). A preliminary assessment of selected social determinants of health in a sample of transgender and gender nonconforming individuals in Puerto Rico. *Transgender Health,* 4(1), 9–17. https://doi.org/10.1089/trgh.2018.0045

Martínez, A. (2014). Los cuerpos del sistema sexo/género. Aportes teóricos de Judith Butler. *Revista De Psicología,* (12), 127–144. https://revistas.unlp.edu.ar/revpsi/article/view/1099

Ministerio de Igualdad. (2022). *Estudio sobre las necesidades y demandas de las personas no binarias en España 2022.* Dirección General de Diversidad Sexual y Derechos LGTBI. https://www.igualdad.gob.es/ministerio/dglgtbi/Documents/Estudio_no_binarios_accesibilidad.pdf

National LGBT Health Education Center. (2016). *Providing affirmative care for patients with non–binary gender identities.* Fenway Institute. https://rb.gy/chwok

O'Brien, J. (2009). Genderqueer. In *Encyclopedia of gender and society* (Vol. 1) (pp. 370–371). SAGE Publications.

Puckett, J. A., Cleary, P., Rossman, K., Mustanski, B., & Newcomb, M. E. (2018). Barriers to gender–affirming care for transgender and gender nonconforming individuals. *Sexuality Research & Social Policy,* 15(1), 48–59. http://doi.org/10.1007/s13178–017–0295–8

Rivas, F. (2011). Diga queer con la lengua afuera: Sobre las confusiones del debate latinoamericano. En F. Rivas (Ed.), *Por un feminismo sin mujeres: Fragmentos del segundo circuito disidencia sexual* (pp. 59–75). Editorxs Coordinadora Universitaria por la Disidencia Sexual.

Robinson, M. (2020). Two–spirit identity in a time of gender fluidity. *Journal of Homosexuality, 67*(12), 1675–1690. https://doi.org/10.1080/00918369.2019.1613853

Shearer, J. (2019). Enforcing the gender binary and its implications on nonbinary identities: An exploration of the linguistic and social erasure of nonbinary individuals in the United States. *Alpenglow: Binghamton University Undergraduate Journal of Research and Creative Activity, 5*(1), Article 7. https://orb.binghamton.edu/cgi/viewcontent.cgi?article=1084&context=alpenglow-journal

Somerville, S. B. (2007). Queer. In B. Burgett & G. Hendler (Eds.), *Keywords for American cultural studies* (pp. 187–191). NYU Press. http://www.jstor.org/stable/j.ctt9qfg90.53

Them. (2018). *Do you know what it means to be genderqueer?* https://www.them.us/story/inqueery-genderqueer

Walks, M. (2014). "We're here and we're queer?": An introduction to studies in queer anthropology. *Anthropologica, 56*(1), 13–16. http://www.jstor.org/stable/2446963

Wilson, B. D. M., & Meyer, I. H. (2021). *Nonbinary LGBTQ adults in the United States.* Williams Institute.

Zambrana Rosario, A. (2021). *Guía de lenguaje inclusivo y antirracista.* Mentes Puertorriqueñas en Acción, Inc. https://www.mentesenaccion.org/guiaspasantias

Capítulo 8
Transitando en los Vínculos Afectivos

Laura Bisbal Vicéns, PsyD
Jessica Rivera Vázquez, M.S.

"Si el sexo está reprimido, es decir, destinado a la prohibición,
a la inexistencia y al mutismo, el solo hecho de hablar de él,
y de hablar de su represión, posee como un aire de transgresión deliberada."
Michel Foucault (1977, p. 13)

La sexualidad ha sido uno de los espacios más regulados a través de la historia. Es uno de los objetivos principales de la gesta normalizadora que se manifestó en el campo de distintas disciplinas como la psiquiatría, el derecho y la literatura (Foucault, 1977). La regulación de la sexualidad, en tanto dispositivo, requirió el establecimiento de lugares, mecanismos de observación y registro de las prácticas y deseos sexuales como forma específica de control sobre los cuerpos. Cuando se habla sobre aspectos de género, como identidad, lo antes mencionado tiene un impacto en las personas de experiencia trans. Tanto así, que en la década de los 80's en el Manual Diagnóstico y Estadístico de los Trastornos Mentales tercera edición (DSM III, por sus siglas en inglés), la experiencia trans estaba clasificada como una condición de salud mental nombrada como Transexualismo (Rodríguez Madera et al., 2015). Con la cuarta revisión del DSM, el mismo fue sustituido por el Trastorno de Identidad de Género, el cual podía ser diagnosticado en la niñez, adolescencia o adultez (American Psychiatric

Association [APA], 1994). Más recientemente, y para disminuir que las personas trans fueran patologizadas y estigmatizadas, en la quinta revisión, el DSM V (APA, 2014) el Trastorno de Identidad de Género se sustituye por el Disforia de Género, para referirse a la incomodidad de habitar un cuerpo "equivocado". No obstante, Lev (2013) establece que a pesar de las transformaciones en los diagnósticos y esto ser un adelanto, continúa perpetuando el que se vea como un trastorno de salud mental.

Como consecuencia de la patologización de la comunidad trans, una de sus mayores dificultades es compartir su historia e identidad (Duran & Nicolazzo, 2017), dado que puede traer consecuencias violentas y procesos de pérdidas en distintas áreas como la laboral y las relaciones interpersonales (Sevilla–Rodríguez et al., 2019). De hecho, estudios reflejan que las tasas de depresión, ansiedad y angustia en las personas trans eran significativamente elevadas al compararse con una muestra de mujeres y hombres cisgénero (Bockting et al., 2013; Fredriksen–Goldsen et al., 2014). Con relación a lxs jóvenes trans, Clark et al. (2015), encontraron que tienen mayor riesgo de quitarse la vida, depresión, maltrato y conductas de autodaño como automutilación. Según Rodríguez Madera et al. (2015), algunas dificultades en el área de salud y psicosocial de las personas trans son: alto porcentaje de casos con VIH, uso problemático de alcohol y drogas, actividades sexuales de alto riesgo, falta de asistencia a servicios de salud con su debida frecuencia (Ej. PAP), pensamientos suicidas, sexo sin protección, entre otros. Por tales razones, el apoyo social y los vínculos afectivos son factores de protección para las personas, en especial para grupos marginados y excluidos socialmente (Arango, 2003).

Arango (2003) establece que los humanos buscan apoyo de otras personas para enfrentar situaciones y satisfacer necesidades. En el caso de la comunidad trans, es aún más importante contar con fuentes de apoyo dado a que sufren de exclusión social y marginación. "El desarrollo de la identidad de género interviene en elementos de tipo social, cultural y psicológico¨ (Ruiz Cortés, 2017, pág. 11). Muchas veces las relaciones interpersonales son un factor de estrés dado que los estándares sociales fomentan la heteronormatividad y simplifican la identidad de género viendo el género como algo polarizado (blanco-negro), natural y biológico (pene-masculino, vulva-femenino), invalidando así la experiencia de las personas trans.

De manera prospectiva, deseamos aclarar que cuando se utiliza el término trans, se hace referencia a la definición de transgénero de la Asociación Americana de Psicología (APA) (2015), que lo define como término sombrilla para hacer alusión a las personas que transgreden los constructos tradicionales del sexo y el género. Esto incluye identidades tales como transexual, andrógeno, transformismo, travestismo, género cuir, entre otros (APA, 2015; Stryker, 2008). De igual forma, a través de este capítulo utilizaremos lenguaje inclusivo al incluir la letra "x".

En este capítulo presentaremos las investigaciones que se han realizado sobre las personas trans y sus vínculos afectivos. Existen diferentes formas de relacionarse y desarrollar diversos vínculos con las personas, por lo que se recopilaron diferentes estudios con relación a los vínculos familiares, de amistad, romántico-afectivo, virtuales y sexuales. La literatura de las personas trans es una muy limitada debido a que la mayoría de los estudios que se han realizado se han enfocado en las relaciones heterosexuales entre personas cisgénero (Savin-Williams, 2019) y los estudios sobre la comunidad LGBT+ cuentan con una representación mínima de las personas trans.

A continuación, se presentará la literatura encontrada, la cual hemos organizado en las siguientes categorías: (a) relaciones familiares, (b) amistad, (c) ámbito académico, (d) relaciones virtuales, (d) sexualidad y (e) violencia.

Relaciones Familiares

Las primeras relaciones que se tienen con la llegada al mundo son con nuestrxs cuidadorxs. Se espera que en la familia, la persona aprenda los valores, estilos de comunicación, roles de género y formas de relacionarse con otras personas, entre otros (Rodríguez et al., 2007). En las comunidades latinas se establece como un valor cultural significativo el *familismo*, refiriéndose a la sensación de apego, compromiso y lealtad hacia lxs miembrxs de la familia, el cual incluye la familia extendida (Zea et al., 1994). Un escrito realizado por Abreu et al. (2019) plantea que el familismo prioriza las necesidades de la familia sobre las del individuo. Como consecuencia, las normas dentro de las familias latinas pueden promover negatividad hacia la comunidad LGBT+. De hecho, el familismo puede influir en las expectativas de hijxs, así como de padres y madres, llegando a promover la heteronormatividad y degradar las identidades LGBT+ latinas (Cauce & Domenech-Rodríguez, 2002). El apoyo y la aceptación familiar son factores importantes para su salud mental y el desarrollo de su identidad (Bhattacharya et al., 2020). Parker y Benson (2004) reportaron que las personas que perciben apoyo de sus cuidadorxs tienden a tener menos conductas de riesgo comparado con quienes no perciben apoyo. El apoyo familiar se asocia también a mayor empleo, seguridad de vivienda y menos intentos suicidas en personas trans (James et al., 2016). Por el otro lado, Ruiz (2017) estableció que un 60% de las personas trans tienen diagnósticos de depresión y mayor riesgo de contraer VIH asociado a falta de aceptación familiar; algo que Pastrana (2015) resalta también, cuando establece que el apoyo familiar es un predictor positivo para el bienestar emocional y para la experiencia de divulgación de la identidad de género u orientación sexual diversa.

Otros de los valores culturales de las personas latinas se relaciona con la religión, mayormente judeocristiana (Zea et al., 1994). La religión puede ser un factor protectivo para ciertas personas (Akerman et al., 2020; Gattis et al., 2014), y a su vez, dependiendo de la afiliación específica, puede fungir como un espacio de exclusión y factor de riesgo (Campbell et al., 2019; Gattis et al., 2014). Esto se debe a que se ha evidenciado que "la religión es típicamente un predictor de anti-socialidad intergrupal" (Campell et. al, 2019, p.2). Del mismo modo, puede predecir la gran mayoría de formas de prejuicio hacia la comunidad LGBTQ+ (Campell et. al, 2019; Corrales, 2015; Dworkin y Yi, 2003). En la actualidad, las comunidades con orientación sexual diversa han recibido mayor apertura por ciertos subgrupos religiosos en América Latina al compararse con otros momentos históricos (Corrales, 2015). Sin embargo, el lograr ese tipo de apertura continúa siendo una ardua batalla para las personas trans (Kashubeck-West et al., 2017). De hecho, la religión fundamentalista ha sido uno de los grandes obstáculos para que la comunidad trans pueda obtener sus derechos humanos (Corrales, 2015). Desafortunadamente, continúan existiendo afiliaciones religiosas que promueven la discriminación y opresión hacia las personas pertenecientes a la comunidad LGBT+, específicamente al sector trans (Campbell et al., 2020)

En el 2010 se realizó una encuesta que incluyó participantes latinxs que encontró que un poco más de un tercio (35%) de las personas LGBT+ están encerradas en sus comunidades religiosas (Pastrana et al., 2017). Este estudio evidencia que las prácticas y creencias religiosas pueden reforzar los roles patriarcales de género y actitudes conservadoras hacia la sexualidad entre lxs latinxs (Severson et al., 2014).

En resumen, las investigaciones coinciden en cómo algunos valores culturales de las personas latinas impactan las expresiones diversas de género, y tener apoyo familiar minimiza el riesgo de tener condiciones de salud mental como depresión, y condiciones físicas como VIH/SIDA, entre otros. En la próxima sección abordaremos el área de las relaciones de amistad y el impacto que tiene en las personas trans.

Lazos de amistad

La amistad entre pares es uno de los distintos vínculos sociales que se construyen en espacios donde las personas pueden conectar íntimamente a nivel emocional, intelectual, cultural, filosófico, espiritual, e incluso sexual (Furman & Shaffer, 2011). Se parte de la premisa del concepto de *homofilia*, que implica que las personas tienden a asociarse con otras que presenten similitudes entre sí (Jones et al., 2022), o como bien lo resumen McPherson et al. (2001, p. 416): "la similaridad crea conexión".

Las relaciones de amistad entre personas trans, no binarias y/o cuir retoma un significado central en la formación de sus identidades a lo largo del tiempo (Mellman, 2017). Es por tal razón, que la presencia de este tipo de vínculo resulta ser un factor protector para las personas trans, dado a que las relaciones son una fuente de apoyo que influye en su bienestar emocional (Mellman, 2017). Por ende, se considera como un factor de resiliencia que puede ayudar a afrontar las disparidades que enfrentan las personas trans (Mellman, 2017); algo que no debe de sorprender, ya que se ha documentado el impacto que el vínculo de la amistad tiene en poblaciones cisgénero heterosexuales (Fiori, et. al, 2020) y/o LGB (Muraco, 2006; Power, et. al, 2015). Por consiguiente, es imperativo resaltar este vínculo como uno esencial, complejo y dinámico para las poblaciones minoritarias, como las personas de experiencias trans.

Boyer y Galupo (2018) realizaron una investigación de corte descriptivo con el objetivo de dar a conocer las dinámicas de patrones de amistad cercana con la población trans y no binaria (N=495). Igualmente, tomaron en cuenta la afiliación de las personas al colectivo LGBT+ y exploraron si los patrones de amistad cercana diferían entre las subpoblaciones (hombres trans, mujeres trans, y personas no binarias). Los resultados del estudio revelaron que la mayoría de las personas trans que se identificaban con el colectivo LGBT+ presentaban mayor cantidad de amistades género diversas (versus cisgénero) y con orientaciones sexuales diversas (versus heterosexuales). Mientras que las personas trans que no se sentían afiliadxs al colectivo LGBT+, es decir, que no se sentían identificadxs con la comunidad, presentaban mayor cantidad de amistades cisgénero y heterosexuales. Debido a que aquellas personas trans fuera del colectivo tienden a presentar dinámicas muy distintas de amistad a diferencia de aquellxs que forman parte del colectivo, Boyer y Galupo (2018) concluyeron que el sentido de unidad al colectivo garantizaba un impacto significativo en patrones de amistades con personas género diversas. Por otra parte, dicho estudio encontró otra diferencia importante entre las subpoblaciones: los hombres trans presentaron una mayor cantidad de amistades género diversas y LGB, mientras que las mujeres trans presentaron mayor cantidad de amistades que no eran LGBT+. Por último, la población no binaria mantuvo sus dinámicas de amistad dentro del colectivo LGBT+ sin diferencias adicionales.

Otro estudio profundizó en las barreras y beneficios que proveen los diferentes tipos de vínculos de amistad, tanto con personas cisgénero/heterosexuales, género diversas/LGB, trans, y no binaria (Galupo et. al, 2014). Por ejemplo, en las relaciones de amistad en personas cisgénero/heterosexuales no se discuten asuntos de género con frecuencia, y como resultado las personas trans y no binaria se benefician porque sienten que pueden encajar con las identidades normativas. No obstante, como barrera en este tipo de vínculos, se presentan dificultades con la validación de las identidades, las microagresiones, así como en las interacciones y la necesidad de educar constantemente sobre temas de transición o vivencias no-normativas. Por otro lado, las relaciones de amistad con personas género diversas/ LGB permite un mayor entendimiento de las experiencias no-normativas y crea un sentido de pertenencia (Stone et. al, 2019). Aunque, algunas de las barreras conlleva a la invalidación de la experiencia propia por otras identidades no-normativas de mayor privilegio y/o el miedo de que su identidad de género sea revelada (Galupo et al., 2014).

Por otra parte, la variable del género nos obliga a contemplar las intersecciones que subyacen en las experiencias trans dentro del espacio de la amistad, ya que la construcción de roles, esquemas y dinámicas interpersonales se dejan regir por dicha variable dependiendo del contexto sociocultural que se evalúe. Por ejemplo, Zitz (2014) estableció que los hombres trans presentan unas dinámicas de amistad muy distintas a la de las mujeres trans, principalmente, por la hegemonía que transmite la masculinidad. Es decir, pudo documentar que las relaciones de amistad de hombres trans con personas de otros círculos LGB suelen producir cambios y negociaciones entre las partes, mayormente, porque aquellos hombres trans que en un inicio formaron parte de la comunidad lésbica, les toca realizar una asimilación y deconstrucción de su privilegio masculino el cual han adquirido. Por otra parte, las relaciones de amistad con mujeres trans resignifican sus experiencias al perder y/o retar el privilegio circunscrito al nacer lo cual provoca que se encuentren susceptibles a crear conflictos relacionados específicamente a su "condición" de ser mujer. Como resultado, dichas relaciones de amistad implican que se reevalúen sus entendidos, dinámicas, y conflictos.

En resumen, las relaciones de amistad son importantes para el desarrollo humano y cuando hablamos de las personas trans, se convierten en un factor protector. Las investigaciones encontradas coinciden en que las personas trans que se identifican con la comunidad LGBT+ tienden a tener más amistades de género diverso que las personas que no se identifican con el colectivo. En la próxima sección abordaremos el impacto que tiene en las personas trans los vínculos en el ámbito académico.

Ámbito Académico

En Puerto Rico, la educación es reconocida como un derecho fundamental en la medida que toda persona tiene derecho a una educación que le permita desarrollar su personalidad y que fomente el respeto de los derechos humanos y la libertad de fundamentos (Meléndez García, 2022). ¿Qué ocurre cuando se habla de una comunidad marginada como las personas trans?

En la Encuesta Estadounidense Trans del 2015 participaron 27,715 donde 1,473 se identificaron como personas latinas o hispanas; 35% personas no binarias, 33% hombres trans, 31% mujeres trans y 1% como travesti. En cuanto al nivel de escolaridad, un 44% tenía algunos estudios universitarios sin titulado, 20% bachillerato, 13% escuela superior, 10% licenciatura de dos años, 9% posgrado/doctorado o título profesional, y un 4% no terminó escuela superior.

Con respecto al empleo, el 27% de las mujeres trans, 18% de las personas no binarias y el 15% de los hombres trans se encontraban sin empleo. Un 45% de las mujeres trans, el 43% de las personas no binarias y el 36% de los hombres trans se encontraban viviendo en pobreza. Un 74% de lxs participantes reportó maltrato en algún momento entre Kinder y grado 12. Poco más de la mitad (52%) recibió violencia verbal (61% de las mujeres trans), el 24% agresión física (40% de las mujeres trans) y el 16% fueron asaltadxs sexualmente por ser trans (28% de las mujeres trans). El 16% reportó haberse dado de baja de la escuela asociado al maltrato (21% de las mujeres trans) y un 7% fue expulsadx (12% de las mujeres trans). Se puede observar cómo las personas de experiencia trans, en especial las mujeres trans, tienen un riesgo significativo a la violencia en los espacios académicos. Este panorama evidentemente tiene un impacto en el estatus socioeconómico y las oportunidades de empleo de esta población. A continuación se presentarán diversas investigaciones y literatura sobre el impacto en el área académica que tienen las personas trans.

Duran y Nicolazzo (2017) realizaron una investigación para explorar cómo lxs estudiantes trans navegaban sus relaciones académicas, románticas y sociales. En el área académica, los resultados reflejaron las preocupaciones de lxs estudiantes trans sobre la facultad de la universidad, expresando la necesidad de la creación de espacios seguros, donde se puedan expresar. Lxs participantes reportaron que la facultad fracasaba en atender las declaraciones problemáticas e incorrectas de parte de otrxs estudiantes o realizaban tales declaraciones ellxs mismos (refiriéndose a la facultad) provocando que lxs participantes se sientan en la obligación de educar a otras personas o defenderse bajo su propio riesgo. En ocasiones, lxs participantes expresaron sentirse como sujetos de estudios, en vez de estudiantes en sí, causando que permanecieran en silencio en el salón de clase, tomando un rol pasivo, o utilizando su identidad de género para ser escuchadxs. De igual forma, lxs participantes identificaron los elementos que les ayudaban a sentir más seguridad en el salón de clases como por ejemplo, que lxs profesores incluyera una cláusula en su prontuario que diga que se respetan todas las identidades o preguntar a lxs estudiantes por sus pronombres y nombres.

En resumen, podemos observar cómo el desapego y falta de apoyo es uno de los factores de riesgo para la comunidad trans en el contexto académico (Navia et al. 2021). Bajo desconocimiento, las personas cisgénero pueden asumir los roles de género y pronombres de las personas trans generando un clima de discriminación y exclusión. Esto tiene un gran impacto en las relaciones interpersonales y proceso de aprendizaje de las personas trans en el área académica. En el próximo subtema, se establecerán las dificultades y factores protectivos en las relaciones románticas-afectivas.

Relaciones románticas y afectivas

Las relaciones románticas y afectivas son parte importante de la vida humana. Varios estudios han evidenciado el impacto que tienen este tipo de relaciones en la salud física y emocional de las personas. Por ejemplo, Robles y Kiecolt-Glaser (2003), establecieron que las personas que están en relaciones románticas tienden a tener menos condiciones de salud física y emocional al compararse con las personas que no están en estas relaciones. Sin embargo, otras investigaciones con parejas mixtas, que incluyen a una persona que es estigmatizada y marginalizada socialmente, han evidenciado el impacto de las relaciones en la salud mental y en el bienestar (Gamarel, et al., 2019). Un ejemplo es la investigación de Gamarel et. al (2019), en la que reclutaron 191 parejas, que consistían de mujeres trans y sus compañeros hombres cisgénero-heterosexuales, para explorar la asociación entre el estigma interpersonal y el malestar psicológico. En términos generales, los resultados sugieren que las mujeres trans que reportaron experimentar estigma interpersonal en su relación de pareja, también presentaron mayores síntomas de depresión. A su vez, cuando su pareja, hombre cisgénero-heterosexual, reportaba estigma interpersonal hacia su relación de pareja, devaluaba la calidad de la relación con su pareja y generaba sintomatología ansiosa (Gamarel et al., 2019). Se encontró también que las mujeres trans que presentaron mayor compromiso hacia su relación de pareja, experimentaron menos asociaciones entre el estigma interpersonal y malestar psicológico (Gamarel et al., 2019).

Por otra parte, Platt y Bolland (2017) realizaron un estudio cualitativo con una muestra de participantes que tenían una relación romántico-afectiva con personas trans (N=21). El propósito de esta investigación era poder explorar los elementos experienciales hallados en este tipo de relaciones mixtas. Los hallazgos reflejan que se deben tomar consideraciones físicas, sexuales y de intimidad emocional para manejar la disforia corporal y las necesidades particulares pre o post transición de la persona trans. Igualmente, lxs participantes cisgénero, por su parte, tenían que reflexionar y asimilar nuevas formas de re-significar su orientación sexual tomando en cuenta la identidad de género trans de su pareja (Platt y Bolland, 2017). Al mismo tiempo, la gran mayoría de lxs participantes reportaron experimentar mucha preocupación e inquietud por la seguridad física y emocional de sus parejas trans ante la transfobia y la violencia social. De igual forma, elaboraron sobre la marginación y sentimientos de aislamiento que experimentaban al no sentirse que son aceptadxs en la sociedad por estar con parejas trans. Indicaron también que gracias a sus parejas trans han podido flexibilizar sus propios roles de género, aceptar positivamente la diversidad, y convertirse en defensorxs de los derechos de las personas trans. En particular, reflexionaron sobre el privilegio de género impuesto socialmente.

Otro estudio realizado por Duran y Nicolazzo (2017) exploró las maneras en que lxs estudiantes trans navegaban relaciones sociales, románticas y académicas. Lxs autorxs encontraron que, en el área romántica, a lxs estudiantes trans se les hacía difícil conocer a personas dado a los roles de género que las potenciales parejas o parejas existentes le atribuían, consciente e inconscientemente (e.g., uso de pronombres). Lxs participantes reportaron atravesar dificultades para divulgar su identidad de género cuando estaban saliendo con alguien. Aquellxs que tomaron la decisión de no compartir su identidad de género, sus parejas lo tomaban como una traición. Lxs participantes expresaron lo que aspiraban que ocurriera en una relación de pareja indicando desear que su pareja acepte y abrace su identidad de género. Expresaron también el no desear educar a sus parejas, si no podían ser ellxs de manera auténtica. Socialmente, se tiene la expectativa que las personas trans deben educar a otras sobre su identidad de género y no se les da el espacio y el permiso para sentir comodidad con la persona a quien están conociendo.

No obstante, a pesar de las barreras identificadas en las investigaciones mencionadas, también se ha podido constatar los cambios en la afectividad hacia las identidades no-normativas, lo cual es un aspecto de adaptación, flexibilidad y receptividad para las identidades trans (Galupo et al., 2018). Un ejemplo de esto lo establece Galupo et al. (2018) con una investigación tipo cuantitativa en la que administraron cuestionarios a una muestra de personas trans no-binarias (N=161). El objetivo era recopilar las microafirmaciones por parte de las parejas actuales de personas trans-binarias. Los hallazgos demostraron que las microafirmaciones estaban compuestas por validación hacia la identidad trans no-binaria, conductas y acciones comprometidas hacia el lenguaje afirmativo, constante auto-educación y defensividad participativa a favor de su pareja en múltiples escenarios y contextos socioculturales (Galupo et al., 2018).

En conclusión, las relaciones románticas tienen un impacto en el desarrollo humano, tanto así que investigaciones establecen su influencia en el estado de ánimo de las personas y en la salud física de las personas trans. Cuando se habla de las relaciones románticas-afectivas en las personas trans, se les hace más difícil establecer relaciones por su identidad de género, particularmente por el estigma, los roles de género, el desconocimiento social, entre otros. En la próxima sección se elaborará sobre las relaciones virtuales y el impacto en la comunidad trans.

Relaciones Virtuales

Las redes sociales han adquirido gran importancia en las relaciones interpersonales dado a que se comparten diversos datos personales como: intereses, gustos, fotos, videos, datos de orientación sexual, identidad de género, entre otros (Cornejo & Tapia, 2011). Esto puede ser tanto beneficioso como riesgoso para algunas comunidades, en especial las marginadas y excluidas socialmente.

Si tomamos la adolescencia como ejemplo, esta es una etapa de desarrollo que se caracteriza por el cuestionamiento y la formación de la identidad de género, roles sociales, y sentido de pertenencia. En la misma, se comienza también a tener más interés y preferencia por las amistades que las relaciones familiares (Araya et al., 2021). Como consecuencia, los vínculos afectivos fuera del núcleo familiar comienzan a jugar un rol protagónico e importante. Las experiencias románticas pueden ser positivas o negativas, impactando esta etapa del desarrollo. Araya et al. (2021) establecen que las experiencias románticas pueden tener un impacto positivo en las relaciones románticas de etapas futuras. De tener un impacto negativo, puede llevar a reprimir emociones y pensamientos asociados al temor de abandono, el cual se relaciona con síntomas de depresión.

Se estima que en los Estados Unidos hay 150,000 adolescentes entre las edades de 13 a 17 años que se identifican como trans, género diverso y/o género no conforme (Flores et al., 2017). Diferentes investigaciones como la de Corriero y Tong (2016), por ejemplo, establecen que a los hombres cisgénero que han tenido sexo con otros hombres cisgénero se les dificulta la divulgación de su orientación sexual y conectar con otras personas a través de aplicaciones geosociales (e.g., Tinder, Grindr). Araya et al. (2021) realizaron un estudio sobre relaciones románticas en adolescentes trans. Lxs participantes reportaron tener mayores dificultades en salir o conocer a alguien en el área romántica, comparado con las personas cisgénero. Incluso, identificaron haber experimentado transfobia dentro de la comunidad LGBT+ en aplicaciones como Tinder. Por el otro lado, algunxs participantes informaron haber tenido experiencias violentas tanto sexual como emocional, y describieron a sus agresorxs como personas cisgénero y trans, lo cual valida el impacto que tienen los roles de género tradicionales, la transfobia y el sistema patriarcal en las relaciones románticas.

Es importante resaltar que, aunque la literatura se ha enfocado en los factores de riesgo y violencia en las relaciones interpersonales de las personas trans, se han realizado diferentes estudios donde establecen los factores protectores tales como tratamiento de afirmación de género y el impacto positivo en sus relaciones interpersonales/románticas dado a que eleva confianza, y comodidad consigo y con las demás personas (Guttmacher Institute, 2020). A continuación, se presentará el tema de las relaciones sexuales en las personas trans.

Relaciones Sexuales

La sexualidad es un componente fundamental de la vida humana. Ciertamente, es una gama amplia de actitudes, comportamientos, y prácticas que se construyen diariamente. Como efecto, nuestras relaciones sexuales ocupan un espacio importante de nuestras narrativas de vida. Ya sea para decidir cómo, dónde, con quién, para qué, con qué, y/o qué significan para nosotrxs. Por consiguiente, las relaciones románticas y sexuales entre lxs miembrxs de la población LGBT+ han sido investigadas y evaluadas en la última década años con mayor detenimiento (Mellman, 2017), intentando contrarrestar aquellos trabajos de autorxs que reflejan un estudio de la sexualidad LGBT+ sesgado. Es decir, desde una mirada cisheternormativa, cismonosexualista, transmedicalizante, machista, sexista, colonial, racista y moralista-judeocristiana. Como resultado, la literatura adyacente sobre las relaciones sexuales entre personas trans está bajo desarrollo. No obstante, se han podido realizar investigaciones que profundizan los aspectos de relaciones sexuales pre y post-transición física/médica (Bartolucci et al., 2015; Gil–Llario et al., 2020; van de Grift et al., 2016; Wierckx, et al., 2011), el deseo sexual (Wierckx et al., 2014), las fantasías sexuales (Anzani et al., 2020; Nimbi et al., 2020), el comportamiento y experiencia sexual (Laube et al., 2020), las disfunciones sexuales (Kerckhof et al., 2019), y la satisfacción sexual (Lindley et al., 2020).

Tal y como lo explican Holmberg, Arver, y Dhejne (2020), las relaciones sexuales en personas trans se consideran heterogéneas. Es decir, que comprenden un sin número de formas de expresarse y/o experimentarse, por lo que, lxs autorxs recomiendan que cuando se trate de evaluar dicha dimensión significativa en la vida de las personas trans, no se limite, estratifique, y/o patologice. Dichas relaciones sexuales se dan bajo un contexto vulnerable y sensible, dado que es una población sujeta a escrutinio social como parte de los efectos del estrés minoritario[29]. A su vez, la expresión de la sexualidad depende de otros factores específicos para la población trans como su identidad de género, el nivel de disforia, la percepción de su ima-

---

[29] La teoría del estrés minoritario sugiere que las condiciones del entorno social, no solo los eventos personales, son fuentes de estrés que pueden conducir a efectos negativos mentales y físicos (Meyer, 2013). Cuando se habla de minorías sexuales, se refiere a aquellas personas que la identidad de género o su orientación sexual no es heterosexual o cisgénero (Noyola, Sánchez & Cardemil; 2020).

gen corporal, la etapa y el tipo de transición; el uso de hormonas, el historial de cirugías género afirmativas y de violencia y/o microagresiones, entre otros (Spencer, et. al, 2017).

Gil-Llario et al., (2020), por su parte, realizaron una investigación cuantitativa sobre los comportamientos sexuales antes del tratamiento para la transición física en la población de mujeres y hombres trans. Se obtuvo una muestra de 260 participantes en una clínica de España. Los datos reflejaron que las mujeres trans presentaron mayores dificultades con la experiencia sexual con otras personas por factores como la disforia genital, el poco deseo sexual, y el leve interés en búsqueda de intercambios sexuales con otras personas. Lxs autorxs establecen que lo anterior guarda relación directa con la variable de imagen corporal. Según Cash y Pruzinsky (2002), la imagen corporal es un constructo multidimensional que abarca aspectos cognitivos, actitudes y comportamientos relacionados a la apariencia física (Thompson, & Schaefer, 2019). Por su parte, Greene (2011) destaca que la dimensión cognitiva juega un papel significativo en la insatisfacción que las mujeres trans experimentan con la imagen corporal. Por consiguiente, los esquemas de géneros y las expectativas sociales "ideales" del binario masculino/femenino se encuentran intrínsecamente operando de manera inconsciente/consciente a nivel cognitivo. Como resultado, la población de mujeres trans se encuentra mucho más susceptible a cuestionar su imagen corporal en sus relaciones sexuales dado al fuerte escrutinio social que carga el rol de la mujer y la(s) feminidad(es).

Otro estudio de Wierckx et al. (2014) investigó la satisfacción sexual en las relaciones con personas trans post-tratamiento. Los datos evidenciaron que aquellas personas que escogieron tener un tratamiento para lograr una transición física, presentaron mayor satisfacción sexual, ya que se alteró la imagen corporal y se proveyó una autoimagen positiva de su "yo".

Interesantemente, la literatura existente sobre las relaciones sexuales con personas trans se ha limitado a presentar los beneficios y limitaciones de realizar una transición física (médica) para alcanzar la satisfacción sexual en las relaciones sexuales (Lindley et al., 2020). No obstante, debemos recordar que esto parte de una mirada transmedicalista, la cual sostiene que dicho proceso de transición sirve de ritual normativo para todas las personas trans. Es importante notar que dicho proceso es uno voluntario y no es un requisito para vivir y experimentar una identidad dentro de la sombrilla trans o cuir. Todas las identidades son igualmente válidas, independientemente del aspecto de transición que deseen explorar.

Según Lindley et al. (2020), otras investigaciones han utilizado definiciones simplistas sobre la insatisfacción sexual, definiendo la misma como lo contrario a la satisfacción sexual. Lindley establece que estos estudios, típicamente, han utilizado métodos cuantitativos para obtener los datos, por lo que propusieron realizar una investigación de corte cualitativo para profundizar en las experiencias de relaciones sexuales con personas trans y no binarias. Reclutaron una muestra de 358 personas trans masculinas y no binarias. Entre los temas emergentes se encontró la afirmación de género en las relaciones sexuales como un goce significativo para alcanzar la satisfacción sexual con otras personas. Igualmente, se encontró que las personas trans y no binarias internalizan que no son deseadas ni atractivas sexualmente (Lindley et al., 2020). Lxs participantxs establecieron que el acto de poder establecer límites sobre cómo serían sus prácticas sexuales (incluyendo desistir de la misma) representaba una forma alterna de alcanzar satisfacción sexual. Del mismo modo, se reveló que las personas no binarias presentan temáticas sobre la satisfacción sexual en sus relaciones que son congruentes y normativas al compararse con las poblaciones cisgénero/heterosexualentre ellas el sentido de conectar, experimentar intimidad en un espacio seguro, y sentirse deseadas son temas recurrentes.

En resumen, la disforia de género y las expectativas sociales asociadas al género binario juegan un rol importante en el comportamiento sexual. La disforia de género disminuye el deseo y el interés asociado a la imagen corporal. Las mujeres trans, específicamente, se ven más afectadas en el aspecto sexual por los estereotipos asociados al género femenino. A continuación, se profundizará en los aspectos de violencia que viven las personas trans.

Violencia en las Relaciones

La violencia es un fenómeno complejo que suele reproducirse donde subyacen las relaciones de poder (Organización Mundial de la Salud [OMS], 2021). Lamentablemente, las poblaciones marginadas por razón de sexo, género y orientación sexual, han sido expuestas a las diferentes dimensiones de este fenómeno tan dañino y peligroso (Gay, Lesbian and Straight Education Network (GLSEN, 2022; National Coalition of Anti-Violence Projects [NCAVP], 2017). Como consecuencia, se ven limitados sus derechos humanos (OMS, 2021). Por ende, el trayecto de dicha violencia hacia las personas LGBTQ+ existe de diferentes formas y se hace presente en múltiples niveles sociales. Por ejemplo, se pueden observar tipos de violencias a nivel macrosistémico cuando se examinan las políticas y supuestos que se refuerzan en un contexto sociocultural dentro de un tiempo determinado (United Nations, 2022). Dependiendo del nivel de intensidad de estos supuestos es que la violencia se perpetúa a través de la estructura social. Una de las formas en que la violencia se sostiene de manera estructural es el patriarcado, dado a que las sociedades que poseen esta imposición suelen articular leyes y normas más discriminatorias en contra de las mujeres y personas de la comunidad trans (Canon, 2015). Por su parte, a nivel comunitario se pueden manifestar otras formas de violencia como son las microagresiones, que también pueden presentarse en las relaciones inter-personales (nivel microsistémico).

Pulice-Farrow et al. (2019) desarrollaron un estudio de corte en el que administraron a una muestra de personas trans no-binarias (N=390) un cuestionario en línea con preguntas abiertas. Lxs autores querían examinar las experiencias de microagresiones en las relaciones romántico-afectivas con personas trans no-binarias. El análisis temático logró identificar tres áreas principales. Entre los temas, se encontraban, (a) el análisis de la identidad trans no-binaria desde dualidades (entiéndase, cómo se presentaban en público versus en privado, entre otras dualidades); (b) presencia de microagresiones basadas desde el binario de género; y finalmente, (c) microagresiones sobre el proceso de transición (fuese social y/o médica) (Pulice-Farrow et al., 2019). Un ejemplo fue solicitarle a la pareja trans no-binaria a que se comportara como una persona cisgénero para que una de las partes fuese más masculino y la otra persona más femenina. Por consiguiente, estas experimentaron mucho rechazo y dificultades para divulgar su identidad de género. Igualmente, las parejas le solicitaban a la persona Trans no-binaria que no realizara cambios y/o modificaciones transicionales tipo social y/o médico (Pulice-Farrow et al., 2019) .

Otro estudio cualitativo también presentó estos tipos de microagresiones en las relaciones de pareja de personas trans. Gamarel et al. (2020) reclutaron una muestra de mujeres trans latinas y negras en los EU.UU. que se encontraban en citas y/o en relaciones románticas-afectivas (N=33). El estudio tenía el propósito de comprender las manifestaciones y consecuencias experimentadas a través del estigma social para esta población a nivel inter-personal. Los temas principales que se encontraron fueron microagresiones relacionadas a la deshumanización-estereotípica, objetificación sexual, y comportamientos de ocultación/disimulo (Gamarel, 2020). Cada una de las microagresiones impactó los procesos de citas y relaciones románticas-afectivas. Como resultado, las mujeres trans latinas y negras fueron deshumanizadas mediante la asociación a estereotipos altamente discriminatorios de trabajado sexual. Es decir, se les objetivaba de tal forma, que dichas mujeres trans latinas y negras no se les respetaba o validaban sus identidades racializadas. A su vez, sus respectivas parejas las objetivaban sexualmente sin explorar otros tipos de vínculos (ya fuesen románticos-afectivos, y/o amistad). Del mismo modo, se rehusaban a divulgar a otras personas que se encontraban teniendo citas y/o relaciones romántico-afectiva con una mujer trans (Gamarel, 2020). Como consecuencia, las participantes indicaron que además de estas microagresiones, enfrentaron otras formas de violencia tales como física y psicológica, por lo cual tenían que desarrollar estrategias de supervivencia que incluían minimizar las salidas con parejas cisgénero, vestirse de cierta forma para pasar desapercibida socialmente y no ser identificada como persona trans, como rodeadas de personas en el público.

Por otro lado, la literatura ha seguido expandiendo el análisis asociado hacia la violencia interpersonal dentro de la comunidad trans. Garthe et al. (2021) realizó un estudio cuantitativo con la población de adolescentes cisgénero (hombres/mujeres) y trans (binario/no-binario) en los Estados Unidos (N= 4,464). El estudio quería evaluar la presencia de violencia de pareja y victimización entre compañerxs. Los resultados demostraron que los rangos más altos de victimización y de violencia eran significativamente mayores hacia lxs adolescentes trans, a diferencia de lxs adolescentes cisgénero, por lo que exhortaban a las instituciones académicas a crear programas educativos sensibles y conscientes de estas disparidades para lxs adolescentes de experiencia trans.

Por esa misma vertiente, Kiekens et al. (2021) enfocaron en la violencia y victimización que experimentan lxs adolescentes con identidades diversas de sexo, género y orientación sexual en sus relaciones interpersonales. Realizaron un estudio cuantitativo con un cuestionario nacional en línea que fue completado por adolescentes de 13 a 17 años con identidades diversas de sexo, género y orientación sexual (N=12,534). El 72% de la muestra indicó que habían experimentado pocas experiencias de citas románticas y leve presencia de violencia de pareja, agresión y acoso; mientras que un 6% reportó experimentar alta exposición a violencia de pareja, agresión y acoso. Un dato que resaltaron es que lxs adolescentes trans masculinos experimentaron una alta exposición a violencia de pareja, agresión y acoso, a diferencia de sus compañerxs adolescentes cisgénero, dado a que reportaron mayor exposición a buscar citas románticas y tener relaciones interpersonales.

En resumen, no debe de sorprender que la literatura aún siga reportando la presencia de las distintas formas de violencia al estudiar la población trans debido a que se encuentra sujeta al escrutinio y ataque constante (OMS, 2021). Dicha violencia se puede encontrar en la invalidación y/o microagresiones hacia identidades trans y no binarias en el contexto de una relación de pareja (Blair et al., 2018; Galupo et al., 2014; Pulice-Farrow et al., 2019). Igualmente, se presentan otras formas de violencia asociadas al estigma por razón de género (Gamarel et al., 2020), las amenazas y/o señalamientos al revelar una identidad de género trans y/o no binaria (Fernández et al., 2019) y agresiones de corte física y sexual (Heino et al., 2020; Garthe et al., 2021; Kiekens et al., 2021). Por consiguiente, son muchos los retos para lograr que las personas trans puedan aspirar a relaciones de parejas libres de microagresiones y otras violencias.

Conclusión

La comunidad trans ha sido marginada y excluida socialmente tanto por miembrxs de la comunidad LGBT+ como la sociedad en general. Esto ha tenido un impacto significativo en la formación y solidificación de relaciones interpersonales en su diario vivir, siendo las relaciones humanas una parte central de nuestra identidad social. Los factores socioculturales como el familismo, la religión dominante judeocristiana, el machismo, y la estructura de género binaria, entre otros, afectan a las personas trans durante el transcurso de su vida. Como resultado, las personas trans, binarias y no-binarias, significan sus identidades a partir de la presencia de factores como el apoyo o el rechazo familiar, la receptividad o victimización entre pares, la afirmatividad o el rechazo, que en definitiva afectan sus vínculos sociales en las diversas esferas.

Es vital reconocer que las identidades trans retan los cimientos sociales construidos a base de la ideología del binario de género y las imposiciones sobre los roles sociales inherentes al mismo. En este sentido, es una fortaleza que las personas trans promuevan la práctica de la deconstrucción en sus relaciones familiares, romántico-afectivas, académicas y sexuales con sus pares. Lo hacen a través de (a) fomentar la reflexión sobre las construcciones sociales dañinas que se encuentran preinscritas en el género, (b) flexibilizar los entendidos limitantes asociados a la satisfacción de la sexualidad, e (c) inspirar a otras personas a unirse a la resistencia y a la lucha por los derechos humanos desde los espacios de intimidad.

Como vimos, un reto distintivo que experimentan las personas trans en sus relaciones interpersonales es la complejidad con que se presenta la violencia en dicho contexto. Por consiguiente, la población trans se encuentra susceptible a experimentar varias y/o todas las formas de violencia en los múltiples niveles relacionales que mencionamos.

Hay un arduo y largo camino por recorrer, desde la despatologización clínica y social hasta la erradicación de políticas trans-negativas en los diferentes niveles de la estructura social. Por lo tanto, debemos abogar por las vivencias de las personas trans mediante la colaboración interdisciplinaria entre profesionales y grupos activistas de derechos humanos. *Siempre desde la comunidad para la comunidad.* De esta forma, se continúa aportando a la expresión validante e inclusiva de las relaciones interpersonales que surgen tanto fuera como dentro de las comunidades trans y no binarias. Para ello hay que tener metas tales como: (a) educar con perspectiva de género para romper con las exigencias limitantes de los roles sociales, (b) promover aceptación y TRANSafirmatividad en los grupos principales de apoyo social como cuidadores, familiares, amistades y otros subgrupos significativos; y (c) crear políticas y programas inclusivos a favor de los derechos de las personas trans. Este trabajo es crucial hasta que a cada persona trans se le pueda garantizar una calidad de vida interpersonal saludable.

Referencias

Abreu, R., Gonzalez, K., Capielo Rosario, C., Pulice–Farrow, L., & Domenech Rodríguez, M. M. (2020). "Latinos have a stronger attachment to the family": Latinx fathers' acceptance of their sexual minority children. *Journal of LGBT Family Studies, 16*(2), 192–210. doi: 10.1080/1550428X.2019.1672232

Akerman, M., Mendes, R., Lima, S., Guerra, H. L., Silva, R. A. D., Sacardo, D. P., & Fernandez, J. C. A. (2020). Religion as a protective factor for health. *einstein (São Paulo), 18*, 1–4. http://dx.doi.org/10.31744/einstein_journal/2020ED5562

American Psychological Association. (2015). Guidelines for psychological practice with transgender and gender nonconforming people. *American Psychologist, 70*(9), 832–864. doi.org/10.1037/a0039906

Arango Cálad, C. (2003). Los vínculos afectivos y la estructura social. Una reflexión sobre la convivencia desde la red de promoción del buen trato. *Investigación & Desarrollo, 11*(1), 70–103. http://www.redalyc.org/articulo.oa?id=26811104

Araya, A. C., Warwick, R., Shumer, D., & Selkie, E. (2021). Romantic relationships in transgender adolescents: A qualitative study. *Pediatrics, 147*(2), e2020007906. doi:10.1542/peds.2020–007906

Bhattacharya, N., Pantalone, D., Budge, S. L. & Katz–Wise, S. (2020). Conceptualizing relationships among transgender and gender diverse youth and their caregivers. *Journal of Family Psychology, 35*(5), 595–605. doi: http://dx.doi.org/10.1037/fam0000815

Blair, K. L., & Hoskin, R. A. (2019). Transgender exclusion from the world of dating: Patterns of acceptance and rejection of hypothetical trans dating partners as a function of sexual and gender identity. *Journal of Social and Personal Relationships, 36*(7), 2074–2095. https://doi.org/10.1177/0265407518779139

Bockting, W. O., Miner, M. H., Swinburne, R. E., Hamilton, R. A., & Coleman, E. (2013). Stigma, mental health, and resilience in an online sample of the US transgender population. *American Journal of Public Health, 103*(5), 943–951. doi: 10.2105/AJPH.2013.301241

Boyer, C., & Galupo, M. (2018) Transgender friendship profiles: Patterns across gender identity and LGBT affiliation. *Gender Issues, 35*(3), 236–253. https://doi.org/10.1007/s12147-017-9199-4

Campbell, M., Hinton, J., & Anderson, J. (2019). A systematic review of the relationship between religion and attitudes toward transgender and gender-variant people. *International Journal of Transgenderism, 20*(1), 21–38. doi:10.1080/15532739.2018.1545149

Cannon, C. (2015). Illusion of inclusion: The failure of the gender paradigm to account for intimate partner violence in LGBT relationships. *Partner Abuse, 6*(1), 65–77. https://doi.org/10.1891/1946-6560.6.1.65

Cash, T. F., & Prusinky, T. (2002). *Body image: A handbook of theory, research, and clinical practice.* Guilford Press.

Cauce, A. M., & Domenech–Rodriguez, M. (2002). Latino families: Myths and realities. In J. Contreras, K. Kerns, & A. Neal–Barnett (Eds.), *Latino children and families in the United States* (pp. 3–25). Greenwood.

Clark, T. C., Lucassen, M. F., Bullen, P., Denny, S. J., Fleming, T. M., Robinson, E. M., & Rossen, F. V. (2014). The health and well–being of transgender high school students: Results from the New Zealand adolescent health survey (Youth' 12). *Journal of Adolescent Health, 55*(1), 93–99. http://dx.doi.org/101016/j.jadohealth.2013.11.00

Corrales, J. (2015). The politics of LGBT rights in Latin America and the Caribbean: Research agendas. *Revista Europea de Estudios Latinoamericanos y del Caribe,* 100, 53–62. http://www.jstor.org/stable/43673537

Corriero, E. F., & Tong, S. T. (2016). Managing uncertainty in mobile dating applications: Goals, concerns of use, and information seeking in Grindr. *Mobile Media & Communication, 4*(1), 121–141. https://doi.org/10.1177/2050157915614872

Duran, A., & Nicolazzo, Z. (2017). Exploring the ways trans* collegians navigate academic, romantic, and social relationships. *Journal of College Student Development, 58*(4), 526–544. https://doi.org/10.1353/csd.2017.0041

Dworkin, S. H., & Yi, H. (2003). LGBT identity, violence, and social justice: The psychological is political. *International Journal for the Advancement of Counselling, 25*(4), 269–279. doi:10.1023/b:adco.0000005526.872

Fernandez, J., & Birnholtz, J. (2019). "I don't want them to not know": Investigating decisions to disclose transgender identity on dating platforms. *Proceedings of the ACM on Human–Computer Interaction, 3*(226), 1–21. https://doi.org/10.1145/3359328

Fiori, K., Windsor, T., & Huxhold O. (2020). The increasing importance of friendship in late life: Understanding the role of sociohistorical context in social development. *Gerontology, 66*(3), 286–294. https://doi.org/10.1159/000505547

Flores, A., Herman, J. L., Gates, G. J., Brown, T. N. T. (2017). *Age of individuals who identify as transgender in the United States.* The Williams Institute.

Furman, W., & Shaffer, L. (2011). Romantic partners, friends, friends with benefits, and casual acquaintances as sexual partners. *Journal of Sex Research, 48*(6), 554–564. doi:10.1080/00224499.2010.535623

Galupo, M. P., Bauerband, L. A., Gonzalez, K. A., Hagen, D. B., Hether, S. D., & Krum, T. E. (2014). Transgender friendship experiences: Benefits and barriers of friendships across gender identity and sexual orientation. *Feminism & Psychology, 24*(2), 193–215. https://doi.org/10.1177/0959353514526218

Galupo, M. P., Pulice–Farrow, L., Clements, Z. A., & Morris, E. R. (2018). "I love you as both and I love you as neither": Romantic partners' affirmations of nonbinary trans individuals. *International Journal of Transgenderism, 20*(2–3), 315–327. doi: 10.1080/15532739.2018.1496867

Gamarel, K. E., Jadwin–Cakmak, L., King, W. M., Lacombe–Duncan, A., Trammell, R., Reyes, L. A., Burks, C., Rivera, B., Arnold, E., & Harper, G. W. (2020). Stigma experienced by transgender women of color in their dating and romantic relationships: Implications for gender–based violence prevention programs. *Journal of Interpersonal Violence, 37*(9–10), NP8161–NP8189. https://doi.org/10.1177/0886260520976186

Gamarel, K. E., Sevelius, J., Reisner, S. L., Sutten, C., Nemoto, T., & Operario, D. (2019). Commitment, interpersonal stigma, and mental health in romantic relationships between transgender women and cisgender male partners. *Journal of Social and Personal Relationships, 36*(7), 2180–2201. doi: 10.1177/0265407518785768

Garthe, R. C., Kaur, A., Rieger, A., Blackburn, A. M., Kim, S., & Goffnett, J. (2021). Dating violence and peer victimization among male, female, transgender, and gender–expansive youth. *Pediatrics, 147*(4), e2020004317. https://doi.org/10.1542/peds.2020-004317

Gattis, M. N., Woodford, M. R., & Han, Y. (2014). Discrimination and depressive symptoms among sexual minority youth: Is gay–affirming religious affiliation a protective factor? *Archive of Sexual Behavior, 43*, 1589–1599. https://doi.org/10.1007/s10508-014-0342-y

Gay, Lesbian and Straight Education Network. (2022). *National survey on school crime and safety to ask about anti–LGBT harassment.* https://www.glsen.org/news/survey-school-crime-anti-lgbt-harassment

Gil-Llario, M. D., Gil-Juliá, B., Giménez-García, C., Bergero-Miguel, T., & Ballester-Arnal, R. (2020). Sexual behavior and sexual health of transgender women and men before treatment: Similarities and differences. *International Journal of Transgender Health, 22*(3), 304–315. doi:10.1080/26895269.2020.1838386

Greene, S. B. (2011). *Body image: Perceptions, interpretations and attitudes.* Nova Science Publishers, Inc.

Guttcher Institute. (2020, September). *Sex and HIV education.* https://www.guttmacher.org-state-policy-explore-sex-and-hiv-education

James, S. E., Herman, J. L., Rankin, S., Keisling, M., Mottet, L., & Anafi, M. A. (2016). *The report of the 2015 U.S. transgender survey.* National Center for Transgender Equality. http://www.transequality.org/sites/default/files/docs/USTS-Full-Report-FINAL.PDF

Johns, M., Lowry, R., Andrzejewski, J., Barrios, L., Zewditu, D., McManus, T., Rasberry, C., Robin, L., & Underwood, M. (2019). Transgender identity and experiences of violence victimization, substance use, suicide risk, and sexual risk behaviors among high school students — 19 states and large urban school districts, 2017. *Morbidity and Mortality Weekly Report, 68*(3), 67–71. doi: http://dx.doi.org/10.15585/mmwr.mm6803a3

Jones, M. H., Hackel, T. S., & Gross, R. A. (2022). The homophily and centrality of LGBQ youth: A new story? *Social Psychology of Education, 25*, 1157–1175. https://doi.org/10.1007/s11218-022-09720-8

Kashubeck–West, S., Whiteley, A. M., Vossenkemper, T., Robinson, C., & Deitz, C. (2017). Conflicting identities: Sexual minority, transgender, and gender nonconforming individuals navigating between religion and gender–sexual orientation identity. In K. A. DeBord, A. R. Fischer, K. J. Bieschke, & R. M. Perez (Eds.), *Handbook of sexual orientation and gender diversity in counseling and psychotherapy* (pp. 213–238). American Psychological Association. https://doi.org/10.1037/15959–009

Kiekens, W. J., Baams, L., Fish, J. N., & Watson, R. J. (2021). Associations of relationship experiences, dating violence, sexual harassment, and assault with alcohol use among sexual and gender minority adolescents. *Journal of Interpersonal Violence, 37*(17–18), NP15176–NP15204. https://doi.org/10.1177/08862605211001469

Lev, A. I. (2013). Gender dysphoria: Two steps forward, one step back. *Clinical Social Work Journal, 41*(3), 288–296. doi:10.1007/s10615-013-0447-0

Lindley, L., Anzani, A., & Galupo, M. P. (2020). What constitutes sexual dissatisfaction for trans masculine and nonbinary individuals: A qualitative study. *Journal of Sex & Marital Therapy, 46*(7), 612–629. https://doi.org/10.1080/0092623X.2020.1765924

Lindley, L., Anzani, A., Prunas, A., & Galupo, M. P. (2021). Sexual satisfaction in trans masculine and nonbinary individuals: A qualitative investigation. *Journal of Sex Research, 58*(2), 222–234. https://doi.org/10.1080/00224499.2020.1799317

Ma, J., Korpak, A. K., Choukas-Bradley, S., & Macapagal, K. (2021). Patterns of online relationship seeking among transgender and gender diverse adolescents: Advice for others and common inquiries. *Psychology of Sexual Orientation and Gender Diversity, 9*(3), 287–299. https://doi.org/10.1037/sgd0000482

McPherson, M., Smith-Lovin, L., & Cook, J. (2001). Birds of a feather: Homophily in social networks. *Annual Review of Sociology, 27*(1), 415–444. https://doi.org/10.1146/annurev.soc.27.1.415

Meléndez García, T. (2022). *Impacto de la pandemia de COVID-19 al acceso a la educación en Puerto Rico.* Revista Jurídica Universidad de Puerto Rico. https://rb.gy/ww2d2

Muraco, A. (2006). Intentional families: Fictive kin ties between cross-gender, different sexualorientation friends. *Journal of Marriage and Family, 68*(5), 1313–1325. doi:10.1111/j.1741-3737.2006.00330.x.

Navia, V., Aceituno, C., Errazuriz, A., Munizaga, A., & Vial, S. (2021). Factores protectores y de riesgo del bienestar psicológico de adolescentes transgénero. *Revista Confluencia, 4*(2), 86–91. https://revistas.udd.cl/index.php/confluencia/article/view/675

Nikkelen, S., & Kreukels, B. (2018). Sexual experiences in transgender people: The role of desire for gender-confirming interventions, psychological well-being, and body satisfaction. *Journal of Sex & Marital Therapy, 44*(4), 370–381. https://doi.org/10.1080/0092623X.2017.1405303

Organización Mundial de la Salud. (2021). *Violencia en contra la mujer.* https://www.who.int/es/news-room/fact-sheets/detail/violence-against-women

Parker, J. S., & Benson, M. J. (2004). Parent-adolescent relations and adolescent functioning: Self-esteem, substance abuse, and delinquency. *Adolescence, 39*(155), 519–530.

Pastrana, A. (2015). Being out to others: The relative importance of family support, identity and religion for LGBT latina/os. *Latino Studies, 13*(1), 88–112. doi:10.1057/lst.2014.69

Pastrana, A., Battle, J., & Harris, A. (2017). *An examination of Latinx LGBT populations across the United States.* Palgrave.

Platt, L. F., & Bolland, K. S. (2017). Relationship partners of transgender individuals. *Journal of Social and Personal Relationships, 35*(9), 1251-1272. doi:10.1177/026540751770936

Power, J., Schofield, M., Farchione, D., Perlesz, A., McNair, R., Brown, R., Pitts, M., & Bickerdike, A. (2015). Psychological wellbeing among same-sex attracted and heterosexual parents: Role of connectedness to family and friendship networks. *Australian and New Zealand Journal of Family Therapy, 36*(3), 380-394. doi:10.1002/anzf.1109

Pulice-Farrow, L., Bravo, A., & Galupo, M. P. (2019). "Your gender is valid": Microaffirmations in the romantic relationships of transgender individuals. *Journal of LGBT Issues in Counseling*, 13(1), 45-66. doi:10.1080/15538605.2019.1565799

Pulice-Farrow, L., McNary, S. B., & Galupo, M. P. (2019). "Bigender is just a Tumblr thing": Microaggressions in the romantic relationships of gender non-conforming and agender transgender individuals. *Sexual and Relationship Therapy 35*(3), 362-381. doi:10.1080/14681994.2018.1533245

Robles, T. F., & Kiescolt-Glaser, J. K. (2003). The psysiology of marriage: Pathways to health. *Physiology & Behavior, 79*(3), 409-416. doi: 10.1016/s0031-9384(03)00160-4

Rodríguez Madera, S., Ramos Pibernus, A., Padilla, M., & Varas Díaz, N. (2015). Radiografía de las comunidades trans en Puerto Rico: Visibilizando femineidades y masculinidades alternas. En M. Vázquez-Rivera, A. Martínez Taboas, M. FranciaMartínez, & J. Toro-Alfonso (Eds.), *LGBT 101: Una mirada introductoria al colectivo* (pp. 290-314). Publicaciones Puertorriqueñas.

Rodríguez, N., Bingham-Mira, C., Paez, N. D., & Myers, H. F. (2007). Exploring the complexities of familism and acculturation: Central construct for people of Mexican origin. *American Journal of Community Psychology, 39*(1-2), 61-77. doi: 10.1007/s10464-007-9090-7

Ruiz Cortés, E. (2017). *Revisión de literatura empírica acerca de la relación entre depresión y apoyo familiar en personas transgénero* [Disertación no publicada]. Universidad Colegio Mayor de Nuestra Señora del Rosario.

Savin–Williams, R. C. (2019). Developmental trajectories and milestones of sexual–minority youth. In S. Lamb & J. Gilbert (Eds.), *Cambridge handbooks in psychology. The Cambridge handbook of sexual development: Childhood and adolescence* (pp. 156–179). Cambridge University Press.

Severson, N., Muñoz–Laboy, M., & Kaufman, R. (2014). "At times, I feel like I´m sinning": The paradoxical role of non–lesbian, gay, bisexual and transgender–affirming religion in the lives of behaviorally–bisexual men. *Culture, Health & Sexuality, 16*(2), 136–148. doi: 10.1080/13691058.2013.843722

Sevilla Rodríguez, A., Aparicio García, M., & Limiñana Gras, R. (2019). La salud de adolescentes y adultos transgénero: Revisión sistemática desde la perspectiva de género. *Revista Iberoamericana de Diagnóstico y Evaluación, 50*(1), 5–20. https://doi.org/10.21865/RIDEP50.1.01

Stone, A., Nimmons, E., Salcido, R., & Schnarrs, P. (2019). Multiplicity, Race, and Resilience: Transgender and Non☐Binary People Building Community. *Sociological Inquiry, 90*(2), 226–248. https://doi.org/10.1111/soin.12341

Stryker, S. (2008). *Transgender history*. Seal Press.

Thompson, J. K., & Schaefer, L. M. (2019). Thomas F. Cash: A multidimensional innovator in the measurement of body image; Some lessons learned and some lessons for the future of the field. *Body Image, 31*, 198–203. doi: 10.1016/j.bodyim.2019.08.006

TransLatin@ Coalition. (2015). *Informe sobre las experiencias de participantes Latinos/as. U.S. transgender survey.* National Center for Transgender Equality. https://rb.gy/o97pv

United Nations. (2022). *LGBTQI+.* https://www.un.org/en/fight-racism/vulnerable-groups/lgbtqi-plus

van de Grift, T. C., Kreukels, B. P. C., Elfering, L., Özer, M., Bouman, M.-B., Buncamper, M. E., Smit, J. M., & Mullender, M. G. (2016). Body image in transmen: Multidimensional measurement and the effects of mastectomy. *The Journal Of Sexual Medicine, 13*(11), 1778–1786. https://doi-org.ucapr.cobimet3.org/10.1016/j.jsxm.2016.09.003

Waters, E., & Yacka–Bible, S. (2017). *A crisis of hate a mid year report on lesbian, gay, bisexual, transgender and Queer Hate Violence Homicides.* National Coalition of Anti–Violence Programs. https://rb.gy/tf34i

Wierckx, K., Elaut, E., Van Hoorde, B., Heylens, G., De Cuypere, G., Monstrey, S., Weyers, S., Hoebeke, P., & T'Sjoen, G. (2014). Sexual desire in trans persons: Associations with sex reassignment treatment. *The Journal of Sexual Medicine, 11*(1), 107–118. https://doi.org/10.1111/jsm.12365

Zea, M. C., Quezada, T., & Belgrave, F. Z. (1994). Latino cultural values: Their role in adjustment to disability. *Psycosocial Perspectives on Disability, 9*(5), 185–200.

Zitz, C., Burns, J., & Tacconelli, E. (2014). Trans men and friendships: A Foucauldian discourse analysis. *Feminism & Psychology, 24*(2), 216–237. doi:10.1177/0959353514526224

Capítulo 9

Transafirmación: Estrategias Para la Afirmación de Género en los Servicios Clínicos

Miguel Vázquez Rivera, Psy.D.
Fabián Feliciano Graniela, B.A.

Lamentablemente, es una realidad que las comunidades trans, cuirs y no binaries tienen mayores estadísticas de síntomas y diagnósticos de salud mental que sus pares cisgénero (Hunter et al., 2021; Smith–Johnson, 2022; Stanton et al., 2021) y que este contexto puede causarle mayores desventajas en la vida (Smith-Johnson, 2022). Como hemos podido observar a través de los capítulos de este libro, esta realidad se encuentra ligada a los niveles de discriminación, el estigma y el estrés minoritario que experimentan las personas de estas comunidades (Hunter et al., 2021). Cuando buscamos causantes, debemos responsabilizar a una sociedad rígida, tradicional y cisnormativa y ver a las personas de las comunidades trans, cuirs y no binaries como sobrevivientes.

Este capítulo debe ser una representación y un intento de visibilidad en dos frentes: les terapeutas transafirmativos y la comunidad trans, cuir y no binarie. De hecho, nosotres como autores nos identificamos con ambos frentes. Yo, Miguel, me identifico como un hombre gay aliado de las comunidades trans. Yo, Fabián, me identifico como una persona trans de experiencia no binarie. Ambes nos posicionamos como terapeutas transafirmativos. Queremos aclarar que cuando hablemos con el nosotres nos referiremos a la voz de las comunidades trans, cuirs y no binaries, de las experiencias de Fabián, de las historias les hermanes y pacientes de la comunidad y les aliades.

Estatus Actual de los Servicios Psicológicos Afirmativos

Algunas personas de género y sexo diversas tienden a experimentar incomodidad con el sexo y género que le asignaron al nacer (American Psychiatric Association [APA], 2022). Esta experiencia durante su desarrollo les expone a malestar psicológico, aislamiento y al rechazo cuando expresan o divulgan su identidad a otras personas (James et al., 2016). Existe mucha incomprensión e invisibilidad sobre el desarrollo del género y el sexo y este proceso se replica en los currículos académicos de lxs profesionales de la salud (Madera et al., 2019; Vázquez–Rivera et al., 2012). Entonces, no tan solo las personas de estas comunidades se exponen a malos tratos de parte de la sociedad en general, sino que tienen una alta probabilidad de tener a su vez este tipo de experiencias en consultorios de salud (Madera et al., 2019). Esta realidad ha provocado una expectativa de rechazo y trato insensible en los servicios de salud por parte de estas comunidades.

En Puerto Rico se han investigado las actitudes, el conocimiento y la distancia social de les psicólogues hacia la comunidad gay y lesbianas (Vázquez–Rivera et al., 2012; Vázquez–Rivera et al., 2018). En estos estudios se ha encontrado que cerca de un 4% de les psicólogues clíniques tuvieron ansiedad en la intervención, un 6% prefirieron no atender a pacientes de estas comunidades y un 13% presentaron una auto-evaluación negativa de sus competencias clínicas. En 2017 se evaluaron las actitudes hacia las personas trans de parte de este gremio de profesionales (Francia–Martínez et al., 2017). En este estudio se encontró que cerca de la mitad de les psicólogues participantes (49%) presentaron una distancia entre alta y moderada hacia personas trans. Por otro lado, todas las personas que participaron (N=233) mostraron altos o moderaros niveles de prejuicio hacia la población transgénero y transexual. A continuación, presentamos algunos datos relevantes del mencionado estudio que diferenció entre las actitudes hacia la comunidad transexual de la comunidad transgénero, resaltando los porcientos de 15% o mayor (Tabla 1). Hoy día, esta distinción no se suele hacer en la comunidad, por lo que el término transexual esta en desuso.

Tabla 1

Actitudes de lxs Psicólogos Entorno a la Comunidad Transgénero y Transexual

Comunidad Transgénero	Comunidad Transexual
• 20% no se sintió tranquilx si su hijx tuviera unx maestrx transgénero • 18% reconoció que la transgresión de género reta sus valores personales • 16% no se sintió cómodx al dar servicios a unx cliente transgénero	• 67% opinó que las personas transexuales son aceptadas en la comunidad LGB • 41% opinó que unx cliente transexual tiene las mismas necesidades de unx cliente homosexual o bisexual • 41% entendió que el tratamiento hormonal es accesible a las personas transexuales • 34% no comprendió el proceso de transición por el que atraviesa una persona transexual • 31% no encontró importante preguntar sobre la conformidad genital • 28% no se sintió tranquilx si sus hijxs tuvieran unx maestrx transexual • 21% sintió ansiedad cuando atendía por primera vez unx cliente transexual • 20% no se sintió tranquilx si su hijx fuera transexual • 17% reconoció que la transexualidad reta sus valores personales

Resulta importante recalcar que es una muestra de profesionales de la psicología y que, aunque algunos son números bajos, resulta alarmante que un profesional de ayuda tenga esas actitudes estigmatizantes. Además, los números hacia las personas transexuales son más altos que hacia las personas transgénero, tal vez indicando que existe mayores actitudes negativas hacia las personas que desean o han cambiado su cuerpo. El estudio también exploró la opinión de les psicóloges sobre si se debe mantener algún tipo de diagnóstico en el Manual Diagnóstico y Estadístico de los Trastornos Mentales (DSM): el 25% estaba a favor de que el Trastorno de Identidad de Género permaneciera y el 39% estuvo de acuerdo con que la Disforia de Género permaneciera. Esto quiere decir que la mayoría de la muestra está de acuerdo con la patologización de la comunidad transgénero y transexual (64%).

Estos resultados son alarmantes. Además, el estudio reveló que la asistencia a servicios religiosos e identificarse con una religión tienen una relación positiva con los niveles de prejuicios y la distancia social hacia personas transgénero y transexuales. Por tanto, la identificación con la religión tiende a relacionarse con actitudes negativas. Estos hallazgos nos alertan a varias cosas: la necesidad de educación formal sobre asuntos de diversidad en todas las etapas de nuestras vidas, el manejo del asunto ético y profesional de separar las creencias individuales y religiosas del quehacer psicológico y la deconstrucción del tradicionalismo y conservadurismo de los temas de la sexualidad y el género.

Esta triste realidad, en donde tenemos un panorama profesional mayormente transfóbico y enajenado de las realidades de la comunidad trans, ha provocado, en nuestra impresión, la creación de clínicas transcéntricas. Este tipo de clínicas se especializan en la salud trans y tienen los servicios necesarios de transición en un mismo lugar. Aunque parece conveniente debido a la facilidad del acceso a todes les profesionales en el mismo techo, las personas trans, cuirs y no binaries necesitan que todes les profesionales conozcan cómo tratarles y no que tengan que limitarse a ir a un solo espacio. Es decir, es injusto e inhumano que una persona de estas comunidades tenga que viajar una hora o más para atenderse en una clínica transcéntrica en lugar de ir su médique de cabecera y para recibir un trato digno en sus asuntos de salud primaria, y si requiere de una atención especializada ser referide a une especialista en el área. Como mínimo, tode profesional de salud primaria debe conocer lo que es la disforia de género y los tratamientos que existen para contrarrestar este síntoma. La educación formal en el Modelo Transafirmativo o el Modelo Afirmativo del Género (Hidalgo et al., 2013) es la mejor manera en que les profesionales de la salud pueden realizar estos referidos, de lo contrario, tienen que recurrir a su conocimiento personal y todos los mitos que pueden habitar en él. Además, conocemos que en muchas ocasiones las clínicas transcéntricas se componen de profesionales de la salud que están dispuestes a atender a la población, pero verdaderamente no conocen de los Modelos Transafirmativos ni de las necesidades y tratamientos para la población.

Modelo Transafirmativo

Actualmente, existe un desconocimiento y una desinformación rampante sobre lo que son los modelos afirmativos LGBT+ (Hidalgo et al., 2013). Este desconocimiento proviene, en gran parte, según nuestra perspectiva, de las estrategias políticas promovidas por personas de partidos, grupos y facciones de la extrema derecha. Sus objetivos parecen ser:

1. Escandalizar a les cuidadores y la población en general sobre la supuesta manipulación de les profesionales o miembros de las comunidades LGBT+ a les niñes para convertirles en transgénero.

2. Informar que existe una sobreutilización y un uso indiscriminado de bloqueadores de pubertad o de terapia hormonal en les niñes y adolescentes.

3. Provocar miedo desmedido hacia los efectos secundarios que tienen los tratamientos hormonales.

4. Promover en las familias la idea de que la guía en los caminos de la religión son los necesarios para que su joven no se identifique con una identidad de género diversa.

En Puerto Rico y el mundo, este sector conservador insiste en el continuo desarrollo de proyectos de ley para abolir las terapias afirmativas con el propósito de que les jóvenes y sus familias desistan de asistir a estos tratamientos (Asociación de Psicología de Puerto Rico [APPR], 2021). En nuestras participaciones en vistas públicas de proyectos relacionados a las comunidades LGBT+ hemos visto que es usual que les políticos desinformen abiertamente, citen incorrectamente y den falsos testimonios anecdotarios o por parte de supuestos profesionales de la salud que, motivados por sus creencias personales, interponen la religión a la ciencia. Este tipo de situación refuerza la creencia de que la identidad de género es una ideología que incluye conductas que se pueden cambiar. Sin embargo, se trata de un despliegue de fallas antiéticas por parte de estes profesionales a las que pueden mediar sanciones formales por parte de los cuerpos de disciplina (Ej. la Junta Examinadora de Psicólogos).

Lo anterior no se distancia completamente de las terapias de conversión o terapias reparativas. Estas mal llamadas terapias son procesos terapéuticos cuyo objetivo es cambiar la orientación sexual y/o expresión e identidad de género de las personas (Merriam-Webster, n.d.). Estas terapias son provistas por profesionales de la salud mental, consejeres religioses, líderes religiosos y otros profesionales que replican las visiones cisexistas y heterosexistas que promueven los prejuicios contra la comunidad diversa en orientación sexual y expresión e identidad de género. La literatura científica refleja que estas prácticas no tienen evidencia científica de efectividad y, por el contrario, tienden a ser dañinas para la salud mental de las personas con identidades sexuales y de género diversas (Green et al., 2020). De hecho, la mayoría de las organizaciones mundiales más reconocidas (Ej. Asociación de Psiquiatría Americana, Asociación Médica Americana, Asociación de Psicología Americana, Pan American Health Organization: Regional Office of the World Health Organization) se han expresado en múltiples ocasiones rechazando estas prácticas (Human Rights Campaign, n.d.).

Luego del 1975 se logró despatologizar la homosexualidad a través de la erradicación del diagnóstico (Conger, 1975). Sin embargo, aunque la comunidad científica atendió los asuntos de discrimen institucional hacia las personas diversas en orientación sexual descuidó a las personas diversas en expresión e identidad de género. Entonces, no fue hasta el 2019 que la nueva clasificación de enfermedades, el ICD-11, removió la transexualidad de la clasificación de las enfermedades mentales, y la mantuvo dentro del capítulo de las disfunciones sexuales (Haynes, 2019). Con este cambio la transexualidad se comienza a desestigmatizar desbancando la noción de que sus identidades son un trastorno psicológico y se validan solamente como un asunto físico. En Puerto Rico, por ejemplo, la Asociación de Psicología de Puerto Rico aprobó en pleno dos resoluciones y con ello, expresó su rechazo hacia las terapias reparativas que intentan cambiar la homosexualidad y la bisexualidad (Comité de la Diversidad de Sexo, Género y Orientación Sexual de la Asociación de Psicología de Puerto Rico, 2015) y aquellas prácticas que intentan cambiar la expresión e identidad de género (Comité de la Diversidad de Sexo, Género y Orientación Sexual de la Asociación de Psicología de Puerto Rico, 2016).

En resumen, las terapias de conversión o reparativas han sido catalogadas como dañinas e iatrogénicas. En el libro LGBT 101 (Vázquez–Rivera et al., 2016) se dedicó un capítulo a las terapias reparativas, que fue escrito por Mariela Santiago-Hernández y José Toro-Alfonso. En el mismo, les autores detallan la historia del movimiento y anti-movimiento de las terapias reparativas (Santiago-Hernández & Toro-Alfonso, 2016). Detallan también las consecuencias traumáticas que pueden tener estas prácticas tanto por reforzar el trauma de ser parte de las comunidades LGBT+ en una sociedad opresora, así como el trauma que provoca la "terapia" en sí misma. Además, mencionan que las terapias reparativas pueden incidir en vergüenza, culpabilidad, represión sexual, depresión y otras consecuencias negativas. Esta información se suma a múltiples casos mediáticos que han incurrido en suicidio debido a estos procesos, como es el caso de Leelah Alcorn en el 2015 (Fox, 2015).

Según el reporte de la Asociación Americana de Psicología (2009) llamado 'Respuestas Terapéuticas Apropiadas a la Orientación Sexual':

[…] les terapeutas han probado una variedad de tratamientos de aversión, como inducir náuseas, vómitos o parálisis, suministrar descargas eléctricas o hacer que la persona ajuste una banda elástica alrededor de la muñeca cuando la persona se excita con imágenes o pensamientos eróticos del mismo sexo. Otros ejemplos de tratamientos conductuales aversivos incluyeron sensibilización, ocasionar vergüenza, desensibilización sistemática, reacondicionamiento orgásmico y terapia de saciedad (Beckstead y Morrow, 2004; James, 1978; Langevin, 1983; LeVay, 1996; Murphy, 1992, 1997). Algunos tratamientos no aversivos utilizaron un proceso educativo para desarrollar habilidades de obtener citas con el sexo opuesto, asertividad y entrenamiento afectivo con refuerzo físico y social para aumentar los comportamientos sexuales con otros sexos (Binder, 1977; Greenspoon y Lamal, 1987; Stevenson y Wolpe, 1960). Les terapeutas cognitivos intentaron cambiar los patrones de pensamiento de los hombres homosexuales y lesbianas reencuadrando los deseos, redirigiendo los pensamientos o usando la hipnosis, con el objetivo de cambiar la excitación sexual, el comportamiento y la orientación (Ellis, 1956, 1959, 1965). (p. 22)

Por su parte, en el 2015, la Administración de Servicios de Salud Mental y Abuso de Sustancias de los Estados Unidos (Substance Abuse and Mental Health Services Administration [SAMHSA], 2015) publicó el informe, *Ending Conversion Therapy Supporting & Confirming LGBTQ Youth,* concluyendo que:

> [...] específicamente, la terapia de conversión, es decir, los esfuerzos para cambiar la orientación sexual, la identidad de género o la expresión de género de un individuo, es una práctica que no está respaldada por evidencia creíble y ha sido desautorizada por asociaciones y expertos en comportamiento. (p. 6)

En el 2018, la *Washington State Psychological Association* mencionó estar de acuerdo con la conclusión a la que llegó SAMHSA de que las técnicas de conversión pueden poner a les niñes y adolescentes en grave riesgo de sufrir daños físicos y emocionales.

Las LGBT+ fobias, al igual que la discriminación, tienen serias implicaciones al ser replicadas en los contextos de los profesionales de ayuda (Green, 2003). El Comité Para Asuntos de la Comunidad LGBT (2014) de la APPR se pronunció en sus Estándares Para el Trabajo e Intervención en Comunidades de Lesbianas, Gays, Bisexuales e Identidades Trans diciendo:

> Les psicólogues adoptan una visión afirmativa que consista en el conocimiento y las competencias para el trabajo con la comunidad LGB, la sensibilidad, la aceptación incondicional, y el respeto ante la diversidad dentro del colectivo, entre otros. Les psicólogues deben comprender los efectos del estigma, el prejuicio, el discrimen y sus efectos adversos para vivir una vida plena y feliz. Les psicólogues están comprometides en la búsqueda de estrategias y modelos de intervención terapéutica con la población LGBT+ que sean efectivos y basados en la evidencia.

Es decir, todes les psicólogues deben rechazar las prácticas relacionadas al querer o intentar cambiar la orientación sexual y la expresión e identidad de género de las personas que atienden.

Las terapias afirmativas, por el contrario, son acercamientos que afirman la orientación sexual y la expresión e identidad de género de las personas como una experiencia y expresión humana igual de positiva que la heterosexualidad o la cisexualidad (McClanahan, 1999). Les terapeutas que trabajan estos acercamientos trabajan para contrarrestar las experiencias de discrimen que las personas de las comunidades LGBT+ han tenido. Muches autores e investigadores avalan las terapias afirmativas (Alessi, 2014;

Austin & Alessi, 2013; Austin & Craig, 2015; Goldfried, 2001; Grzanka et al, 2016; Harrison, 2000; Johnson, 2012; Lange, 2020; Love et al., 2015; Medley, 2018; Pachankis & Goldfried, 2013; Vázquez–River et al., 2022). Este acercamiento son la contraparte de las terapias de conversión y es el tratamiento indicado para trabajar los asuntos de orientación sexual e identidad de género que solicitan ayuda por la opresión, la discriminación, el prejuicio y las creencias impuestas por la sociedad, y aún las personas que solicitan terapia por incomodidad, negación o aversión a su orientación sexual o su identidad de género. Por tanto, al ser las terapias avaladas por la literatura científica, es importante definir los elementos importantes para realizar una intervención afirmativa.

Elementos importantes para realizar una intervención transafirmativa

Una persona de experiencia trans puede acceder a terapia por múltiples razones, aunque por ser de una identidad o expresión de género diversa no es razón suficiente. Es decir, las personas de experiencia trans, al igual que el resto de las personas, tienen problemas de salud mental que no necesariamente guardan relación con su identidad de género. Entonces, ¿cuáles son las razones por las que las personas trans van a terapia? Según Korell y Lorah (2007), las personas de experiencia trans van a terapia por cinco asuntos principalmente: los sistemas de apoyo, la aceptación familiar, los estresores sociales y emocionales, los asuntos médicos y sus trabajos. Dentro de estos asuntos, podemos añadir: los procesos de autoaceptación de su identidad, la divulgación, la disforia de género, el interés en transicionar, el apoyo de su pareja, el manejo del estigma, los ambientes escolares o laborales hostiles y cualquier otro asunto de la vida.

El rol de le terapeuta transafirmativa trasciende el de une terapeuta tradicional (Francia, 2018) porque deben asumir un rol militante y activista en contextos donde hay opresión hacia las comunidades trans. Además, debe educar a las personas allegadas a les pacientes incluyendo a les padres, madres o cuidadores, la familia extendida, les maestres y personal administrativo de la escuela, así como cualquier otra persona que sea importante para les pacientes (Esteban et al., 2016). Les terapeutas también deben trabajar para enlazar a les pacientes con otros servicios de salud y sociales transafirmativos, unirles con tratamientos complementarios a un proceso individual (Ej. terapia de familia, terapia de pareja, terapia grupal o grupos de apoyo) y conectarles con organizaciones sin fines de lucro que provean ayudas para la comunidad trans.

Según Austin y Craig (2015) existen unos pasos para crear un ambiente e intervención clínica transafirmativos. Esta sección tiene las recomendaciones que ofrecen les autores, interpretadas por el conocimiento de quienes escribimos este capítulo. En primer lugar, recomiendan que la persona terapeuta le articule a les pacientes que usa un acercamiento afirmativo con una perspectiva de género inclusiva para así poder manejar la desconfianza. Esta desconfianza que pueden tener les pacientes proviene de una historia de opresión de parte de los diversos gremios de profesionales de la salud y de la población en general. No obstante, esto se puede contrarrestar diciendo algo alrededor de estas líneas (utilizando el ejemplo del primer autor):

Saludos, mi nombre es el Dr. Miguel Vázquez Rivera, soy un terapeuta gay cisgénero y mi pronombre es él. Quiero darte la bienvenida a este espacio seguro. Menciono que es un espacio seguro ya que aquí se aceptan y validan las diversas orientaciones sexuales e identidades y expresiones de género del ser humano. Como terapeuta, y respaldado por la ciencia, creo firmemente en la importancia de la autodeterminación para que explores, entiendas y te identifiques con tu género si es que aún no lo has identificado completamente. Yo en este espacio soy un facilitador de estos procesos y tú serás la persona que guiará los esfuerzos. ¿Cuál es tu nombre identificado y tus pronombres?

Este mensaje, como se puede notar, debe contener lenguaje neutral o inclusivo si no se conoce aún la identidad de género de la persona y lenguaje afirmativo a la identidad identificada por la persona paciente si ya conoces la información previamente o luego de preguntarle por el nombre y los pronombres con los cuales se identifica. Se recomienda en muchas ocasiones dejar la pregunta del nombre y los pronombres identificados para luego del saludo y la aclaración del acercamiento antes para que la persona baje las defensas y pueda contestar con plena comodidad. Una vez se establezca esta introducción, debemos explorar la queja principal y si tiene relación o no con los procesos relacionados a su identidad o expresión de género. Un error muy común es atribuir toda la sintomatología al contexto violento y opresivo de las personas trans, cuirs y no binaries, pero también otro error importante es el negar o pasar por alto esa posible relación. En conclusión, un acercamiento balanceado se basa en una exploración con les pacientes en lugar de asumir.

Según discutido a través de este libro, y este capítulo en particular, las personas trans, cuirs y no binarias experimentan una serie de dinámicas sociales como los prejuicios, estereotipos, las microagresiones, la discriminación y la violencia que potencian circunstancias sociales nefastas, síntomas psicológicos y hasta condiciones de salud mental a través de la vida (Hunter et al., 2021). Es importante recalcar que este tipo de experiencias pueden provenir de múltiples lugares: las redes sociales, los medios de comunicación tradicionales, sus familias, sus vecindarios, sus parejas, entre otros frentes. Les terapeutas que usan modelos transafirmativos deben tener la capacidad de explorar, entender y trabajar para sanar los efectos de la discriminación transfóbica en sus pacientes (Austin & Craig, 2015). Austin y Craig (2015) también recomiendan conocer el Modelo de Estrés Minoritario de Meyer (2003) para poder entender cómo el conflicto entre el interior de las personas trans y las expectativas sociales, culturales y políticas puede resultar en el deterioro de la salud.

En esa línea, les terapeutas con modelos transafirmativos deben conocer y entender las disparidades en salud que las comunidades trans, cuirs y no binarias enfrentan, pero a la misma vez reconocer los factores resilientes que permiten a tales comunidades salir a flote ante la adversidad. Se han encontrado los siguientes factores de resiliencia en la comunidad de personas trans: la consciencia del edadismo, la auto militancia o activismo en las instituciones educativas, el encontrar espacios dentro de las comunidades LGBT+, el utilizar las redes sociales para auto afirmarse, la incorporación de una definición de sí mismes autogenerada, el tener auto valía, el lograr una consciencia de la opresión, la conexión con una comunidad de apoyo, el cultivo de la esperanza hacia el futuro, el activismo social y ser une modelo para otres (Singh et al., 2011; Singh & McKleroy, 2011; Singh, 2013). Por último, pero no menos importante, el estudio puntualiza la importancia de acercarse a todas las personas trans como protagonistas de procesos únicos, individuales y diferentes al de les demás (Austin & Craig, 2015). En el capítulo *El arcoíris nace de un día nublado: La resiliencia en la Comunidad LGBT+* (Vázquez–Rivera et al., 2020) se abunda sobre la resiliencia en las comunidades trans, cuir y no binarie, aunque también se reconoce que existe una escasez en estudios que enfoquen en esta dimensión. Sin embargo, cada vez más debemos mirar en otra dirección hacia procesos de resistencia y activismo en pro de la justicia social.

Es importante aclarar que, debido a las diferentes experiencias de vida y las interseccionalidades de las personas de experiencia trans, ningún proceso de transición, expresión o identidad propiamente, así como la asimilación y el manejo de sus vidas será igual en todas (Austin & Craig, 2015). Para estos propósitos, la teoría de la interseccionalidad es muy relevante. Esta ayuda a entender cómo se diferencian las experiencias en las distintas personas trans (Singh et al., 2017). Por ejemplo, sumado a la identidad de género trans, la etnia, la raza y el ingreso, entre otras, van a ser categorías que añaden a su experiencia minoritaria y se convierten en otro blanco de ataque ampliando su vulnerabilidad. Por eso, no es lo mismo ser un hombre trans blanco y educado que vive en la ciudad que un hombre trans negro que vive en una zona rural. Les terapeutas afirmatives deben ser capaces de poder ver este tipo de diferencias y manejar con cautela las similitudes.

Otro aspecto para considerar bajo los modelos afirmativos se relaciona a las historias traumáticas resultantes de la discriminación y la violencia que experimentan las personas de experiencia trans. Por ello, resulta imperativo que les profesionales de la salud mental evalúen el trauma y lo consideren dentro de sus intervenciones (Singh et al., 2017). Estas historias de trauma también pueden incluir problemas económicos severos debido a las condiciones de la pobreza multigeneracional y la discriminación laboral que promueve la participación en la economía subterránea por supervivencia (Singh et al., 2017). Como terapeutas no se debe caer en el error de solo explorar los asuntos traumáticos relacionados a la identidad o expresión de género, sino que también se deben tomar en consideración el racismo, el colonialismo, el genocidio, el clasismo, el sexismo, el patriarcado, el capacitismo, el edadismo y otras formas de opresión basadas en las categorías sociales minoritarias de cada paciente (APA, 2015). La inclusión del trauma en nuestras intervenciones también debe partir de una exploración de las experiencias interpersonales como las formas de abuso físico, emocional o sexual, negligencia, violaciones, crímenes de odio y experiencias intrapersonales como el auto daño, los intentos de suicidio, entre otros, en las diferentes etapas del desarrollo (Singh et al., 2017).

Por último, la disforia de género es otro elemento crucial que debe abordarse en las intervenciones transafirmativas. La misma es un concepto designado en el DSM-5-TR como angustia o deterioro clínicamente significativo relacionado con la incongruencia de género, que puede incluir el deseo de cambiar las características sexuales primarias y/o secundarias (APA, 2022). En la experiencia clínica con pacientes de esta comunidad, se ha observado que existen tres tipos diferentes de disforia de género: la disforia psicología, la disforia física y la disforia social. La disforia psicológica se refiere a la resolución entre la expectativa social internalizada de cómo la persona se debería identificar versus la manera en que la persona verdaderamente se identifica. La disforia física tiene que ver con las áreas del cuerpo que le provocan malestar. En ocasiones, puede ser tan severa que: impacten cómo las personas se vistan, utilicen ropas o accesorios para taparse u ofrecer un efecto visual, tengan dificultades con el aseo o mirarse en el espejo, entre otras consecuencias. Por último, la disforia social es el distrés asociado con las miradas de las personas, los comentarios transfóbicos y la invalidación de su identidad por parte de otros. En terapia, es importante hacer la distinción para encontrar posibles soluciones al malestar. El DSM-5-TR estima que entre el 0.005 % y el 0.014 % de las personas a las que se les asignó el sexo masculino al nacer y entre el 0.002 % y el 0.003 % de las personas a las que se les asignó el sexo femenino al nacer son diagnosticables con disforia de género (APA, 2022).

Además, es importante reconocer las particularidades de la experiencia de la disforia de género en personas no binaries. Un estudio reconoció que este síntoma se experimenta en: androginia o fluidez, rasgos femeninos o masculinos, disforia versus expresión o apariencia, variación o cambios en la disforia sin reconocer una solución y una pérdida o negociación (Galupo et al., 2021). Entonces, se debe reconocer que la experiencia es única y por tanto debe ser validada y trabajada de forma diferente. Sin embargo, en una revisión de literatura realizada por Adorno-Rodríguez y colaboradores (2022), se encontró que las personas trans están consistentemente coaccionadas para tener que explicar su experiencia mediante el lenguaje y la terminología de un grupo mayoritario, en este caso de las disciplinas psicológicas, de la salud y los planes médicos. Para Julia Serrano (2020), el tener que utilizar un lenguaje y terminología dominante sitúa a las personas de experiencia trans en una posición de subordinación. De esta manera, se privilegia el lenguaje de la patología y se fomenta que el género de las personas trans siempre esté abierto a interpretación y cuestionamiento. Por tanto, una sensibilidad necesaria resulta en que une terapeuta transafirmative reconozca las formas en que la terapia puede estar matizada por el sesgo de la relación de poder. De esta manera, se trabaja para transformar la relación terapéutica en una de solidaridad y horizontalidad de modo tal que se beneficien las personas de experiencia trans.

Modelos clínicos transafirmativos informados en evidencia

En términos de modelos clínicos existen varios modelos informados en la evidencia científica para atender las necesidades de la comunidad trans, cuir y no binarie. En primer lugar, se encuentra el modelo de Arlene Lev (2014). Lev establece seis etapas:

- Primera etapa - Despertar de Conciencia - la persona comienza a identificar que se siente diferente a las demás personas.

- Segunda etapa - Búsqueda de Información - la persona comienza a definir las características y conceptos en los cuales define su identidad y expresión.
- Tercera etapa -la Divulgación a Personas Significativas - la persona de experiencia trans comienza a prepararse y a decidir a quién divulgarle su identidad.
- Cuarta etapa - Exploración de la Identidad y Etiquetas Autoimpuestas - las personas aceptan la experiencia del síntoma de la disforia y notan la diferencia cuando afirman su identidad.
- Quinta etapa - Exploración de Asuntos de Transición y Posibles Modificaciones Corpóreas - las personas trans consolidan la expresión de género y deciden si hacen modificaciones físicas.
- Sexta etapa - Integración: Aceptación y Asuntos Luego de la Transición - desarrollan una nueva identidad integrando el pasado y el presente.

Para una presentación más elaborada sobre lo anterior, pueden remitirse al capítulo sobre Desarrollo de la Comunidad LGBT+ en donde se explica este modelo y se ofrecen otros ejemplos (Vázquez-Rivera, 2019a).

También se encuentra la Terapia Cognitiva Conductual Trans Afirmativa (TCC-TA) (Austin & Craig, 2015) que se enfoca en ayudar a les pacientes a entender la relación entre la transfobia, sus emociones, pensamientos y conductas. El modelo tiene diferentes objetivos como el psicoeducar sobre el modelo, retar los pensamientos que refuerzan la transfobia internalizada, cambiar los ciclos de pensamientos de desesperanza o ideación suicida y fomentar la conexión social que afirme sus identidades y expresiones. Este modelo fue desarrollado contextualizando el modelo cognitivo conductual con las experiencias y necesidades de la comunidad trans.

Otro modelo propuesto en la literatura es la Terapia de Exposición Narrativa Transafirmativa (Lange, 2020). Este modelo es una fusión entre la terapia de exposición narrativa y los preceptos del modelo afirmativo para las personas de experiencia trans. La integración del modelo afirmativo promueve el abordaje del daño causado por el estrés minoritario, el estigma internalizado, las terapias de conversión y la exposición al trauma. La Terapia de Exposición Narrativa Transafirmativa consta de tres fases en el tratamiento: la creación de una línea cronológica del tiempo y la determinación de los "capítulos" que se utilizarán para las tareas de la segunda fase, el escribir las narraciones de los capítulos que luego se leerán en voz alta en la sesión, y verbalmente procesado con lx terapeuta, y, por último, concluir la autobiografía y el proceso terapéutico. Ambos modelos (i.e., terapia cognitiva conductual y terapia narrativa) son informados en evidencia científica. La integración de ambos modelos con el marco conceptual afirmativo aún no ha pasado por validación científica.

En cuanto a tratamientos grupales, se ha encontrado evidencia sobre su efectividad en poblaciones trans (Craig et al., 2021). Un ejemplo de éxito puede ser el publicado por nosotres (Vázquez-Rivera y Ortiz-Calderón, 2018). Identificamos que las estrategias grupales pueden ser efectivas para apoyar y acompañar terapéuticamente a la comunidad de hombres trans y personas transmasculinas. En este caso, se incluyeron en los grupos los siguientes temas que ellos mismos, a través de la acción participativa, escogieron: (a) previo a salir- divulgar la orientación sexual (experiencias de vida, disforia de género y manejo del estigma), (b) divulgar la identidad (etapas de transición y divulgación, autoestima y aspectos positivos de ser trans), (c) manejo de la transición (efectos de las terapias hormonales, control de impulso y emociones), (d) la vida trans (bienestar, oportunidades y espacios seguros, leyes y derechos y asuntos de la sexualidad), y (e) futuro del grupo (expansión del grupo a otros espacios) (Vázquez-Rivera & Rivera-Mercado, 2017). Este programa logró reducir las puntuaciones de síntomas en ideación suicida, estrés, ansiedad y depresión (Vázquez-Rivera, Rivas & Sayers-Montalvo, 2022). Otros estudios de terapias grupales en jóvenes trans tienen resultados alentadores en la reducción de la depresión (Austin et al., 2018). El estudio realizado por Austin y colaboradores evaluó la efectividad de un programa grupal de estrategias de manejo afirmativas.

Por último, existen manuales informados en evidencia para el trabajo con las comunidades trans, cuir y no binaries. *Salud LGBT+: Un manual terapéutico para el trabajo con las comunidades* (Vázquez-Rivera, 2019b) dedica gran parte del texto al trabajo con poblaciones diversas en expresión e identidad de género. El manual comienza con la exploración clínica en historiales sensibles a la comunidad que recogen información relevante. Luego, tiene ejercicios de autoidentificación para que la persona terapeuta y su cliente paciente dialoguen sobre categorías para definir sus identidades. El mismo contiene también ejercicios para manejar el estigma y las microagresiones. Finalmente, se desarrollaron actividades para determinar un plan de transición para le cliente o paciente. En la experiencia clínica, este manual ha sido útil para les pacientes. En la literatura se conoce que los modelos adaptados culturalmente tienen buena respuesta. Los trabajos como estos dan esperanza a que se continúe arrojando luz sobre la necesidad de crear modelos clínicos específicos para las poblaciones diversas en género.

Otro tema importante para explorar son los procesos de transición, puesto que estos son temas importantes a incluir en las terapias con la comunidad. Además, todo profesional de la salud debe conocer la información básica sobre los tratamientos de transición, su efectividad y potenciales efectos adversos para poder orientar a sus pacientes. A continuación, exploramos un resumen de la información revisada.

Procesos de transición de género

Antes de discutir los diversos procesos de transición que puede tomar alguien, es importante reconocer precisamente que los mismos son individuales, no lineales y debe ser le paciente quien tenga la última palabra sobre cómo atender su situación. En ocasiones la transición será un proceso de tipo ensayo y error porque la persona aún no siente total seguridad sobre su proceso y, en otros momentos, las personas van a saber exactamente lo que quieren y necesitan. Esto sucede porque lo que guía la transición es una convicción identitaria que no necesariamente le identifica el camino a la persona en su diario vivir, y por tanto, puede tomar múltiples formas. Esto mezclado con las presiones y expectativas sociales puede causar confusión.

Existen principalmente tres tipos de transición: la transición social, la transición legal y la transición médico o física. La transición social incluye el autorreconocimiento de su identidad, la divulgación de la identidad a las personas a su alrededor, el escogido de un nombre y pronombres, y el uso de ademanes, ropa, maquillaje, estilos de cabellos, terapias de modulación de voz, entre otros procesos (APA, 2015; 2021). A su vez, la transición legal es establecer los cambios oficiales en las instituciones gubernamentales (cambio del marcador de género en identificaciones oficiales, cambio de nombre en el registro demográfico, archivos de manutención, entre otras), laborales (contratos, identificación, archivos de recursos humanos, entre otras), crediticias (cuentas, tarjetas de créditos, hipotecas, préstamos, entre otras), académicas (diplomas, certificaciones de grado, entre otras), salubristas (archivos electrónicos de médicos, planes de salud, entre otros), entre otras formas de establecer su identidad legal (APA, 2015; 2021). Por último, la transición médica o física se refiere usualmente terapia hormonal,

terapia de supresión hormonal, las cirugías de feminización o masculini-
zación, cirugías genitales, o cirugías de cuerdas vocales (APA, 2015; 2021).

Existen profesionales que opinan que las guías para transicionar médicamente solo atienden a las personas con un alto nivel económico (Singh
et al., 2017). Explican que los protocolos responden a personas con acceso a
seguros de salud y a servicios con costos altos como lo pueden ser las cirugías. Estas condiciones, unidas a las altas tasas de desempleo, el no tener
plan de salud o cubiertas que no incluyen estos procedimientos, no tener
acceso a profesionales que les diagnostiquen con disforia de género y el
estar viviendo en niveles bajo pobreza no permiten a las personas acceder a
servicios de alta calidad generando que recurran a procedimientos clandestinos (Singh et al., 2017). Los procedimientos clandestinos no son seguros,
no cuentan con la rigurosidad médica y les puede exponer a enfermedades
(Singh et al., 2017).

Los procedimientos propios de la transición física se dividen a su vez
en invasivos y no invasivos (Cousins et al., 2019). Los procedimientos invasivos son todos aquellos que de manera deliberada penetran el cuerpo por
un orificio natural o percutáneo a través de una incisión o punción con el
uso de agujas y otros instrumentos (Cousins et al., 2019). Los no invasivos
son aquellos que no caen bajo esta definición. A continuación, detallaremos
los procesos no invasivos más utilizados para la afirmación de género.

Procesos no invasivos: remoción de vellos corporales

La remoción de vellos corporales puede ser un componente importante de la afirmación de género para muchas personas transgénero. Esta
remoción puede ser hecha a través de laser o electrólisis. Especialmente,
mujeres trans y personas no binaries suelen someterse a depilación facial,

axilar y otras regiones del cuerpo para alinear su identidad y expresión de género. En un estudio se encontró que la mayoría de las mujeres trans y las personas no binaries que recibían terapia hormonal de feminización tenían un exceso persistente de vello facial y corporal, y que el uso rutinario de hormonas de afirmación de género no fue suficiente para eliminar por completo el vello no deseado (Marks et al., 2019). Según estos investigadores, el costo de este tipo de tratamiento es la barrera de acceso más común y, por lo tanto, la cobertura de seguro médico es esencial para les pacientes.

Procesos no invasivos: modificación de voz

Es común ver que las mujeres trans tienden a buscar terapia de voz para obtener una voz más femenina. No obstante, existen estudios que identifican actitudes negativas sobre su voz en algunos hombres trans (sobre todo a aquellos que no tuvieron cambios significativos en su voz luego de iniciar terapia hormonal) al igual que en personas no binaries (Hays, 2013). Esto, a pesar de que se ha encontrado que la voz se agrava en los hombres trans luego de comenzar en terapia de reemplazo hormonal (Hays, 2013). De hecho, este estudio sugiere que el personal clínico debe aconsejar a los hombres trans que pueden o no experimentar disminución de la voz dentro de los primeros tres meses de terapia con testosterona y que la mayor parte de la profundización de la voz ocurrirá dentro de los 6 a 9 meses.

En términos de terapia de modificación de voz, la voz femenina se puede lograr a través de varias modalidades: como elevar la frecuencia fundamental, cambiar la resonancia y usar una comunicación no verbal más femenina (Gorham-Rowan & Morris, 2006; Borsel et al., 2008). Se ha encontrado que, para las mujeres trans, la calidad de vida se correlaciona moderadamente con la forma en que las demás personas perciben su voz (Hancock et al., 2011). Sin embargo, el estudio encontró que las puntuaciones de calidad de vida correlacionan más fuertemente con la percepción de la voz autoevaluada por la persona hablante en comparación con las percepciones de las demás. Una revisión sistemática mostró resultados positivos en cuanto a la elevación del tono, la resonancia oral, la autopercepción y la percepción del oyente (Leyns et al., 2021). En mujeres trans, se encontró de un 80 a 85% de satisfacción con los servicios de terapia de voz (Nolan et al., 2019).

Procesos no invasivos: estoqueo, "binding" y el uso de prostéticos

Estoqueo y "binding" son prácticas de afirmación de género. El estoqueo es colocar el pene y el escroto entre las nalgas y mover los testículos hacia los canales inguinales (Owl & Fisher, 2019). El "binding" es la utilización de cinta adhesiva, o prendas de ropa parecidas a los sujetadores deportivos, pero más restrictivas, con el fin de aplanar el pecho (Owl & Fisher, 2019). Ambas prácticas son para crear una apariencia plana en la pelvis en caso del estoqueo, y en el pecho, en el caso del "binding". En un estudio sobre este tipo de modificación en la comunidad trans, se encontró que la mayoría (75%) había practicado el estoqueo y entre ellos, el 67% lo había practicado por más de 7 años (Malik et al., 2022). La mayoría (85%) también reportó hacerlo diariamente y cerca de la mitad (45%) más de 17 horas al día. La mitad informó preocupación sobre los efectos en la salud de esta práctica y reportaron algunos efectos secundarios incluyendo picazón, sarpullido y dolor testicular (Malik et al., 2022), y dolor en el pene e infecciones de la piel (Poteat et al., 2018).

Sobre la práctica del "binding", un estudio indicó que la mayoría de las personas trans utilizaban el estoqueo y el "binding" para afirmar su género (Poteat et al., 2018). El 80% de los hombres trans la practicaba, y de ellos, el 51% lo hacía por 7 días a la semana y el 62% por 8 horas al día. El 68% identificó tener preocupación por los efectos de esta práctica. En los participantes de este estudio, los síntomas negativos más comunes fueron dolor de espalda (65%), dificultad para respirar (49%), mala postura (32%), dolor en el pecho (30%) y mareos (30%).

Por último, en la comunidad trans existe el uso de prostéticos para simular senos, caderas, glúteos, pene y testículos (Owl & Fisher, 2019). Estos prostéticos vienen con prendas de ropa para sujetarlos en sitio y otras maneras de utilizarlos y dar la mejor apariencia. Aunque se reconoce la utilización de estos en la comunidad, el uso de estos no aparenta representar riesgos a la salud, pero sí tienden a ser costosos. Tal vez, por esta razón, no se encontraron estudios que evaluaron la prevalencia de utilización y la satisfacción con estos.

Procesos no invasivos: terapia hormonal

La terapia hormonal de afirmación de género tiene como objetivo alinear las características de una persona con su identidad de género. El pilar de este tratamiento de por vida en hombres trans es la testosterona (Coleman, et al., 2022). Las mujeres trans, por su parte, reciben preparados de estrógenos orales o transdérmicos a menudo junto con un análogo de la hormona liberadora de gonadotropina o un antiandrógeno (Coleman, et al., 2022). Muy importante es dialogar sobre los beneficios del tratamiento hormonal para afirmar el género de las personas de experiencia trans. Para referir a una persona a alguno de estos tratamientos es esencial seguir la versión más reciente de los *Standard of Care del World Professional Association on Transgender Health* (Coleman, et al., 2022) y para los estándares clínicos, dependiendo del tratamiento, los profesionales se deben referir al *Endocrine Treatment of Gender-Dysphoric/Gender-Incongruent Persons: An Endocrine Society Clinical Practice Guideline* (Hembree et al., 2017). Estas guías ayudarán a les profesionales a orientar sobre los criterios necesarios para referir a estos procedimientos, los beneficios, y los potenciales efectos secundarios.

Los estudios han informado consistentemente una mayor prevalencia de mujeres trans que hombres trans recibiendo terapia hormonal (Zucker, 2017). Una meta-revisión encontró una proporción aproximada de 2 a 1 (Arcelus, et al., 2015). Además, se ha observado una disminución en la edad promedio de iniciación a 30 años en algunos estudios y un aumento en la búsqueda de la terapia hormonal en hombres trans (Leinung & Joseph, 2020). Una encuesta nacional con la población trans indicó los siguientes datos sobre la terapia hormonal:

> Setenta y ocho por ciento (78%) de les encuestades quería recibir terapia hormonal en algún momento en sus vidas, pero solo el 49% de les encuestades reportó haberlo recibido alguna vez. Noventa y dos por ciento (92%) de les que alguna vez han recibido terapia hormonal todavía la estaban recibiendo, representando el 44% de todes les encuestades. Una gran mayoría de hombres y mujeres transgénero (95%) han querido terapia hormonal, en comparación con 49% de les encuestades no binaries. Los hombres y mujeres trans eran cinco veces más probables de haber recibido alguna vez terapia hormonal (71 %) que les encuestades no binaries (13%). (James et al., 2016; p. 99)

Los datos hasta el momento sugieren que la terapia hormonal en jóvenes trans mejora su salud mental y la calidad de vida (Mahfouda et al., 2019). Además, se ha encontrado que los tratamientos hormonales afirmativos disminuyen los comportamientos suicidas (Allen et al., 2019). Por ejemplo, un estudio encontró que luego de un año de tratamiento hormonal el nivel de comportamiento suicida disminuyó un 25% (Allen et al., 2019). En una revisión sistemática de la literatura se encontró que este tipo de terapia se asoció a un aumento de la calidad de vida, una disminución de la depresión y una disminución de la ansiedad (Baker et al., 2021). Las asociaciones fueron similares a través de las diferentes identidades de género y la edad.

En otro estudio sistemático se encontró que, aunque los problemas de salud mental son más frecuentes en las personas trans en comparación con las personas cisgénero, se presentan menos dificultades psicológicas y un aumento en la satisfacción con la vida con el tratamiento hormonal de afirmación de género para aquellos que sienten que esto es una necesidad (D'hoore & T'Sjoen, 2022). Con este tratamiento, la composición corporal y los contornos del cuerpo cambian hacia el sexo afirmado. Otro estudio concluye que el distrés relacionado a la disforia de género se puede beneficiar del tratamiento hormonal debido a la insatisfacción por la incongruencia del cuerpo (Costa & Colizzi, 2016). Los investigadores de este estudio añaden que, por tal razón, las intervenciones a tiempo representan un asunto crucial en la salud mental de las personas con disforia de género.

Por otro lado, el tratamiento de supresión de la pubertad para les adolescentes trans que desean este tratamiento se asocia con un resultado de salud mental favorable (Turban et al., 2020). La supresión hormonal también ha demostrado mejorar el bienestar psicológico en comparación con otros jóvenes trans que no han entrado en supresión hormonal e igual o mejor funcionamiento psicológico que pares cisgénero (van der Miesen et al., 2020). Costa y colaboradores (2015) encontraron que en jóvenes trans que llevaban dos años en supresores se disminuyeron a la mitad los comportamientos problemáticos, mientras que los problemas emocionales disminuyeron de un 33% a un 11%. Este mismo estudio indicó que la muestra mejoró su funcionamiento psicológico general luego de 6 meses. Sin embargo, existen efectos secundarios en el uso de terapia hormonal o supresión hormonal que deben ser mitigados (Coleman, et al., 2022). Una buena fuente para comenzar la exploración de los mismos es el *Standard of Care del World Professional Association on Transgender Health* (Coleman, et al., 2022).

Otro asunto importante, sobre todo para las personas no binaries, es las microdosis. La microdosis se refiere a utilizar bajas dosis de testosterona o estrógeno para adquirir una apariencia fuera del binario (CBSN, 2019). Es importante aclarar que esto es un acercamiento emergente a las terapias de reemplazo hormonal (CBSN, 2019). Sin embargo, el *Standard of Care del World Professional Association on Transgender Health* (Coleman, et al., 2022) recomienda comenzar terapias hormonales con dosis bajas. No se encontraron publicaciones específicas sobre la efectividad de la microdosis, pero anecdóticamente sabemos que existen personas que lo utilizan satisfactoriamente sin efectos secundarios.

Procesos Invasivos: Cirugías de Afirmación

Existen diversos tipos de cirugía de afirmación de género. Entre los procedimientos feminizantes más comunes se encuentran: mamoplastia de aumento, vaginoplastía, procedimientos faciales, tirocondroplastía de reducción, cirugía de voz, ooforectomía y orquiectomía (Coleman, et al., 2022). Por otro lado, los procedimientos masculinizantes más comunes son: faloplastía, escrotoplastía, metoidioplastía, cirugía de pecho, histerectomía y vaginectomía (Coleman, et al., 2022). Las personas no binaries y cuir tienden a escoger procedimientos acordes a su expresión de género ideal o su disforia. Resulta muy importante dialogar sobre los beneficios de las cirugías para afirmar el género de las personas de experiencia trans. Para referir a una persona a alguno de estos tratamientos es esencial seguir la versión más reciente de los *Standard of Care del World Professional Association on Transgender Health* (Coleman, et al., 2022) y para los estándares clínicos, dependiendo del tratamiento, los profesionales se deben referir al *Gender Confirmation Surgery: Guiding Principles* (Schechter et al., 2017). Estas guías ayudarán a les profesionales a orientar sobre los criterios necesarios para referir a estos procedimientos, los beneficios, y los potenciales efectos secundarios.

Una revisión sistemática del 2019 indicó que no existían hasta la fecha muchas investigaciones que auscultaran como las cirugías de afirmación de género impactan la salud mental (Wernick et al., 2019). Sin embargo, ésta revela que la mayoría de los estudios revisados demostraron tener múltiples y significativos beneficios psicológicos. En un estudio con 27,715 encuestades trans, el 13% reportó haberse sometido a uno o más tipos de cirugías de afirmación de género al menos dos años antes de participar en la encuesta, mientras que el 59% indicó que deseaban someterse a uno o más tipos de cirugía de afirmación de género (Almazan & Keuroghlian, 2021). Estos autores encontraron que someterse a uno o más tipos de cirugía de afirmación de género se asoció con una menor angustia psicológica en el último mes, consumo de tabaco en el último año, e ideación suicida en el último año. Además, indicaron que las personas de experiencia trans que se sometieron a todas las cirugías deseadas tuvieron menores probabilidades de tener resultados de salud mental adversos y los beneficios fueron más significativos que las personas que solo recibieron algunas de las cirugías. Por ejemplo, tuvieron menos probabilidades de un intento suicida durante el año previo a la encuesta y de incurrir en una borrachera de alcohol durante el mes antes. Este estudio (Almazan & Keuroghlian, 2021) había sido hasta la fecha el primero controlado a gran escala que demuestra una asociación entre la cirugía de afirmación de género y mejores resultados de salud mental.

Otro estudio de corte poblacional encontró una asociación longitudinal entre la cirugía de afirmación de género y la reducción de tratamientos de salud mental (Bränström & Pachankis, 2020). En comparación con la población general, las personas con un diagnóstico de incongruencia de género tenían aproximadamente seis veces más probabilidades de haber tenido una visita de atención médica por un trastorno del estado de ánimo y ansiedad, más del triple de probabilidades de haber recibido una receta de antidepresivos y ansiolíticos, y seis veces más probabilidad de haber sido hospitalizados después de un intento de suicidio. Más importante, se encontró que mientras más pasaba el tiempo desde su última cirugía de afirmación de género menos tratamiento de salud mental era necesario.

Un estudio con hombres trans encontró que un procedimiento de remoción de senos disminuye los síntomas de disforia de género, alivia los síntomas psicológicos y aumenta su calidad de vida (Agarwal et al., 2018; Davis & Meier, 2014; Mahfouda, 2019). Esta investigación contó con la participación de 246 hombres trans, quienes reportaron que después de someterse a una cirugía de afirmación de género hubo una mejoría significativa en su autoimagen, vida amorosa/sexual, vida social y sus posibilidades de encontrar empleo. Informaron también que de estar presentes las comorbilidades psiquiátricas (i.e., depresión, ansiedad, abuso de sustancias, ideación suicida, trastorno de pánico, fobia social y trastorno obsesivo-compulsivo) tuvieron una mejoría estadísticamente significativa después de la cirugía. En fin, los hallazgos de las investigaciones citadas sugieren que la utilización de la atención médica relacionada con la transición puede reducir el riesgo de problemas de salud mental. Sin embargo, existe una preocupación en la comunidad de profesionales de salud, en cuanto a personas de la comunidad trans que se sometan a procedimientos no reversibles y luego se arrepientan. En la próxima sesión revisaremos la literatura científica en torno a esta preocupación.

Asuntos de Detransición

En nuestra experiencia y trabajo, hemos observado que existen organizaciones y opositores de conciencia de las terapias afirmativas que resaltan estadísticas confusas sobre las personas cuyas acciones se catalogan como detransición para argumentar que las terapias afirmativas deben ser abolidas. En este término, detransición, se agrupan las personas que se arrepienten de haber transicionado físicamente o detienen y revierten el proceso y los tratamientos a los cuales se han sometido (Davies et al., 2019). Sin embargo, varios estudios con muestras numerosas han ampliado la discusión y ofrecido otras explicaciones a este fenómeno. Estos estudios los veremos a continuación.

Por ejemplo, el *National Center for Transgender Equality* (James et al., 2016) realizó una encuesta en donde participaron 28,000 personas de experiencia trans de 18 años o más y encontró que el 8% de la muestra detransicionó. La razón principal documentada fue la presión de sus padres o madres y le siguió: la discriminación, la dificultad de encontrar trabajo y las presiones de otros miembros de la familia. Aún más importante fue que el 62% de ese 8% decidió retomar su transición. Otro estudio con 6,793 participantes encontró que un 0.9% de la muestra mostró arrepentimiento (Wiepjes et al., 2018). Un estudio con 3,398 participantes encontró un 0.5% de arrepentimiento (Davies et al., 2019). Del mismo modo, un estudio con 17,151 de adultxs que transicionaron encontraron que el 13% detransicionó

(Turban et al., 2021). De estos, el 83% indicó que su razón fue por presiones externas como la de la familia y el estigma social. Finalmente, la literatura científica evaluada muestra un 0.5 a un 13% de personas trans que detransicionaron. Definitivamente, es un fenómeno importante para seguir explorando, clarificando e intentando disminuir. Sin embargo, estas cifras no superan el 13% de las muestras por lo que detener un tratamiento que ofrece tantos beneficios positivos para el 87% de estas muestras en la comunidad no es factible.

Conclusión

La provisión de servicios de ayuda (e.g., psicológica, médica) debe ser accesible para todas las personas por igual. Actualmente, hay una escasez de expertes en el campo de la salud trans, y les poques que estamos somos en ocasiones invisibles a la comunidad trans por el problema de acceso que esta comunidad enfrenta (James et al., 2015). También, tenemos profesionales dispuestes a trabajar con la comunidad, pero no están educades en el tema. Esto, aunque pareciera suficientemente bueno, no lo es. De hecho, usualmente las personas trans dilatan la transición por miedo y desconfianza en las recomendaciones de les expertes. Por último, tenemos a les profesionales con actitudes estigmatizantes que se resisten a atender a personas de experiencia trans.

Sencillamente, les profesionales de la salud no pueden seguir llenando las lagunas que tienen de información por causa de la invisibilidad del tema en las universidades y en los foros de educación continua con sus valores o creencias personales, las cuales principalmente vienen de dogmas religiosos judeocristianos y valores conservadores. Une profesional transafirmative debe cumplir con tres criterios principales: el entendimiento de la ciencia del sexo, género y la orientación sexual (sus diferencias, experiencias e interseccionalidades), el conocimiento de los modelos que ayudan a entender el desarrollo de la salud mental en personas de las comunidades LGBT+ y, por último, la convicción de que todas las personas tienen el derecho de vivir felices, cómodas y plenas con cómo se identifican, y que esto es una necesidad primaria. Luego, une profesional transafirmative tiene que participar en asuntos de la comunidad trans, abogar por los problemas que les aquejan y los derechos que aún se adeudan, tomando en consideración las voces de las personas a quienes atienden. El desarrollo de espacios para que las personas trans sean quienes narren sus experiencias desde sus coordenadas y usando su propio lenguaje para transmitir la forma en que se piensan y conceptualizan es vital. Sentirá la persona lectora, quizás, que en atender a la población trans desde esta mirada transforma a su vez la interioridad de les terapeutas. Quizás sienta que en dejar al lado las exigencias de tener las respuestas para dar paso a una relación horizontal en la que ningune de les dos tiene todas las respuestas deviene en otro tipo de terapeuta, en otro tipo de persona con nuevas coordenadas para relacionarse. Aquí la magia de hablar cara a cara con las personas trans y permitirse ser enseñade por ellas.

Luego de la reflexión compartida en este capítulo, nos parece importante ampliar las guías del Comité de Asuntos de la Comunidad Diversa en Sexo, Género y Orientación Sexual (anteriormente conocido como el Comité de Asuntos de la Comunidad LGBT, 2014). A continuación, verán las guías propuestas en su versión actual y con los cambios que proponemos.

Tabla 1

Guías del Comité de Asuntos de la Comunidad Diversa en Sexo, Género y Orientación Sexual y Propuestas para una Mirada Más Abarcadora

Educación	
Anterior	Propuesta
• Los/Las psicólogos/as utilizan la terminología con la que se identifique el/la cliente/paciente, y está dispuesto/a a psicoeducar sobre otros términos alternativos de ser necesario (APA, 2011a).	• Lxs psicólogxs reconocen la necesidad de educarse formalmente en temas de la comunidad diversa en expresión e identidad de género. • Lxs psicólogxs están actualizados en la evidencia científica más reciente y mejores prácticas clínicas para intervenir con lx cliente/paciente, lxs familiares y contextos importantes de lx cliente/paciente. • Lxs psicólogxs utilizan lenguaje inclusivo en las intervenciones y toda interacción relacionada con lxs pacientes de la comunidad trans, cuir y no binarie.
	Además, utilizan los conceptos y la terminología que utiliza lx cliente/paciente y cliente y no pretende imponer la suya.

Salud	
Anterior	Propuesta
• Los/Las psicólogos/as están conscientes de la transfobia internalizada que podría presentar el/la cliente/paciente, teniendo en cuenta que estas personas nacieron y se criaron en la misma sociedad y cultura transnegativa (APA, 2011a).	• Lxs psicólogxs entienden que los asuntos de salud mental de las comunidades trans, cuir y no binaries son el resultado del estrés minoritario. Siempre lxs profesionales deben exploran la opresión social, la aceptación familiar y las personas cercanas, las experiencias de discrimen y su relación con la sintomatología actual. • Lxs psicólogxs evitan asociar los problemas y/o sintomatología de sus clientes/pacientes a su identidad de género y/o a su inconformidad con el sexo, aunque están conscientes del constante prejuicio y violencia psicosocial que viven estas comunidades, incluyendo la comunidad LGB (APA, 2011a). • Lxs psicólogxs están conscientes de la transfobia internalizada que podría presentar lx cliente/ paciente, teniendo en cuenta que estas personas nacieron y se criaron en la misma sociedad y cultura transnegativa.

Salud Mental	
Anterior	Propuesta
• Los/Las psicólogos/as no intentan cambiar o modificar la identidad de género y/o la identidad del sexo del/de la cliente/paciente, sino que normalizan y empoderan a sus clientes/pacientes a estar orgullosos/as de la identidad con la cual se sientan congruentes (APA, 2011a).	• Lxs psicólogxs no intentan cambiar o modificar la identidad de género de lx paciente, sino que normalizan y empoderan a sus clientes/pacientes a estar orgullosxs de la identidad con la cual se sientan plenxs. • Lxs psicólogxs deben facilitar el acceso a los procesos de transición física que lx cliente/paciente determine sean necesarios para ellx. • Lxs psicólogxs conocen los beneficios y efectos secundarios de las practicas no invasivas de la transición. Lxs profesionales adoptan un acercamiento de reducción de daños para mitigar los efectos secundarios y maximizar los beneficios. • Lxs psicólogxs conocen los beneficios y efectos secundarios de las terapias hormonales y las cirugías de afirmación de género y deben psicoeducar a lxs pacientes para ayudar en el consentimiento informado de estos procedimientos y el cuidado post operatorio. • Lxs psicólogxs conocen las maneras no invasivas de afirmar el género y psicoeducan sobre las mismas a lxs clientes/pacientes. • Lxs psicólogxs no dilatan los procesos de transición a ninguna edad, sino que hacen su trabajo para descartar asuntos que impidan los tratamientos de afirmación y recomiendan tratamientos basados en el mejor bienestar de lx cliente/paciente.

El futuro de la psicología y las otras ciencias relacionadas a la salud de las comunidades trans, cuirs y no binaries se basa en la deconstrucción de mitos antiguos que no tienen como norte la diversidad. Estas disciplinas de apoyo tienen que afirmar las identidades diversas y apoyar lo que la literatura científica que lo avala. El deber ético del bienestar de le cliente/paciente es apoyar la transafirmación.

Referencias

Adorno–Rodríguez, K., Rolón–Sanfeliz, M., Ortiz–Rivera, O., & Feliciano–Graniela, F. E. (2022). *Cognición social y la experiencia vivida de personas trans en contextos de servicios de salud. (In Process)*

Agarwal, C. A., Scheefer, M. F., Wright, L. N., Walzer, N. K., & Rivera, A. (2018). Quality of life improvement after chest wall masculinization in female–to–male transgender patients: A prospective study using the BREAST–Q and Body Uneasiness Test. *Journal of Plastic, Reconstructive & Aesthetic Surgery, 71*(5), 651–657. https://doi.org/10.1016/j.bjps.2018.01.003.

Allen, L. R., Watson, L. B., Egan, A. M., & Moser, C. N. (2019). Well–being and suicidality among transgender youth after gender–affirming hormones. *Clinical Practice in Pediatric Psychology, 7*(3), 302–311. https://doi.org/10.1037/cpp0000288

Almazan, A. N., & Keuroghlian, A. S. (2021). Association between gender–affirming surgeries and mental health outcomes. *JAMA Surgery, 156*(7), 611–618. doi:10.1001/jamasurg.2021.0952

American Psychiatric Association. (2022). *Diagnostic and statistical manual of mental disorders* (5th ed., text rev.). American Psychiatric Association Publishing. https://doi.org/10.1176/appi.books.9780890425787

American Psychological Association, Task Force on Appropriate Therapeutic Responses to Sexual Orientation. (2009). *Report of the American Psychological Association task force on appropriate therapeutic responses to sexual orientation.* http://www.apa.org/pi/lgbc/publications/therapeutic–resp.html

American Psychological Association. (2015). Guidelines for psychological practice with transgender and gender nonconforming people. *American Psychologist, 70*(9), 832–864. http://dx.doi.org/10.1037/a0039906

American Psychological Association. (2021). *APA resolution on gender identity change efforts.* https://www.apa.org/about/policy/resolution–gender–identity–change–efforts.pdf

APPR Comité de Asuntos de la Comunidad LGBT. (2014). *Estándares para el trabajo e intervención en comunidades de lesbianas, gays, bisexuales e identidades trans.* Asociación de Psicología de Puerto Rico.

Arcelus, J., Bouman, W. P., Van Den Noortgate, W., Claes, L., Witcomb, G., & Fernandez–Aranda, F. (2015). Systematic review and meta–analysis of prevalence studies in transsexualism. *European Psychiatry, 30*(6), 807–815. doi: 10.1016/j.eurpsy.2015.04.005

Asociación de Psicología de Puerto Rico (2021). *La APPR se expresa sobre las enmiendas en relación con el Proyecto de Ley 184.* https://www.asppr.net/single–post/la–appr–se–expresa–sobre–las–enmiendas–en–relacion–con–el–proyecto–de–ley–184

Austin, A., & Craig, S. L. (2015). Transgender affirmative cognitive behavioral therapy: Clinical considerations and applications. *Professional Psychology: Research and Practice, 46*(1), 21–29. https://doi.org/10.1037/a0038642

Austin, A., Craig, S. L., & D'Souza, S. A. (2018). An AFFIRMative cognitive behavioral intervention for transgender youth: Preliminary effectiveness. *Professional Psychology: Research and Practice, 49*(1), 1–8. http://dx.doi.org/10.1037/pro0000154

Baker, K. E., Wilson, L. M., Sharma, R., Dukhanin, V., McArthur, K., & Robinson, K. A. (2021). Hormone therapy, mental health, and quality of life among transgender people: A systematic review. *Journal of the Endocrine Society, 5*(4), bvab011. https://doi.org/10.1210/jendso/bvab011

Beckstead, A. L., & Morrow, S. L. (2004). Mormon clients' experiences of conversion therapy: The need for a new treatment approach. *The Counseling Psychologist, 32*(5), 651–690. https://doi.org/10.1177/0011000004267555

Binder, C. V. (1977). Affection training: An alternative to sexual reorientation. *Journal of. Homosexuality, 2*(3), 251–259. doi:10.1300/J082v02n03_08.

Borsel, J. V., Eynde, E. V., Cuypere, G. D., & Bonte, K. (2008). Feminine after cricothyroid approximation? *Journal of Voice, 22*(3), 379–384. https://doi.org/10.1016/j.jvoice.2006.11.001.

Bränström, R., & Pachankis, J. E. (2020). Reduction in mental health treatment utilization among transgender individuals after gender–affirming surgeries: A total population study. *American Journal of Psychiatry, 177*(8), 727–734. https://doi.org/10.1176/appi.ajp.2019.19010080

CBSN (2019, July). *Hormone microdosing is a growing trend among non–binary* [Video]. https://www.cbsnews.com/video/hormone–microdosing–is–a–growing–trend–among–non–binary–individuals/#x

Coleman, E., Radix, A. E., Bouman, W. P., Brown, G. R., de Vries, A. L. C., Deutsch, M. B., Ettner, R., Fraser, L., Goodman, M., Green, J., Hancock, A. B., Johnson, T. W., Karasic, D. H., Knudson, G. A., Leibowitz, S. F., Meyer–Bahlburg, H. F.L., Monstrey, S. J., Motmans, J., Nahata, L., ... Arcelus, J. (2022). Standards of care for the health of transgender and gender diverse people, Version 8. *International Journal of Transgender Health, 23*(S1), S1–S260. https://doi.org/10.1080/26895269.2022.2100644

Comité de la Diversidad de Sexo, Género y Orientación Sexual de la Asociación de Psicología de Puerto Rico (2016). *Resolución aprobada en la pasada convención APPR 2016.* https://www.boletindiversidad.org/_files/ugd/e98428_bfa737496127457b8b-659de6aeb0aaa3.pdf

Comité de la Diversidad de Sexo, Género y Orientación Sexual de la Asociación de Psicología de Puerto Rico (2015). *Resolución aprobada en la pasada convención APPR 2015.* https://www.boletindiversidad.org/_files/ugd/e98428_c1e31518fc-1c4e39a5ae0a80aecf07cf.pdf

Conger, J. J. (1975). Proceedings of the American Psychological Association, Incorporated, for the year 1974: Minutes of the annual meeting of the Council of Representatives. *American Psychologist, 30,* 620–651. doi:10.1037/h0078455

Costa, R., & Colizzi, M. (2016). The effect of cross–sex hormonal treatment on gender dysphoria individuals' mental health: A systematic review. *Neuropsychiatric Disease and Treatment, 12,* 1953–1966. https://doi.org/10.2147/NDT.S95310

Costa, R., Dunsford, M., Skagerberg, E., Holt, V., Carmichael, P., & Colizzi, M. (2015). Psychological support, puberty suppression, and psychosocial functioning in adolescents with gender dysphoria. *Journal of Sexual Medicine, 12*(11), 2206–2214. doi: 10.1111/jsm.13034

Cousins, S. M., Blenclowe, N. S., & Blazeby, J. M. (2019). What is an invasive procedure? A definition to inform study design, evidence synthesis and research tracking. *BMJ Open, 9*(7). https://doi.org/10.1136/bmjopen–2018–028576

Craig, S. L., Eaton, A. D., Leung, V. W. Y., Iacono, G., Pang, N., Dillon, F., Austin, A., Pascoe, R., & Dobinson, C. (2021). Efficacy of affirmative cognitive behavioural group therapy for sexual and gender minority adolescents and young adults in community settings in Ontario, Canada. *BMC Psychology, 9*(94). https://doi.org/10.1186/s40359-021-00595-6

D'hoore, L., & T'Sjoen, G. (2022). Gender-affirming hormone therapy: An updated literature review with an eye on the future. *Journal of Internal Medicine, 291*(5), 574– 592. doi: 10.1111/joim.13441

Davies, S., McIntyre, S., & Rypma, C. (2019). Detransition rates in a national UK gender identity clinic. In *3rd biennal EPATH Conference Inside Matters On Law, Ethics and Religion* [Slideshow], p. 118. https://rb.gy/6b368

Davis, S. A., & Meier, S. C. (2014). Effects of testosterone treatment and chest reconstruction surgery on mental health and sexuality in female to male transgender people. *International Journal of Sexual Health, 26*(2), 113–128. doi: 10.1080/19317611.2013.833152

Ellis, A. (1956). The effectiveness of psychotherapy with individuals who have severe homosexual problems. *Journal of Consulting Psychology, 20*(3), 191–195. https://doi.org/10.1037/h0044762

Ellis, A. (1959). A homosexual treated with rational psychotherapy. *Journal of Clinical Psychology, 15*(3), 338–343. doi: 10.1002/1097-4679(195907)15:3<338::aid-jcl-p2270150335>3.0.co;2-q

Ellis, A. (1965). *Homosexuality: Its causes and cure.* Lyle Stuart.

Esteban, C., Francia-Martínez, M., & Vázquez, M. (2016). *Afirmación a la transgresión: Terapias transafirmativas* [Ponencia presentada]. 63ra Convención Anual de la Asociación de Psicología de Puerto Rico, San Juan, PR.

Fisher, O., & Fisher, F. (2019). *Trans teen survival guide.* Jessica Kingsley Publishers.

Fox, F. (2015, January). *Leelah Alcorn's suicide: Conversion therapy is child abuse.* Time. https://time.com/3655718/leelah-alcorn-suicide-transgender-therapy/

Francia-Martínez, M., Esteban, C., & Lespier, Z. (2017). Actitudes, conocimiento y distancia social de psicoterapeutas con la comunidad transgénero y transexual. *Revista Puertorriqueña de Psicología, 28*(1), 0098–113.

Francia, M. (2018). Terapias transafirmativas: Una alternativa prometedora para la comunidad trans. *Diversidad, 9*(1), 8–9.

Galupo, M. P., Pulice–Farrow, L., & Pehl, E. (2021). "There is nothing to do about it": Nonbinary individuals' experience of gender dysphoria. *Transgender Health, 6*(2), 101–110. http://doi.org/10.1089/trgh.2020.0041

Ginsberg, B. A., Calderon, M., Seminara, N. M., & Day, D. (2016). A potential role for the dermatologist in the physical transformation of transgender people: A survey of attitudes and practices within the transgender community. *Journal of the American Academy of Dermatology, 74*(2), 303–308. https://doi.org/10.1016/j.jaad.2015.10.013

Gorham–Rowan, M., & Morris, R. (2006). Aerodynamic analysis of male–to–female transgender voice. *Journal of Voice, 20*(2), 251–262. https://doi.org/10.1016/j.jvoice.2005.03.004.

Green, A. E., Price–Feeney, M., Dorison, S. H., & Pick, C. J. (2020). Self–reported conversion efforts and suicidality among US LGBTQ youths and young adults, 2018. *American Journal of Public Health, 110,* 1221–1227. https://doi.org/10.2105/AJPH.2020.305701

Green, R. J. (2003). When the therapist do not want their clients to be homosexual: A response to Rosik's article. *Journal of Marital and Family Therapy, 29*(1), 29–38. doi: 10.1111/j.1752–0606.2003.tb00380.x

Greenspoon, J., & Lamal, P. A. (*1987*). A behavioristic approach. In L. Diamant (Ed.), *Male and female homosexuality: Psychological approaches* (pp. 109–128). Hemisphere Publishing Corporation.

Hancock, A. B., Krissinger, J., & Owen, K. (2011). Voice perceptions and quality of life of transgender people. *Journal of Voice, 25*(5), 553–558. https://doi.org/10.1016/j.jvoice.2010.07.013.

Haynes, S. (2019, May). *The World Health Organization will stop classifying transgender people as having a 'mental disorder'.* Time. https://time.com/5596845/world–health–organization-transgender-identity/

Hays, S. E. (2013). *Attitudes about voice and voice therapy among transgender individuals.* [Unpublished master's thesis]. Louisiana State University, Lousiana. https://digitalcommons.lsu.edu/gradschool_theses/3936

Hembree, W. C., Cohen-Kettenis, P. T., Gooren, L. Hannema, S. E., Meyer, W. J., Hassan Murad, M., Rosenthal, S. M., Safer, J. D., Tangpricha, V., & T'Sjoen, G. G. (2017). Endocrine treatment of gender-dysphoric/gender-incongruent persons: An endocrine society clinical practice guideline. *The Journal of Clinical Endocrinology and Metabolism, 102*(11), 3869-3903. https://doi.org/10.1210/jc.2017-01658

Hidalgo, M. A., Ehrensaft, D., Tishelman, A. C., Clark, L. F., Garofalo, R., Rosenthal, S. M., Spack, N. P., & Olson, J. (2013). The gender affirmative model: What we know and what we aim to learn. *Human Development, 56*(5), 285-290. https://doi.org/10.1159/000355235

Human Rights Campaign. (n.d.). *Position statements on the dangers of conversion therapy.* https://www.hrc.org/resources/policy-and-position-statements-on-conversion-therapy

Hunter, J., Butler, C., & Cooper, K. (2021). Gender minority stress in trans and gender diverse adolescents and young people. *Clinical Child Psychology and Psychiatry, 26*(4), 1182-1195. https://doi.org/10.1177/13591045211033187

Irwig, M. S., Childs, K., & Hancock, A. B. (2016). Effects of testosterone on the transgender male voice. *Andrology, 5*(1), 107-112. https://doi.org/10.1111/andr.12278

James, S. (1978). Treatment of homosexuality: II superiority of desensitization/arousal as compared with anticipatory avoidance conditioning: Results of a controlled trial. *Behavior Therapy, 9*(1), 28-36. doi:10.1016/S0005-7894(78)80051-3

James, S. E., Herman, J. L., Rankin, S., Keisling, M., Mottet, L., & Anafi, M. (2016). *The report of the 2015 U.S. transgender survey.* National Center for Transgender Equality.

Korell, S. C., & Lorah, P. (2007). An overview of affirmative psychotherapy and counseling with transgender clients. In K. J. Bieschke, R. M. Perez, & K. A. DeBord (Eds.), *Handbook of counseling and psychotherapy with lesbian, gay, bisexual, and transgender clients* (pp. 271-288). American Psychological Association. https://doi.org/10.1037/11482-011

Lange, T. M. (2020). Trans-affirmative narrative exposure therapy (TA-NET): A therapeutic approach for targeting minority stress, internalized stigma, and trauma reactions among gender diverse adults. *Practice Innovations, 5*(3), 230-245. http://dx.doi.org/10.1037/pri0000126

Langevin, R. (1983). *Sexual strands: Understanding and treating sexual anomalies in men*. Erlbaum.

Leinung, M. C., & Joseph, J. (2020). Changing demographics in transgender individuals seeking hormonal therapy: Are trans women more common than trans men? *Transgender Health, 5*(4), 241–245. https://doi.org/10.1089/trgh.2019.0070

Lev, A. I. (2004). *Transgender emergence: Therapeutic guidelines for working with gender-variant people and their families*. Haworth Clinical Practice Press.

LeVay, S. (1996). *Queer science: The use and abuse of research into homosexuality*. The MIT Press.

Leyns, C., Papeleu, T., Tomassen, P., T'Sjoen, G., & D'haeseleer, E. (2021). Effects of speech therapy for transgender women: A systematic review. *International Journal of Transgender Health, 22*(4), 360–380. https://doi.org/10.1080/26895269.2021.1915224

Madera, S. L., Díaz, N. V., Padilla, M., Pibernus, X. R., Neilands, T. B., Segarra, E. R., Velázquez, C. M., & Bockting, W. (2019). "Just like any other patient": Transgender stigma among physicians in Puerto Rico. *Journal of Health Care for the Poor and Underserved, 30*(4), 1518–1542. https://doi.org/10.1353/hpu.2019.0089

Mahfouda, S., Moore, J. K., Siafarikas, A., Hewitt, T., Ganti, U., Lin, A., & Zepf, F. D. (2019). Gender-affirming hormones and surgery in transgender children and adolescents, *The Lancet Diabetes & Endocrinology, 7*(6), 484–498. https://doi.org/10.1016/S2213-8587(18)30305-X.

Mahfouda, S., Moore, J. K., Siafarikas, A., Hewitt, T., Ganti, U., Lin, A., & Zepf, F. D. (2019). Gender-affirming hormones and surgery in transgender children and adolescents. *The Lancet Diabetes & Endocrinology, 7*(6), 484–498. https://doi.org/10.1016/S2213-8587(18)30305-X

Malik, M., Cooney, E. E., Brevelle, J., & Poteat, T. (2022). Tucking practices and attributed health effects in transfeminine individuals. *Transgender Health*. https://doi.org/10.1089/trgh.2022.0064

Marks, D. H., Hagigeorges, D., Manatis-Lornell, A. J., Dommasch, E., & Senna, M. M. (2019). Excess hair, hair removal methods, and barriers to care in GM patients: A survey study. *Journal of Cosmetic Dermatology, 19*(6), 1494–1498. https://doi.org/10.1111/jocd.13164

McNichols, C. H. L., O'Brien-Coon, D., & Fischer, B. (2020). Patient-reported satisfaction and quality of life after trans male gender affirming surgery. *International Journal of Transgender Health, 21*(4), 410–417. doi: 10.1080/26895269.2020.1775159

Merriam-Webster. (n.d.). Conversion therapy. In *Merriam-Webster.com dictionary*. https://www.merriam-webster.com/dictionary/conversion%20therapy

Meyer, I. H. (2003). Prejudice, social stress, and mental health in lesbian, gay, and bisexual populations: Conceptual issues and research evidence. *Psychological Bulletin, 129,* 674–697. http://dx.doi.org/10.1037/0033-2909.129.5.674

Murphy, T. F. (1992). Freud and sexual reorientation therapy. *Journal of Homosexuality, 23*(3), 21–38. doi:10.1300/J082v23n03_02

Murphy, T. F. (1997). *Gay science: The ethics of sexual orientation research.* Columbia University Press.

Nolan, I. T., Morrison, S. D., Arowojolu, O., M. D., Crowe, C. S., Massie, J. P., Adler, R. K, Chaiet, S. R., & Francis, D. O. (2019). The role of voice therapy and phonosurgery in transgender vocal feminization. *Journal of Craniofacial Surgery,30*(5), 1368–1375. https://doi.org/10.1097/SCS.0000000000005132

Poteat, T., Malik, M., & Cooney, E. (2018). Understanding the health effects of binding and tucking for gender affirmation. *Journal of Clinical and Translational Science, 2*(S1), 76–76. https://doi.org/10.1017/cts.2018.268

Santiago-Hernández, M., & Toro-Alfonso, J. (2016). Una cura fraudulenta: Una mirada crítica a las terapias reparativas de la orientación sexual. En M. Vazquez-Rivera, A. Martínez-Taboas, M. Francia, & J. Toro-Alfonso (Eds.), *LGBT 101: Una mirada introductoria al colectivo.* Publicaciones Puertorriqueñas.

Serrano, J. (2020). *Whipping girl: El sexismo y la demonización de feminidad desde el punto de vista de una mujer trans* (R. M. García, Trad.). Editorial Ménades.

Singh, A. A., Hwahng, S. J., Chang, S. C., & White, B. (2017). Affirmative counseling with trans/gender-variant people of color. In A. Singh & L. M. Dickey (Eds.), *Affirmative counseling and psychological practice with transgender and gender nonconforming clients* (pp. 41–68). American Psychological Association. http://dx.doi.org/10.1037/14957-003.

Smith–Johnson, M. (2022). Transgender adults have higher rates of disability than their cisgender counterparts. *Health Affairs, 41*(10), 1470–1476. https://doi.org/10.1377/hlthaff.2022.00500

Stanton, A. M., Batchelder, A. W., Kirakosian, N., Scholl, J., King, D., Grasso, C., Potter, J., Mayer, K. H., & O'Cleirigh, C. (2021). Differences in mental health symptom severity and care engagement among transgender and gender diverse individuals: Findings from a large community health center. *PloS one, 16*(1), e0245872. https://doi.org/10.1371/journal.pone.0245872

Stevenson, I., & Wolpe, J. (1960). 'Recovery from sexual deviations through overcoming nonsexual neurotic responses'. *American Journal of Psychiatry 116*(8), 737–42. doi: 10.1176/ajp.116.8.737

Substance Abuse and Mental Health Services Administration. (2015). *Ending conversion therapy: Supporting and affirming LGBTQ youth.* HHS Publication No. (SMA) 15–4928.

Thoreson, N., Marks, D. H., Peebles, J. K., King, D. S., & Dommasch, E. (2020). Health insurance coverage of permanent hair removal in transgender and gender–minority patients. *JAMA Dermatology, 156*(5), 561–565. https://doi.org/10.1001/jamadermatol.2020.0480

Turban, J. L., King, D., Carswell, J. M., & Keuroghlian, A. S. (2020). Pubertal suppression for transgender youth and risk of suicidal ideation. *Pediatrics, 145*(2), e20191725. https://doi.org/10.1542/peds.2019-1725

Turban, J. L., Loo, S. S., Almazan, A. N., & Keuroghlian, A. S. (2021). Factors leading to "detransition" among transgender and gender diverse people in the United States: A mixed–methods analysis. *LGBT Health, 8*(4), 273–280. doi:10.1089/lgbt.2020.0437

van der Miesen, A. I. R., Steensma, T. D., de Vries, A. L. C., Bos, H., & Popma, A. (2020). Psychological functioning in transgender adolescents before and after gender–affirmative care compared with cisgender general population peers. *Journal of Adolescent Health, 66*(6), 699–704. doi: 10.1016/j.jadohealth.2019.12.018

Vazquez–Rivera, M. (2019a). "Palo que nace doblao, jamás su tronco endereza": Desarrollo de las personas LGBT. En D. Pérez–Jiménez, A. Rodríguez–Acevedo, I. Serrano–García, J. Serrano–Goytía, R. Díaz–Juarbe, & A. Pérez–López (Eds.), *Desarrollo humano: Travesía de oportunidades y retos* (pp. 381–406). Asociación de Psicología de Puerto Rico.

Vázquez–Rivera, M. (2019b). *Salud LGBT+: Un manual terapéutico para el trabajo con las comunidades.* Editoral EDP University.

Vázquez–Rivera, M., & Ortiz–Calderón, J. C. (2018). Espacios seguros: Modalidades grupales para personas de experiencia trans. *Diversidad, 9*(1), 11–12.

Vázquez–Rivera, M., & Rivera–Mercado, H. (2017). *Transrican guys: A support group for Puerto Rican transmales* [Presentación]. United States Professional Association on Transgender Health (USPATH), Los Ángeles, US.

Vazquez–Rivera, M., Esteban, C., & Toro–Alfonso, J. (2018). Hacia una psicología libre de paños tibios: Actitudes, prejuicio y distancia social de psicoterapeutas hacia gays y lesbianas (Towards a lukewarm free psychology: Attitudes, prejudice and social distance of psychotherapist towards gays and lesbians). *Perspectivas en Psicología, 15*(1), 15–24.

Vazquez–Rivera, M., Martínez–Taboas, A., Francia, M., & Toro–Alfonso, J. (Eds.). (2016). *LGBT 101: Una mirada introductoria al colectivo.* Publicaciones Puertorriqueñas.

Vázquez–Rivera, M., Nazario–Serrano, J., & Sayers–Montalvo, S. (2012). Actitudes hacia gays y lesbianas en psicoterapia de estudiantes graduados/as de psicología y psicólogos/as clínicos/as con licencia (Attitudes of clinical psychologists and graduate level clinical psychology students towards gays and lesbians in psychotherapy). *Revista Interamericana De Psicología, 46*(3), 435–446.

Vázquez–Rivera, M., Rivas, D. E., & Anazgasty–Jímenez. A. (2020). El arcoiris nace de un día nublado: La resiliencia en la Comunidad LGBT+ (A rainbow is born out of a cloudy day: Resilience in the LGBT+ Community). In K. R. Gómez Sierra, A. Martínez–Taboas, L. Álvarez Domínguez, F. Boulón Jiménez, & J. Santiago Pérez (Eds.), *Resiliencia: Potenciando destrezas de afrontamiento.* Asociación de Psicología de Puerto Rico.

Vázquez–Rivera, M., Rivas, D. E., & Sayers–Montalvo, S. (2022). Trans Rican guys self support group: Unifying trans men with empowerment and knowledge. *Perspectivas en Psicología, 10*(1), 209–230.

Wernick, J. A., Busa, S., Matouk, K., Nicholson, J., & Janssen, A. (2019). A systematic review of the psychological benefits of gender–affirming surgery. *Urologic Clinics of North America, 46*(4), 475–486. https://doi.org/10.1016/j.ucl.2019.07.002.

Wiepjes, C. M., Nota, N. M., de Blok, C., Klaver, M., de Vries, A., Wensing-Kruger, S. A., de Jongh, R. T., Bouman, M. B., Steensma, T. D., Cohen-Kettenis, P., Gooren, L., Kreukels, B., & den Heijer, M. (2018). The Amsterdam cohort of gender dysphoria study (1972–2015): Trends in prevalence, treatment, and regrets. *The Journal of Sexual Medicine, 15*(4), 582–590. https://doi.org/10.1016/j.jsxm.2018.01.016

Wilson, E. C., Chen, Y. H., Arayasirikul, S., Wensel, C., & Raymond, H. F. (2015). Connecting the dots: Examining transgender women's utilization of transition-related medical care and associations with mental health, substance use, and HIV. *Journal of Urban Health, 92*, 182–192. https://doi.org/10.1007/s11524-014-9921-4

Zucker, K. J. (2017). Epidemiology of gender dysphoria and transgender identity. *Sex Health, 14*, 404–411.

Capítulo 10
Políticas de Presencia:
Sobre el Derecho y la Ley

Omayra Toledo de la Cruz, J. D.

En los pasados años el movimiento trans en Puerto Rico ha ganado cierta visibilidad y fortaleza gracias a la labor de personas dentro de la propia comunidad que se han manifestado y reclamado acceso a servicios y equidad en el trato. Veremos a través del capítulo cómo el derecho y la ley han ido evolucionando, aunque a paso muy lento, y cuánto camino queda por recorrer.

Los derechos y la legislación que aplican a la comunidad trans tienen que estudiarse mirando tanto el derecho y legislación de Puerto Rico como el federal. Las leyes y jurisprudencia federal van a aplicar en las situaciones que surjan relacionadas a los derechos de personas trans en Puerto Rico, y en muchas ocasiones van a prevalecer sobre aquello que en el archipiélago se resuelva por los tribunales o se legisle en la Asamblea Legislativa. Solo en aquello que no esté legislado en materia federal o en aquello sobre lo cual la ley local sea más beneficiosa para la persona, será que prevalezca lo resuelto o legislado en Puerto Rico. Es así, entonces, como debemos mirar este capítulo; siempre teniendo en mente que lo que aquí se discute podría estar pendiente de legislación o casuística tanto a nivel federal como en Puerto Rico.

Así las cosas, a través de este capítulo se estarán examinando aquellos derechos que han adquirido las personas de la comunidad trans en Puerto Rico, ya sea, a nivel federal como a nivel local.

Documentos de identidad

Los documentos de identidad presentan retos particulares para las personas de la comunidad trans. Estos incluyen documentos tanto federales como locales y representan para todas las personas, pero más aún para las personas trans, el acceso a servicios esenciales, tales como salud, educación, beneficios gubernamentales, derecho a poseer un carro, entre otros.

En Puerto Rico, todas las personas tienen el derecho de cambiar su nombre de pila según inscrito en el certificado de nacimiento que expide el Registro Demográfico de Puerto Rico (Ley del Registro Demográfico de Puerto Rico, 1950). Para esto, la persona puede presentar una solicitud ex parte ante el Tribunal de Primera Instancia o ante notario público y que éste, a través de un procedimiento dispuesto en la Ley de Asuntos No Contenciosos Ante Notario (1999), realice tal cambio. Para ambos procedimientos, la persona con interés de cambiar su nombre debe mostrarle al Tribunal evidencia de que su intención no es evadir responsabilidades civiles o criminales. Esto se hace mostrando evidencia negativa de deuda ante las agencias administrativas, así como un certificado negativo de antecedentes penales.

La solicitud de cambio de nombre puede hacerse en Puerto Rico, aún si la persona nació en Estados Unidos. Luego, tendrá que seguir los procesos del estado donde esté inscrita para hacer valer la sentencia. Igualmente, si la persona ya tiene una Sentencia de un estado de Estados Unidos autorizando el cambio de nombre, pero su certificado de nacimiento es de Puerto

Rico, deberá convalidar su Sentencia mediante un procedimiento conocido como Exequátur. En cualquiera de los casos, tanto la petición original como el Exequátur deberán ser notificados al Ministerio Fiscal para que se exprese sobre la petición de cambio de nombre. Una vez obtenida la Sentencia autorizando el cambio de nombre, la persona solicitante comparece ante el Registro Demográfico, y luego del pago de los aranceles correspondientes, solicita el cambio y se le expide un certificado de nacimiento corregido.

El tema de los cambios en el marcador de sexo en el certificado de nacimiento se trabaja de forma diferente. En Puerto Rico, en 1995 en el caso *Ex parte Delgado*, 165 D.P.R. 170 (2005), el Tribunal Supremo de Puerto Rico había rechazado una solicitud para corregir el marcador de sexo en el certificado de nacimiento de una persona trans nacida en el archipiélago. Trece años más tarde, las personas trans, por virtud de la decisión del Tribunal de Distrito Federal para el Distrito de Puerto Rico, en el caso *Arroyo-Gonzalez, et als v. Rossello-Nevares*, 305 F. Supp.3rd 327 (D.P.R. 2018), tienen derecho a comparecer ante el Registro Demográfico, sin necesidad de ir a los tribunales o estar representadas legalmente, para corregir su marcador de sexo en el certificado de nacimiento y que éste refleje la realidad de su identidad de género. El Registro Demográfico, luego de la presentación del documento "Solicitud para el Cambio de Género en los Certificados de Eventos Vitales", y el pago de los aranceles correspondientes, deberá corregir el documento sin hacer referencia o marca alguna en el mismo de cualquier información sobre el sexo asignado al nacer.

Luego de corregido el certificado de nacimiento, la persona trans deberá corregir el resto de sus documentos de identidad, incluyendo, pero sin limitarse a, la tarjeta de seguro social, licencia de conducir, tarjeta electoral, pasaporte, y cualesquiera otros documentos de donde surja información incorrecta en cuanto a nombre e identidad de género.

Discrimen y Derechos Civiles

Se conoce como Derechos Civiles a la serie de derechos designados para proteger a las personas de ser tratadas de forma desigual y discriminatoria en áreas de educación, empleo, vivienda, sitios públicos y otros, y que están basados en características protegidas que incluyen raza, sexo, edad, impedimento, origen nacional, religión, orientación sexual e identidad de género, entre otros.

En Estados Unidos, a nivel federal, la Ley de Derechos Civiles de 1964 prohíbe el discrimen por razón de raza, religión, sexo u origen nacional en el empleo (Título VII de la Ley de Derechos Civiles), y en el acceso a sitios públicos, entre otras cosas. Nada contempla, sin embargo, en cuanto a orientación sexual e identidad de género. Es importante señalar que en junio de 2020 se resolvieron tres (3) importantes casos en el Tribunal Supremo de Estados Unidos que dispusieron que la palabra "sexo" dentro de la Ley de Derechos Civiles incluye los conceptos de identidad de género y orientación sexual (al menos en los casos de discrimen en el empleo bajo el Título VII de la Ley de Derechos Civiles). Véase *RG & GR Harris Funeral Homes v. EEOC and Aimee Stephens*, 884 F.3d 560 (6th Cir., 2018), *Altitude Express, Inc. v. Zarda*, 883 F.3d 100 (2nd Cir., 2018) y *Bostock v. Clayton County*, 850 F.3d 1248 (11th Cir., 2017).

En el caso de Puerto Rico, en el año 2013 se discutió en la Asamblea Legislativa un proyecto de ley del Senado (P. del S. 238 de 15 de enero de 2013) que pretendía enmendar una variedad de leyes de Puerto Rico para incorporar la prohibición de prácticas discriminatorias en contra de las personas por su orientación sexual e identidad de género. El proyecto era uno de mucha envergadura y muy amplio en su alcance. Entre los asuntos o legislación que pretendía enmendar estaban la Ley de Derechos Civiles de Puerto Rico, la Carta de Derechos del Joven en Puerto Rico, la Carta de Derechos del Veterano, el Código Penal de Puerto Rico, entre otros, a los fines de prohibir la utilización de la orientación sexual y la identidad de género como subterfugio para discriminar contra las personas. A esos fines, la ley tenía como propósito prohibir el discrimen en estas dos modalidades: (a) al hacer gestiones gubernamentales, públicas o privadas; (b) en el empleo; (c) al solicitar acceso o servicio en negocios públicos, transportación; (d) en la venta, alquiler o subarriendo de vivienda y los anuncios relacionados; (e) en la concesión de préstamos para construcción de viviendas, entre otras prohibiciones.

Luego de varios trámites y enmiendas en el Senado al P. del S. 238, se le eliminaron muchas de esas prohibiciones y la ley quedó en su forma final como la Ley 22 de 29 de mayo de 2013, que es realmente una enmienda a la Ley 100 de 30 de junio de 1956 que prohíbe el discrimen en el empleo. Esta es la primera legislación en Puerto Rico que contempla el discrimen por razón de orientación sexual e identidad de género. Sin embargo, siendo este el marco bajo el cual se opera en Puerto Rico, en términos de protecciones de la comunidad trans a nivel de legislación, tenemos que señalar que queda mucho por hacer en áreas de derechos civiles a favor de la comunidad aludida.

Salud Trans

Las personas de experiencia trans en muchas ocasiones optan por no recibir tratamiento médico por diferentes razones. Entre ellas, las leyes no obligan a las compañías aseguradoras a tener cubiertas en sus planes médicos para cubrir necesidades particulares de las personas trans tales como cirugías de afirmación de género, hormonas, entre otras. Por otro lado, las personas trans se encuentran con la problemática, al presentar sus tarjetas de plan médico y otras identificaciones, de que su identidad de género no necesariamente corresponde con la información en su plan médico o que su necesidad médica no necesariamente concuerda con su identidad de género o con la información en su plan médico. Así también, muchas veces se encuentran con problemas al momento de completar los documentos y récords con los proveedores de servicio porque los últimos no tienen espacio para decir su identidad de género, entre otras cosas. Todos estos inconvenientes, se traducen en temor, inseguridad y protección a sí mismos, lo cual redunda en evitar recibir la atención médica necesaria.

A nivel federal, el *Patient Protection and Affordable Care Act*, 42 U.S.C. § 18001 et seq. (ACA, 2010) es la legislación que expande beneficios de Medicare y Medicaid para sus beneficiarios. La ACA contiene una disposición que prohíbe el discrimen por razón de "sexo" (entre otras cosas) en el cuidado de salud. Para clarificar esta definición, en 2016 se enmendó la sección 1557 de ACA para clarificar que la prohibición de discrimen incluye identidad de género y estereotipos sexuales. Es decir, los proveedores de salud públicos y privados, y compañías de seguro que reciben fondos federales no pueden discriminar en contra de las personas trans en los servicios de salud y deben proveerles el mismo acceso a cubiertas, servicios y cuidados que tienen las personas cisgénero.

Sobre este particular, la definición de la palabra "sexo" por el Tribunal federal en los casos de *Harris Funeral, Altitute* y *Bostock, supra* será de aplicación cuando estos se resuelvan. Véase la discusión en este capítulo sobre el tema de Discrimen y los Derechos Civiles.

En Puerto Rico no existe legislación que prohíba a las compañías de seguro y planes médicos denegar cubiertas particulares con operaciones de afirmación de género a personas trans. Será de aplicación aquello dispuesto por ACA y las propias regulaciones del plan en materia de tratamiento y cubiertas. Existe, sin embargo, la Orden Administrativa 398 del Departamento de Salud de no discriminación contra un paciente por su identidad de género, expresión de género u orientación sexual real o percibida al solicitar servicios de salud. Mediante dicha orden, el Departamento de Salud de Puerto Rico prohíbe el discrimen contra las personas trans, entre otras, en todas las instituciones que presten servicios de salud incluyendo hospitales, Centros de Diagnóstico y Tratamiento, laboratorios, proveedores de servicios, y cualquiera otra facilidad de salud pública o privada. Esta orden incluye la obligación de las instituciones de salud de crear reglamentación a estos efectos y la posibilidad de radicar querellas por discrimen.

Educación

No existe legislación alguna en Puerto Rico, ni a nivel federal, que proteja a las personas trans en materia de educación. En materia de derechos y protecciones a estudiantes trans, estos enfrentan todavía más dificultades. No solo no están protegidos por las leyes, sino que además deben confrontar interacciones sociales complejas, reglamentación administrativa que no está pensada ni escrita con las personas trans en mente, y políticas institucionales que impactarán su desempeño académico y su desarrollo personal. En materia de educación, como parte de los derechos civiles que hay que proteger para las personas trans, hay camino por recorrer. Asuntos como el reconocimiento del nombre escogido cuando no se ha cambiado legalmente, pronombre a utilizarse, acceso a facilidades y baños que correspondan a la identidad de género del estudiante, código de vestimenta y privacidad, son algunos de los temas que deben estar protegidos.

El Título IX de las Ley de Enmiendas de Educación (20 U.S.C. secs. 1681-1688) es una ley federal que aplica en Puerto Rico, que prohíbe el discrimen por razón de sexo en los programas y actividades de instituciones educativas que reciban fondos federales. El Título IX protege a estudiantes, empleados, solicitantes, entre otros, de discrimen por sexo. Bajo Título IX, el discrimen por sexo puede incluir además la violencia doméstica, violencia entre parejas, acecho y el acoso sexual. La interpretación que se le ha dado a esta Ley sobre si la identidad de género y la orientación sexual están protegidas bajo el Título IX, dependerá del estado o distrito judicial que haga la interpretación (Weiss, 2013). El Tribunal Supremo de Estados Unidos no se ha expresado sobre el tema. Sin embargo, desde 2018, el Departamento de Educación federal sí expresó que bajo el Título IX la definición de sexo no incluye orientación sexual ni identidad de género, por lo que la protección a personas de identidad trans no está contemplada dentro del Título IX.

Un tema trascendental en materia de Título IX es aquel relacionado con los deportes y la participación de personas trans en los mismos, donde el tema más común se relaciona a la segregación por sexo en la participación deportiva, y donde se ha alegado que existen ventajas hormonales para las mujeres trans que participan en ciertos deportes. Puerto Rico no ha tenido casos ante los tribunales sobre este tema. Sin embargo, en Estados Unidos, a nivel de los estados, ha habido varios casos y la casuística es muy variada en términos de lo que se ha resuelto. En algunos estados se ha permitido la participación deportiva, en otros se permite con ciertas condiciones, y en otros se ha prohibido. (Taylor, 2018). El Departamento de Justicia federal recientemente apoyó a las familias de tres (3) mujeres cisgénero que demandaron a la Conferencia Atlética Interescolar de Connecticut alegando que a las atletas trans no se les debe permitir competir en deportes intercolegiales por resultar injusto para las atletas no trans. La posición del Departamento de Justicia federal recoge el sentir del Departamento de Educación federal. La Oficina de Derechos Civiles del Departamento de Educación emitió una carta opinión en la que argumentó que permitir a niñas trans competir en deportes de niñas (cisgénero) violenta el Título IX de la Ley de Enmiendas de Educación de 1972, que prohíbe el discrimen por sexo en las escuelas. El caso aún está sin resolver.

A pesar de estas posturas a nivel federal, es preciso señalar que, dentro de la reglamentación de las universidades, estas pueden contemplar protección a personas trans, independientemente de lo dispuesto por el Título IX. Más aún, los estados, incluyendo Puerto Rico, pueden tener legislación aplicable a instituciones educativas que protejan a las personas trans. En Puerto Rico, el sistema universitario de la Universidad de Puerto Rico claramente dispone en favor de las personas trans y las incluye en su definición del término "sexo" dispuesto en el Título IX.

El 9 de septiembre de 2015, el Departamento de Educación de Puerto Rico emitió la Carta Circular 16-2015-2016 que disponía que no se impondrá la utilización de una pieza particular de ropa a estudiantes que no se sientan cómodos con la misma por su orientación sexual o identidad de género. Esta normativa, muy de avanzada en materia de derechos de las personas trans fue derogada en el año 2017 por lo que al momento de este escrito prevalece la normativa de que los estudiantes deben utilizar el uniforme acorde al sexo asignado al nacer sin tomar en consideración su identidad de género.

Empleo

A nivel de Puerto Rico existe legislación en contra del discrimen en el empleo por razón de orientación sexual e identidad de género. Véase la Ley 100 de 30 de junio de 1956, según enmendada por la Ley 22 de 29 de mayo de 2013, *infra*. En cuanto a lo que nos ocupa en este capítulo, la Ley

22 enmienda la Ley 100 para disponer que el patrono no puede suspender, rehusar emplear, despedir o perjudicar de cualquier modo a une empleade por razón de orientación sexual e identidad de género. Sobre estos términos, la propia Ley 22 los define de la siguiente manera:

- **orientación sexual:** capacidad de cada persona de sentir atracción emocional, afectiva o sexual por personas de un género diferente al suyo, o de su mismo género y de más de un género.

- **identidad de género:** cómo se identifica la persona, cómo se reconoce a sí misma en cuanto al género que puede corresponder o no a su sexo biológico o asignado al nacer.

¿Cuál es el alcance de esta prohibición? ¿A qué se refiere la Ley 100 cuando dice que el patrono no puede suspender, rehusar emplear, despedir o perjudicar? Sobre las primeras prohibiciones, la palabra habla por sí sola. Un patrono no puede rehusarse a emplear o contratar a alguien, solo por ser una persona de identidad trans. Tampoco puede utilizar esa identidad trans para despedirlo de su empleo. Cualquiera de estas actuaciones violentaría las disposiciones de la Ley 100 en contra del discrimen en el empleo. El patrono tampoco puede perjudicar a un empleado por su identidad de género u orientación sexual. A manera de ejemplo, señalamos que esto implica que el patrono no puede hostigar a un empleado o permitir que el empleado sea hostigado en su empleo por razón de ser una persona trans. Esto incluye, pero no se limita a, permitir o el mismo patrono utilizar sobrenombres alusivos a la identidad trans del empleado, hacer chistes relacionados a personas trans, hacer preguntas frecuentes sobre cirugías, cambio de nombre, cambios físicos, tratamiento hormonal, prácticas sexuales, vestimenta o apariencia del empleado trans. El patrono tampoco puede realizar ascensos, evaluaciones, traslados adiestramientos, disciplina que estén atadas a la identidad de género de los empleados o utilizar el nombre o pronombre equivocado al referirse al empleado trans. Cualquiera de estas prácticas podría considerarse discriminatoria y en violación a la Ley 100, según enmendada por la Ley 22, *supra*.

Una violación clara a la Ley 22, *supra*, sería que el patrono divulgue información confidencial sobre la identidad de género de un empleade, fuera del personal de Recursos Humanos, que debe tener conocimiento de la información o que exija al empleade trans detalles sobre el proceso de transición (operación, costo, detalles de qué tipo de procedimiento se va a realizar) fuera de aquello que estrictamente se exija para propósitos de cumplir con los requerimientos del plan médico o de sus licencias de vacaciones o enfermedad, según establecidas por el patrono.

La Ley 22 excluye de su aplicación a iglesias, organizaciones o instituciones cuyos credos o requisitos ocupacionales estén en clara contradicción con los intereses protegidos por esta Ley (Ej. colegios religiosos, instituciones de base religiosa). Esto significa que, al momento de contratación o despidos, por ejemplo, la institución excluida no tendrá que regirse por las disposiciones de la Ley 22, y podrá rehusar contratar o inclusive despedir a una persona tomando en consideración su orientación sexual o identidad de género.

Menores de edad

El Código Civil de Puerto Rico (1930) establece en su Artículo 247 que la mayoría de edad es a los 21 años (31 LPRA sec. 971). Esta definición de mayoría de edad aplica a todos los ámbitos de la vida civil de las personas en Puerto Rico, salvo contadas excepciones, en donde por virtud de ley o enmienda se permiten actos de enajenación u otros a personas antes de cumplir sus 21 años. Véase, por ejemplo, la emancipación, autorización para trabajar, aplicación del código penal para ciertos delitos, etc.

En el caso de los menores de edad en Puerto Rico (es decir, aquellos menores de 21 años) con identidad de género trans tendrán que solicitar permiso de sus padres para recibir tratamiento hormonal, solicitar cambiar su nombre y comenzar su proceso de transición.

Vivienda

En el tema de la vivienda, la pregunta que debemos hacernos es: ¿Hay protección legal para las personas trans en cuanto a vivienda? La contestación al momento de este escrito es: SÍ, pero parcialmente.

En cuanto a Puerto Rico, como analizamos en la sección 2 de este Capítulo, *Discrimen y los Derechos Civiles*, el P. del S. 238 de 2013 pretendía enmendar ciertos capítulos de diferentes leyes locales para incluir la prohibición de discrimen por orientación sexual e identidad de género. Una de estas leyes que se pretendía enmendar era la Ley de Derechos Civiles, Ley 131 de 13 de mayo de 1943. En cuanto a vivienda, la enmienda disponía en su inciso (c) que:

> Ninguna persona que posea el derecho de vender, arrendar o subarrendar una vivienda, podrá negarse a conceder una opción de venta, a vender, arrendar o subarrendar dicha vivienda a cualquiera otra persona o grupo de personas por cuestiones políticas, religiosas, de raza, orientación sexual, identidad de género, color o sexo. (p.2)

Este proyecto no fue aprobado, por lo que actualmente como queda este derecho a vivienda establecido es que cualquier persona que posea una propiedad privada al momento de venderla, arrendarla o subarrendar puede discriminar contra el comprador, arrendador o subarrendador por razón de identidad de género. Esto será de aplicación en aquellas instancias donde no aplique la ley federal *Fair Housing Act* (FHA) de 1968, Title VIII de la Ley de Derechos Civiles de Estados Unidos de 1968, 42 U.S.C. 3601-3619. Esta Ley la pone en vigor el Departamento de Desarrollo Urbano y Vivienda (HUD, por sus siglas en inglés).

El FHA prohíbe el discrimen por sexo en cuanto a alquiler, venta y otorgamiento de hipotecas. Aunque el FHA nada menciona sobre identidad de género o protección de personas de identidad de género trans, desde enero de 2012 el HUD emitió reglamentación protegiendo contra el discrimen por identidad de género y orientación sexual en cuanto a vivienda pública o vivienda subsidiada o vivienda privada que no caiga dentro de las excepciones de la ley (i.e., edificios de menos de cinco (5) apartamentos donde el dueño también resida, casas unifamiliares, organizaciones religiosas, clubes privados y hogares de ancianos). Véase el *Equal Access to Housing in HUD Programs Regardless of Sexual Orientation or Gender Identity* de 2012, el *Equal Access in Accordance with an Individual's Gender Identity in Community Planning and Development Programs Rule* y el *Equal Access to Housing in HUD's Native American and Native Hawaiian Programs-Regardless of Sexual Orientation or Gender Identity* de 2016.

Conclusión

Son muchos los temas en los que las personas de identidad de género trans se ven afectadas. Es responsabilidad de las personas en la comunidad en general educarse para, a su vez, educar a quienes, por razones de temor, de discrimen o de falta de acceso a servicios o bienes, no logran tener ese conocimiento.

Este capítulo no pretende ser uno exhaustivo ni cubrir todos los temas de derecho o ley aplicables a la comunidad trans. Solo pretende ser una guía básica desde la cual partir para hacer investigación profunda sobre cada tema.

Referencias

Altitude Express, Inc. v. Zarda, 883 F.3d 100 (2nd Cir. 2018).

Arroyo–Gonzalez, et als v. Rossello–Nevares, 305 F. Supp.3rd 327 (D.P.R. 2018).

Bender–Baird, K. (2011). *Transgender employment experiences.* State University of New York Press.

Bostock v. Clayton County, 850 F.3d 1248 (11th Cir. 2017).

Código Civil de Puerto Rico de 1930, 31 LPRA sec. 971. (1930). https://rb.gy/l1xje

Currah, P., Juang, R. M., & Price–Minter, S. (2006). *Transgender rights.* University of Minnesota Press.

Departamento de Educación de Puerto Rico. (2015). *Directrices sobre el uso del uniforme escolar en el sistema público de enseñanza en Puerto Rico* [Carta circular núm. 16–2015–2016 derogada por la Carta circular 32–2016–2017]. https://rb.gy/zxhvs

Departamento de Salud de Puerto Rico. (2018). *Para derogar la orden administrativa número 395 del 10 de septiembre de 2018, y para establecer la política pública del Secretario de Salud de Puerto Rico de no discriminación contra un paciente por su identidad de género, expresión de género u orientación sexual real o percibida al solicitar servicios de salud.* http://www.salud.gov.pr/

Ex parte Delgado, 165 D.P.R. 170. (2005).

Fair Housing Act, 1968, 42 U.S.C. sec. 3601 et seq. (1968).

Garvey, J. C., Chang, S. H., Nicolazzo, Z., & Jackson, R. (2018). *Trans* policies & experiences in housing & residence life.* Stylus Publishing, LLC.

Gibson, S., & Fernandez, J. (2018). *Gender diversity and non–binary inclusion in the workplace.* Jessica Kingsley Publishers.

Levi, J. L., & Monnin–Browder, E. E. (2012). *Transgender family law: A guide to effective advocacy.* AuthorHouse.

Ley Contra el Discrimen en el Empleo, Ley núm. 100 de 30 de junio de 1956, 29 L.P.R.A. secs. 146 et seq. (1956). https://rb.gy/hfdx3

Ley de Asuntos No Contenciosos Ante Notario, Ley núm. 282 de 21 de agosto de 1999, 4 L.P.R.A. secs. 2101 et seq. (1999). https://rb.gy/428aa

Ley de Derechos Civiles de 1964 § 7, 42 U.S.C. § 2000e et seq (1964).

Ley de Derechos Civiles de Puerto Rico, Ley 131 de 13 de mayo de 1943, 1 L.P.R.A. sec. 13 et seq. (1943). https://rb.gy/h0s7j

Ley de Enmiendas de Educación §9, 20 U.S.C. secs. 1681–1688. (1972).

Ley del Registro Demográfico de Puerto Rico, Ley núm. 24 del 22 de abril de 1932, 24 L.P.R.A. secs. 1041 et seq. (1950). https://rb.gy/ojzyq

Ley Para Prohibir el Discrimen por Orientación Sexual e Identidad de Género en el Empleo, Ley 22 del 29 de mayo de 2013, 29 L.P.R.A. sec. 151. (2013). https://rb.gy/x25ht

Nicolazzo, Z. (2017). *Trans* in college: Transgender students' strategies for navigating campus life and the institutional politics of inclusion.* Stylus Publishing, LLC.

Patient Protection and Affordable Care Act, 42 U.S.C. § 18001 et seq. (2010).

RG & GR Harris Funeral Homes v. EEOC and Aimee Stephens, 884 F.3d 560 (6th Cir. 2018).

Tannenhill, B. (2019). *Everything you ever wanted to know about trans* (but were afraid to ask).* Jessica Kingsley Publishers.

Taylor, J. K., Lewis, D. C., & Haider–Markel, D. (2018). *The remarkable rise of transgender rights.* University of Michigan Press.

Weiss, J. (2013). Protecting transgender students application of Title IX to gender identity of expression and the constitutional right to gender autonomy. *Wisconsin Journal of Law, Gender and Society, 28*(3), 331–46. https://rb.gy/fbvwp

Biografías

Editores

El **Dr. Miguel Vázquez Rivera** es un psicólogo clínico puertorriqueño que se identifica como un hombre cisgénero gay aliado de las comunidades trans, cuirs y no binaries. Ha facilitado el grupo de apoyo de hombres trans, Transrican Guys, y un programa de empoderamiento de mujeres trans en Translucent del Centro Ararat. En Psicoalternativas ofrece psicoterapia Transafirmativa a personas de la comunidad, principalmente a niñes y jóvenes de experiencia trans. Además, es el desarrollador de la Certificación de Intervención LGBT+, la cual se dedica a educar profesionales de la salud en temas de la comunidad. Esta certificación contiene un módulo específico sobre salud trans e involucra a personas de la comunidad. Como co-fundador y Director Ejecutivo de True Self Foundation ha desarrollado y viabilizado los siguientes servicios para la comunidad: cambios de nombres gratuitos, becas de afirmación de género, becas académicas, intercambios de *binders*, asistencias económicas y alimentarias y un campamento de jóvenes cuir para fomentar el liderazgo y la resiliencia. Además, Miguel, junto con un comité de personas de experiencia trans, cuir y no binarie, coordinó Transformando la Comunidad, un espacio seguro para el intercambio de información responsable de la comunidad para la comunidad.

La **Dra. Sheilla L. Rodríguez Madera** es una científico social aliada a las comunidades LGBT+ que realizó múltiples estudios en Puerto Rico sobre los factores que han afectado el bienestar y la salud de las personas trans en dicho contexto. Recibió financiamiento de los Institutos Nacionales de Salud de los Estados Unidos de América para el desarrollo de estos esfuerzos. Los equipos de investigación que lideró contaron con miembros de las comunidades trans, quienes además de asesorar, formaron parte de las publicaciones que se generaron. Durante las pasadas dos décadas, la Dra. Rodríguez Madera también contribuyó al adiestramiento de profesionales de salud para el desarrollo de competencias dirigidas a mejorar los servicios dirigidos a personas trans. Ha publicado en foros a nivel local y global para dar a conocer los desafíos y las fortalezas que caracterizan a estas comunidades. Igualmente, colaboró de cerca con personas trans y aliadas para el desarrollo de políticas públicas inclusivas a este sector de la población. En lo personal, cuenta con amistades cercanas trans de quienes ha aprendido lecciones invaluables sobre la existencia y sus posibilidades, y la importancia del respeto y el acompañamiento afectuoso.

La **Dra. Alíxida Ramos Pibernus** es una investigadora social y psicóloga clínica. Es catedrática auxiliar de la Escuela de Ciencias Conductuales y Neurales de la Ponce Health Sciences University. Se identifica como una mujer latina cisgénero y aliada de las comunidades género y sexo diversas. Por los pasados 10 años realiza trabajo investigativo para entender y atender las inequidades que empeoran la salud de la población trans latinx. Con el apoyo de la Sociedad Americana del Cáncer y el Instituto Nacional de Cáncer de los Estados Unidos, sus estudios recientes van dirigidos a identificar barreras y facilitadores para el cernimiento de cáncer cervical y de mama entre la población trans latinx. Actualmente trabaja en el desarrollo de intervenciones para promover el cuidado preventivo de cáncer cervical desde un enfoque afirmativo junto con su equipo de investigación que integra personas de experiencia trans. También es una de las investigadoras principales del Health Equity Research Lab (HER Lab) cuyo objetivo principal es atender las inequidades que afectan la salud de poblaciones socialmente vulneradas. Su enfoque de justicia social y comunitaria son pieza angular en sus trabajos. Además de la investigación, ofrece talleres sobre aspectos relacionados a la salud trans desde un enfoque género afirmativo.

David E. Rivas es un hombre trans puertorriqueño, quien cursa un grado Doctoral de Filosofía en Psicología Clínica en la Universidad Albizu, y quien cuenta con las 88 horas de adiestramiento de la "Certificación de Intervención LGBT+" de Psicoalternativas. A nivel de bachillerato co-creó y presidió la asociación estudiantil Matices-UPRH, enfocada en las comunidades de diversidad de género y orientación sexual. Desde entonces, ha dirigido sus esfuerzos investigativos hacia la población género diversa. Así mismo, a nivel graduado, fue miembro de la asociación estudiantil Gender and Sexual Diversity Organization y el Comité de la Diversidad de Sexo, Género y Orientación Sexual de la Asociación de Psicología de Puerto Rico. En este último tuvo la oportunidad de trabajar en la campaña de No Más TransOdio y en la campaña para crear conciencia sobre las terapias reparativas. Co-creó la primera clase electiva enfocada en asuntos LGBTQIA+ del Programa Ph.D. en Psicología Clínica de la Universidad Albizu. Ha formado parte del comité coordinador de TRANSformando la Comunidad y ha brindado talleres para Translucent. Actualmente, forma parte del Comité Asesor Comunitario de True Self Foundation.

Autores

(en orden de aparición)

Capítulo 2: Disidencia de Género y el Uso del Lenguaje: Una Resistencia Decolonial en lo Cotidiano

Joshua J. Rivera-Custodio es estudiante doctoral del programa Ph.D. en Psicología Clínica de Ponce Health Sciences University y se identifica como hombre cuir puertorriqueño. Se considera un investigador activista, enfocado en trabajar asuntos de justicia social, tales como la salud género-afirmativa y la violencia colonial. Ha colaborado en proyectos relacionados a la prevención de cáncer en personas trans y no-binarias latinas. Igualmente, es investigador primario de un estudio piloto explorando las barreras y facilitadores para la recolección de datos sobre identidad de género y orientación sexual en el PHSU-Wellness Center.

Capítulo 3: Desafíos en el Proceso de Divulgación y la Visibilización

Ray Rohena Pérez es educadore en salud sexual y se identifica como una persona de género no-conforme. En diversas colaboraciones ha educado profesionales de la salud para mejorar sus competencias culturales. En 2015 co-fundó el grupo de apoyo "Puerto Rico Trans Youth Coalition", atendiendo voluntariamente a niñes y jóvenes trans, cuir y no-binaries, refiriendo a servicios transafirmativos, realizando manejo de casos, ofreciendo apoyo entre pares e intervenciones en crisis. También sirvió por tres años en PR-CONCRA como orientador en VIH. Su énfasis es la creación de espacios seguros por medio de políticas organizacionales que protejan los derechos de personas LGBTIAQ+.

Capítulo 4: Adolescencia Trans, Cuir y No Binaria: Asuntos del Desarrollo

La **Dra. Gisela Jimenez–Colón** es psicóloga clínica puertorriqueña licenciada en el estado de Rhode Island (RI). Se identifica como mujer cisgénero, heterosexual y aliada a las comunidades trans, cuir y no binaria. Ha facilitado grupos de apoyo para la juventud LGBTQ+ Latina en *Youth Pride Inc* en RI. Provee psicoterapia individual y de familia a juventud trans latina y sus cuidadores en los EE.UU. Es psicóloga en el programa Mi Gente, el cual ha sido desarrollado para servir a la juventud latina con trastornos del ánimo y trauma con un enfoque afirmativo. Además, es supervisora clínica de la TSCC-CS.

La **Dra. Yovanska Duarte-Velez** es psicóloga clínica puertorriqueña licenciada en Rhode Island. Se identifica como una mujer cisgénero, lesbiana, aliada a las comunidades trans, cuir y no binaria. Es facultativa del Departamento de Psiquiatría del Hospital de Bradley y la Universidad de Brown. Yovanska es la investigadora y desarrolladora principal de la Terapia Socio-Cognitivo Conductual para el Comportamiento Suicida (TSCC-CS) dirigida a la juventud latina. También es fundadora y directora del Programa Mi Gente el cual ofrece servicios terapéuticos basados en evidencia. El enfoque de su trabajo es uno de afirmación a la identidad sexual, de género y cultural.

Capítulo 5: Transmasculinidades en Puerto Rico: Apuntes Para su Bienestar

David Eliam Mejías Serrano es un hombre transgénero queer activista en la comunidad LGBT. Cuenta con dos bachilleratos en ciencias de enfermería y ciencia animal, y se ha certificado en coaching de inteligencia emocional y propósito de vida. Ha colaborado en estudios de salud trans con la Dra. Alíxida Ramos Pibernus y el Dr. Eliut Rivera desde el 2019, dirigidos a la concientización de los profesionales de salud y la colección de datos sobre las necesidades que presentan las personas de las comunidades trans, cuir y no binaria. Trabajó en el ofrecimiento de servicios preventivos de VIH a la comunidad LGBTT.

Capítulo 6: Identidades Transfemeninas: Estatus Socioeconómico, Físico, Mental y Sexual

La **Dra. Eunice Avilés Faría** es psicóloga clínica en Puerto Rico, especialista en identidad de género y terapeuta sexual certificada por la American Association of Sexuality Educators, Counselors and Therapists. Además, es consejera licenciada en salud mental en Massachusetts, New Jersey y New York. Esta se identifica como mujer cisgénero que ha adoptado una perspectiva expansiva de su identidad de género. Es la fundadora de Transcending Identities, una organización comprometida con mejorar la calidad de vida de las personas transgénero y género no binario a través de la educación, capacitación profesional y consultoría en los Estados Unidos, Puerto Rico y en el extranjero.

María Belén Correa es una mujer trans nacida en Argentina. Por su identidad de género y activismo sufrió violencia, por lo que se exilió en los Estados Unidos, en donde adquirió estatus de asilada política. Es cofundadora de la Asociación de Travestis de Argentina y de la Red Latinoamericana y del Caribe de Personas Trans (Redlactrans) y colaboradora en la creación de la Fundación Santamaría LGTB de Colombia. María es la creadora de TransEmpowerment NY y del Archivo de la Memoria Trans de Argentina, desarrollado para conservar la memoria histórica del colectivo transexual de su país. En Alemania fundó Cosmopolitrans para ayudar a personas trans migrantes en este país.

Ivana Fred, enfermera de profesión, es una mujer puertorriqueña de experiencia trans. Esta es activista de los derechos de la comunidad LGBTTIQ+ y ha dedicado su vida a proyectos enfocados en su comunidad incluyendo "Ponte el sombrero", el primer proyecto dirigido a la comunidad trans en Puerto Rico. También ha laborado con Coai.inc., Iniciativa Comunitaria, Puerto Rico para todos, Butterfly Trans Foundation, True Self Foundation, entre otras organizaciones. Su activismo la ha llevado a proveer educación en agencias gubernamentales y para la policía de Puerto Rico. Ivana es parte de documentales como "Mala Mala" y libros en donde se visibiliza la temática trans.

Capítulo 7: Identidades Queer y No Binarias

Ínaru Nadia es una persona multitalentosa, activista y educadora, quien se identifica como genderqueer, no-binarie y trans. Comenzó su activismo en 2013, cuando aún no habían muches activistas no-binaries en Puerto Rico, lo que conllevó mucha responsabilidad de educar a las personas dentro y fuera de las comunidades LGBTTIQAP+ sobre las vivencias de las personas no-binaries. Elle es reconocide por: Impulsar el lenguaje inclusivo en Puerto Rico; desarrollar adiestramientos de sensibilización sobre comunidades trans y no-binarie; crear infografías educativas; documentar su afirmación de género a través Pechos Divergentes; y co-fundar el grupo activista educativo e interseccional de La Sombrilla Cuir.

Capítulo 8: Transitando en los Vínculos Afectivos

La **Dra. Laura Bisbal Vicéns** es psicóloga clínica y es una mujer heterosexual cisgénero que se identifica como aliada de la comunidad LGBTT+. Ha facilitado grupo de apoyo para personas trans adolescentes, ha sido voluntaria para True Self Foundation y ofrece psicoterapia bajo un modelo afirmativo en su oficina privada a la comunidad LGBTT+, apoyando y acompañándoles en procesos de transición como cambios de nombre, marcador de género, procesos médicos-quirúrgicos, terapia familiar/pareja, entre otros. La Dra. Bisbal siente un gran compromiso con la comunidad y utiliza su privilegio para visibilizar las necesidades de las personas marginadas y excluidas socialmente.

Jessica Rivera-Vázquez (Ella/Elle) es una estudiante doctoral de psicología clínica (Psy.D) de la Universidad Albizu, Recinto de San Juan. La estudiante puertorriqueña se identifica como mujer género-fluido y lesbiana. Ha participado de organizaciones estudiantiles a favor de los derechos LGBTQIA+ tales como PRISMA (UPR-RP), VIVAS (Albizu), y GSDO (Albizu). Igualmente, se ha integrado en organizaciones profesionales para visibilizar a la comunidad cuir caribeña a nivel internacional. También ha ofrecido cursos académicos como asistente de cátedra, y adiestramientos transafirmativos.

Se ha comprometido en abogar por la creación de política pública decolonial, multicultural y transfeminista desde la perspectiva de derechos humanos.

Capítulo 9: Transafirmación: Estrategias Para la Afirmación de Género en los Servicios Clínicos

Fabo Feliciano Graniela cuenta con un Diplomado en Psicología Corporal, Teoría de la Praxis y Psicopolítica de la Liberación de Comunidades Libertas, AMAPSI y Cátedra Libre Martín-Baró. Actualmente, es psicólogue clínique en formación en la Universidad de Puerto Rico, Recinto de Río Piedras, y experimenta su género y sexualidad como persona no-binaria y polisexual. Fabo facilita el grupo de masculinidades+ y funge como asistente investigativx en Siempre Vivas Metro. También ha colaborado con proyectos como TRANSFormando la Comunidad y proyectos autogestionados y autoconvocados de diversas naturalezas.

Capítulo 10: Políticas de Presencia: Sobre el Derecho y la Ley

La **Lcda. Omayra Toledo de la Cruz** es abogada desde 1996 tanto en el Tribunal Estatal como en el Federal. Se identifica como mujer cisgénero, heterosexual y aliada a las comunidades trans, cuir y no binaria. Desde 2017, co-fundó y participa como Secretaria de la Junta de Directores de True Self Foundation, organización sin fines de lucro dedicada a promover la movilidad social y económica de las comunidades LGBTQIA+ de Puerto Rico. Ha sido conferenciante en temas de derechos y aspectos legales de la comunidad LGBTQIA+ y lleva voluntariamente casos de cambios de nombre a personas de la comunidad.

Made in the USA
Monee, IL
17 October 2023

44668251R00164